FORMULA1
STAGIONE '99

Edizione autorizzata nel 1999 per
la Mixing Medienproduktionen GmbH, Neckarsulm, Germania
Foto di copertina: dpa
Traduzione: H. Luchetti, G. Scagliusi
Stampato in Germania
Tutti i diritti riservati

FORMULA 1
STAGIONE '99

MIXKING.

Formula 1- Stagione 1999 – le Corse

Il momento di grazia ha fine già dopo la prima sosta ai box: Heinz-Harald Frentzen conduce a lungo il suo Gran Premio in casa - fino al guasto tecnico.

Dal nulla ad uno dei più grandi favoriti del Mondiale di F1: per il pilota della Ferrari Eddie Irvine la stagione 1999 è stata estremamente favorevole.

A destra: partenza della formula 1 nel Gran Premio della Malesia - e la penultima corsa di stagione dà subito voce ad uno scandalo di prim'ordine.

Sopra: una delle scene chiave della stagione 1999. Nella prima curva di Spa-Francorchamps David Coulthard finisce sul suo collega di squadra Mika Hakkinen. A destra: non sempre in salita - Michael Schumacher con la sua Ferrari.

Retroscena e ritratti

Sopra: sensazionale nella scorsa stagione - Heinz-Harald Frentzen è entrato nella serie dei piloti top.

Sotto: festeggia il suo ritorno dopo 98 giorni di riposo. Dopo l'incidente a Silverstone Michael Schumacher ritorna in Malesia nei Gran Premi

Sopra a destra: Pedro Diniz esce illeso dall'orribile incidente sul Nürburgring - un successo dei costanti miglioramenti della formula 1 per garantire la sicurezza dei piloti. Sopra: l'uomo del futuro - Ralf Schumacher dimostra alla Williams il suo talento di prim'ordine. A sinistra: per Mika Hakkinen è stata la stagione più dura della sua carriera in formula 1.

Per la città a tutto gas

Il Gran Premio di Monaco - si dice spesso - è come volare in elicottero dentro casa. I piloti di formula 1 sfrecciano a 280 km orari attraverso stretti corridoi, spesso solo ad alcuni millimetri dalle barriere laterali. Una cosa è certa: l'ultimo vero percorso cittadino nel calendario degli appuntamenti di formula 1 non consente nessun errore.

La prossima superstar

Non solo è ormai definitivamente uscito dall'ombra del fratello Michael, ma alla guida della sua Williams-Supertec è ormai assurto agli onori della cronaca. Ralf Schumacher - il cui contratto è stato prolungato da Frank Williams fino al 2003 - ha mancato solo per un soffio di vincere il Gran Premio di casa al Nürburgring.

Sogno del terzo titolo

Avrebbe potuto essere il suo anno: a Monaco si impone con una vittoria fulminante ed entusiasmante. Dopo Silverstone, invece, Michael Schumacher si ritrova con una gamba rotta che lo costringe ad abbandonare il sogno del terzo titolo mondiale. Il pilota della Ferrari però guarda già all'anno 2000: rimandare non significa rinunciare...

Una vecchia conoscenza

Il miglior Heinz-Harald Frentzen di tutti i tempi. Per il tedesco il cambio del cockpit con Ralf Schumacher è convenuto. Al volante della Jordan e grazie alla potenza del motore Honda, il quasi papà si trova improvvisamente a dover competere per il titolo mondiale. Con le vittorie di Magny-Cours e Monza Heinz-Harald Frentzen è tornato a far parte della rosa dei grandi.

Il miglior Heinz-Harald Frentzen di tutti i tempi. Per il tedesco il cambio del cockpit con Ralf Schumacher è convenuto. Al volante della Jordan e grazie alla potenza del motore Honda, il quasi papà si trova improvvisamente a dover competere per il titolo mondiale. Con le vittorie di Magny-Cours e Monza Heinz-Harald Frentzen è tornato a far parte della rosa dei grandi.

Un percorso in salita

Difesa del titolo con ostacoli: per il pilota della McLaren, Mika Hakkinen, è stata la stagione più dura nella sua carriera in formula 1, anche senza Michael Schumacher. La mancanza di una strategia di squadra, propri sbagli e difetti tecnici - come in questa foto lo scoppio di una gomma ad Hockenheim – hanno pesato considerevolmente sul suo stato d'animo.

Regole e regolamenti

Evoluzione al posto di rivoluzione. Dopo il passaggio lo scorso anno ad una formula 1 'a scartamento ridotto' vale a dire meno veloce della precedente, i bolidi 1999 si presentano a colpo d'occhio quasi immutati tranne che per un quarto solco sui pneumatici anteriori. Ma è proprio il quarto solco a cambiare le regole del gioco. La superficie di contatto del penumatico diminuisce di soli 1,4 cm, ma quella della macchina si riduce in modo sproporzionato.

Risultano fatali per le carriere di alcuni piloti: le gomme a quattro solchi.

Un piccolo solco, insomma, con un grande effetto. Un solco prescritto dalla Federazione Automobilistica Internazionale (FIA) per aumentare la sicurezza dei piloti, ma anche un'innovazione generalmente non gradita e anzi criticata apertamente da molti. Damon Hill, per esempio, Alessandro Zanardi o anche Olivier Panis hanno detto apertamente di non essersi ancora abituati al nuovo tipo di gomme. Per Hill poi - e parliamo di un ex campione del mondo - le nuove gomme scolpite si sono rivelate di gestione talmente difficile da farlo sfigurare nei confronti del compagno di scuderia Frentzen e da fargli annunciare alla fine il suo ritiro. "Queste gomme vanno bene per la generazione dei Kart, per guidatori abituati a derapare in curva"(Damon Hill).

Meno superficie della gomma aderisce alla strada - questo il calcolo del presidente della FIA Max Mosley- e minore risulta la velocità possibile in curva. E come se questa innovazione non castigasse abbastanza i veri piloti di razza, quelli cioè abituati ad affrontare le curve ad alta velocità, ecco che la fine della concorrenza nel settore pneumatici viene a peggiorare ulteriormente la situazione. Forte della sua posizione di monopolio Bridgestone annuncia un cambio di direzione nel settore sviluppo. La priorità nei pneumatici 1999 non va più all'aderenza ma alla durata.

Ed è principalmente a causa dell'uso di mescole molto dure che i piloti di F 1 considerano il passaggio dai 3 ai 4 solchi più incisivo di quello dagli slicks alle gomme scolpite. Mentre nelle curve veloci gli accorgimenti aereodinamici sono sufficienti a pressare la macchina al suolo, in quelle lente la mancanza di aderenza è decisamente notevole. La chiave del successo è senz'altro un piede molto sensibile nel gestire l'acceleratore e un tipo di guida morbido come quello di Heinz-Harald Frentzen. Anche Rubens Barrichello figura tra i beneficiari della nuova situazione. Dato che prima di immettersi nella curva conclude il processo di frenata, risparmia senza dubbio nell'usura dei pneumatici anteriori. Chi invece, come il campione di ChampCar Zanardi, è abituato a lanciarsi con la macchina in curva, scivola sulle gomme anteriori, le usura più in fretta e perde inoltre di velocità. Il pilota della Williams comunque rimane combattivo è annuncia di volere cambiare il suo stile di guida." Se ci riesce Ralf Schumacher posso riuscirci anch'io".

L'imprevista maggiore usura dei pneumatici - in ogni caso - occupa gli ingegneri molto di più della loro perdita di aderenza. I quattro solchi dividono il pneumatico in 5 spicchi di superficie e questi 5 spicchi hanno gradi di usura differenti. In queste condizioni, lamenta Hill, le possibilità di trovare un assetto giusto sono una su mille.

Il tanto discusso quarto solco ha inoltre influenzato il design delle macchine. Solo Adrian Newey, comunque, il capo designer della McLaren, ha saputo trarne le giuste conseguenze. Mentre i costruttori di tutte le altre scuderie hanno più o meno imitato il suo concetto della scorsa stagione e cercato di compensare la minore aderenza dell'avantreno portando il peso in avanti, Newey ha operato in maniera del tutto differente. Per ottenere un bilanciamento ottimale della macchina ha retrocesso di 15 cm la collocazione del pilota e operando poi su un tipo di serbatoio corto, ma molto alto, ha portato il maggior peso possibile al centro della vettura. Un concetto,

Disperato per i nuovi quattro solchi delle gomme. L'ex campione mondiale Damon Hill.

Richiesto un tocco supersensibile sul freno e sull'acceleratore: le formula 1 del '99 si guidano con più difficoltà.

questo, che evidentemente ha dato i suoi frutti.

Le altre modifiche del regolamento non hanno effetti così spettacolari e discussi come quelli derivanti dal quarto solco e si concentrano prevalentemente nel settore del sooftware inteso come mezzo di controllo e verifica. Ma i grandi cervelli della F 1 sono sempre alla ricerca di stratagemmi per aggirare regole e paragrafi considerati spesso troppo severi e comunque non favorevoli allo sviluppo della macchina. Gli esperti di aereodinamica della Ferrari, Sauber e BAR avevano messo a punto prima della stagione degli alettoni posteriori che si piegavano all'indietro ad alte velocità e che facendo meno resistenza all'aria consentivano una guida più filante sui rettilinei mentre in curva fornivano l'usuale pressione a terra. Dopo che però Michael Schumacher nei test e Jacques Villeneuve nella prima corsa della stagione erano usciti di pista per la rottura appunto di questi congegni, furono subito vietati dalla FIA. In ogni caso i regolamenti prescrivono che le ali devono sopportare un peso di 100 kg senza accennare a piegarsi.

Last and least: ogni tanto il circo della F 1 riflette anche sull'esplosione dei costi. In questo contesto si pensava che una limitazione dei giorni di prove ad un massimo di 50 avrebbe portato ad una notevole riduzione delle spese. E invece non è servito a nulla. Mentre le scuderie finanziariamente forti hanno aggirato l'ostacolo e provato quanto e come volevano, le altre hanno rispettato la limitazione solo controvoglia e unicamente per mancanza di mezzi.

Lotta per una maggiore sicurezza nel campionato del Gran Premio, ma resta solo, con la sua disapprovazione dei Slick privi di profilo: il presidente della FIA Max Mosley

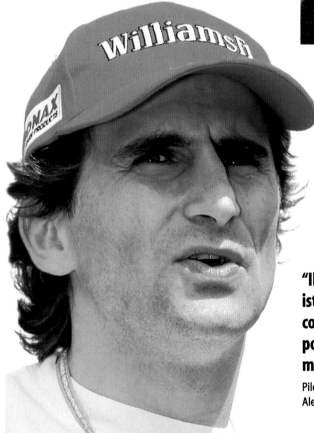

"Il mio stile di guida istintivo non si confà con queste ruote. Mon posso più lanciare la macchina in curva."

Pilota della Williams, Alessandro Zanardi

GP di Australia

1. corsa del Campionato Mondiale di F 1, circuito Albert Park, Melbourne, 7 marzo 1999

Same pro

Tutto era iniziato come lo scorso anno: durante l'intero fine settimana le freccie d'argento dominano incontrastate sul tracciato australiano di Melbourne. Dietro un grande vuoto e poi Michael Schumacher in testa al drappello degli inseguitori. In gara però tutte le previsioni si rivelano errate e a tagliare per primo il traguardo è un altro pilota. Al termine di una corsa praticamente perfetta il numero 2 della Ferrari, Eddie Irvine, si aggiudica il suo primo Gran Premio.

Una sorpresa per tutti: nel Paese dei canguri Eddie Irvine sale sul podio del vincitore per la prima volta nella sua carriera.

18

edure as last year?

Avvio della nuova stagione: Mika Hakkinen e David Coulthard vincono la partenza ma non la corsa.

GP di Australia

Senza sbavature: nel suo primo Gran Premio per la Williams, Ralf Schumacher conquista subito il podio.

Sopra: senza fortuna – Ferrari con problemi di partenza.
Al centro: senza asfalto – Zanardi sull'erba.
Sotto: senza risultato – collasso del motore di Coulthard.
A destra: senza punti – la rimonta di Schumacher.

C hi si era basato sui tempi segnati nelle prove di qualifica avrebbe potuto andarsene tranquillamente a dormire. La superiorità delle McLaren-Mercedes con un vantaggio di 1,3 secondi a giro era talmente schiacciante da escludere qualsiasi sorpresa. E invece chi accende il televisore alle 4 di notte, ora dell'Europa centrale, assiste ad una gara entusiasmante con momenti mozzafiato e con un andamento generale decisamente drammatico.

All'inizio sembrava che si ripetesse pari pari la scorsa edizione del Gran Premio: in prima fila i soliti Mika Hakkinen e David Coulthard che partono a razzo e si avvantaggiano subito in modo evidente sugli inseguitori. Guadagnano quasi due secondi a giro e si confermano nuo-

vamente piloti di un altro pianeta. L'unico quesito che rimane ancora senza risposta è se le due McLaren riusciranno a doppiare l'intera concorrenza.

Va detto comunque che la superiorità delle due frecce d'argento non è casuale. Già durante le prove si delinea il vero problema di questo Gran Premio d'Australia. Il percorso è sdrucciolevole e le gomme anteriori non riescono ad acquisire la temperatura ottimale. Problema comune a tutti ma non ai due piloti della McLaren - scuderia partner di sviluppo della Bridgestone - che assolvono i loro giri come orologi svizzeri e senza la minima difficoltà.

Ma se la prima apparizione delle frecce d'argento dopo la pausa d'inverno è decisamente

Con talento : Toranosuke Takagi conquista il settimo posto.

Con gioia : Pedro de la Rosa termina il suo primo Gran Premio in zona punti.

spettacolare il risultato concreto è miserevole. Al 13mo giro Coulthard getta la spugna per problemi all'impianto idraulico. Otto giri più tardi è il suo collega finlandese a dovere cedere dopo essere ritornato inutilmente in pista nonostante delle noie ad una valvola di chiusura.

Si era imposta insomma la strategia del rischio. Si era puntato sulla McLaren MP 4/14 nonostante in prova non era mai stata percorsa l'intera distanza di un Gran Premio. Per Ron Dennis però l'impiego del modello 98, seppure modificato, non era stato mai preso seriamente in considerazione.

"Anche se non abbiamo completato la gara, adesso sappiamo come collocarci rispetto alle altre squadre. Inoltre è sempre meglio rendere affidabile una macchina veloce che rendere veloce una lenta". Anche David Coulthard è dello stesso avviso: "Per il Gran Premio del Brasile avremo risolto tutti i problemi".

E in casa Ferrari? Gioia, ovviamente, ma molto contenuta. Anche se le rosse hanno vinto la corsa, si capisce che il risultato è più che lusinghiero e che c'è ancora molto da fare. Michael Schumacher si comporta come sempre. Si dichiara ottimista anche se sa benissimo che le McLaren si sono dimostrate nettamente superiori alle Ferrari. Anche per lui però vale la regola: same procedure as last year. Quando le 22 monoposto partono per il giro di ricognizione la frizione della Ferrari F 399 fa i capricci. Esattamente come nella corsa finale della precedente stagione sul circuito di Suzuka. Mentre tenta di inserire la marcia le altre macchine si allontanano e Schumacher alla fine è costretto a partire in ultima fila.

Il grande iellato della giornata è Rubens Barrichello.

A questo punto che fare? La delusione di un simile debutto avrebbe scoraggiato qualsiasi pilota. Schumacher però non si fa prendere dallo sconforto e si butta in un inseguimento da cardiopalma. Giro dopo giro si porta in avanti con sorpassi irresistibili e al limite del possibile: a uno a uno supera Badoer, Panis, Zonta, Alesi, Zanardi, Diniz. Al 22mo giro il fuoriclasse tedesco ha già conquistato il quarto posto. Ma tutto è inutile. Cinque giri più tardi si stacca il pneumatico posteriore destro. Remenber Suzuka: same procedure as last year...

Corsa finita per Schumacher? Macchè! Anche se la rossa nelle curve veloci sembra impazzire e rispondere difficilmente alla guida (si saprà più tardi che entrava il folle da solo) la corsa del pilota di Kerpen ha dell'esaltante. Schumacher fa segnare un giro veloce dopo l'altro e supera addirittura i tempi delle McLaren dell'inizio corsa. Al 38mo giro gli viene cambiato il volante. Ora le marce entrano bene, ma il tempo perso ai box non è recuperabile. Alla fine Schumacher deve accontentarsi dell'ottavo posto. "Il divario nei confronti delle McLaren mi ha sorpreso, ma comincerò a preoccuparmi solo se dopo un paio di corse non avremo risolto il problema. La macchina è affidabile ed ha potenziale. Dobbiamo migliorare in velocità, ma ci riusciremo".

Il tedesco comunque non è l'unico sfortunato della giornata. Lo scettro della scalogna se lo aggiudica Rubens Barrichello che avrebbe anche potuto vincere la corsa se la sfortuna non si fosse accanita su di lui. Già nelle qualifiche dove molto non era andato per il verso giusto la Stewart SF-3 del brasiliano era riuscita a conquistare il quarto posto. Una piccola sensazione che il giorno dopo avrebbe potuto trasformarsi in una strepitosa vittoria o comunque in un piazzamento fra i primissimi.

Dopo il giro di ricognizione però, costernazione ai box della Stewart. Ambedue le macchine bruciano per la rottura delle condutture

Sopra : con sfortuna – debutto di Gené . Sotto : con divertimento – fan di F 1.

Con perfezione : il campione del mondo Mika Hakkinen fa segnare a Melbourne un tempo di qualifica che sorprende tutti.

GP di Australia

dell'olio. Mentre per Johnny Herbert non rimane che il ritiro, il futuro ferrarista sale sul muletto e inizia l'inseguimento dell'intera formazione dei concorrenti. Insieme a Michael Schumacher avanza di posizione in posizione fino a quando un guasto alla pompa della benzina lo costringe ad una sosta imprevista. Alla fine deve nuovamente fermarsi per una penalità Stop-and-go a causa di un sorpasso vietato compiuto durante la fase di una Safety-Car. Alla fine lo stesso Barrichello sbotta arrabbiato: "Avrei potuto vincere la corsa!" Come consolazione si aggiudica il quinto posto, si prende quindi 2 punti preziosi per la Stewart e ha la soddisfazione di aver fatto segnare il secondo giro più veloce del circuito.

Irvine, pilota di razza.

Il numero 2 della Ferrari, Eddie Irvine, riparte dall'Australia con sensazioni totalmente diverse, con le sensazioni di un vincitore. I festeggiamenti che lo attendono sono a buona ragione eccezionali. Per tre lunghi anni ha sempre corso all'ombra di Schumacher e ora finalmente a Melbourne ha saputo dimostrare a chi lo ha sempre criticato che anche lui è un pilota di razza. Nei giorni antecedenti il Gran Premio aveva potuto provare la nuova Ferrari solo per mezza giornata. Tutte le altre prove se le era accaparrate Schumacher. Nonostante questo evidente svantaggio, Irvine riesce a conquistare una terza fila per la griglia di partenza e a portare a termine la prima gara della stagione con grande bravura e intelligenza. La prima vittoria di Eddie Irvine conquistata nell'82mo Gran Premio della sua carriera. Dopo la premiazione, dopo avere assaporato l'esultanza della tifoseria e dopo una prima birra, ecco alcune dichiarazioni: "Lo scorso anno ho consumato interi treni di gomme in ore e ore di prove e Michael, che ringrazio per l'ottimo lavoro svolto quest'inverno, si portava a casa le vittorie. Forse quest'anno le parti si sono invertite..." Una frase profetica, questa, pronunciata

dall'irlandese molto prima che i fatti gli dessero ragione.

La vittoria di Irvine in ogni caso non è stata affatto facile. Ha avuto sempre alle costole Heinz-Harald Frenzen che ha fatto registrare un brillante debutto nella Jordan-Mugen-Honda. Lo ha sempre tallonato da vicino e nel pit stop del 34mo giro il ferrarista è uscito per primo sul circuito solo per frazioni di secondo. Mentre però Frenzen studiava la prossima mossa per attaccare Irvine ecco che un sensore difettoso compromette la piena prestazione del suo motore V 10 tanto che ben presto è costretto lui stesso a difendersi dagli attacchi del connazionale Ralf Schumacher e della sua Williams. Nel 18mo giro lo aveva già superato una volta e anche ora, approfittando della confusione creata da un Hakkinen che procede sempre più lento, riesce a passargli davanti. Heinz-Harald però contrattacca e, anche se in zona Cesarini, riesce a conquistare il secondo posto.

Damon Hill, il compagno di scuderia di Frenzen, non può nascondere la sua delusione. Nel suo centesimo Gran Premio era destino che non andasse molto lontano. Nelle qualifiche era stato battuto da Frenzen per quattro decimi di secondo e in corsa poi non era riuscito a raggiungere neppure la seconda curva: "Ho avuto una partenza bruciante ma poi sono stato buttato fuori pista da un concorrente che si era dimenticato di frenare".

Ancora più eclatanti le differenze alla Williams: mentre Ralf Schumacher riesce a portare a casa un eccellente terzo posto, Alessandro Zanardi combatte nelle retrovie una battaglia ormai persa. Già nelle prove di qualifica era stato più lento di ben un secondo rispetto al suo compagno di scuderia e le cose non erano andate certamente meglio durante la corsa. Un crash al 20mo giro aveva significato la fine della corsa, ma la cosa che senz'altro lo aveva turbato era il fatto che fra il suo giro migliore e quello di Ralf Schumacher la differenza era di ben 3,5 secondi.

Sorpresa positiva invece da parte di un altro pilota, da parte di Pedro Diniz. Il figlio di un ricco brasiliano ha dimostrato di avere abbastanza talento da non dover figurare più a lungo come unico Pay-Driver in formula 1. L'aver dovuto compiere le prove di qualifica con il muletto di Jean Alesi non gli ha impedito di piazzarsi davanti al suo compagno di scuderia nella griglia di partenza e di condurre un'ottima gara che lo ha visto a tratti addirittura al quarto posto prima di essere costretto al ritiro per un guasto al cambio.

Same procedure as last year? Non precisamente. Per fortuna la Formula 1 è sempre ricca di sorprese e quindi un quadro generale sugli effettivi rapporti di forza lo si avrà al più presto dopo il Gran Premio del Brasile.

Sopra: soddisfazione – il passaggio di Heinz-Harald Frentzen alla Jordan porta subito buoni frutti. Sotto: punteggio pieno – Eddie Irvine è l'eroe della giornata.

Statistica

1. corsa Campionato Mondiale F 1 1999, Circuito Albert Park, Melbourne (AUS), 7 marzo 1999

Lunghezza percorso:	5,303 km
Numero giri:	57 (= 302,213 km)
Partenza:	4.00 GMT
Condizioni del tempo:	Caldo, tempo soleggiato
Spettatori:	118 000
Scorsa stagione:	1. Mika Hakkinen (FIN, McLaren-Mercedes MP4/13), 1 h 31'45"996
	2. David Coulthard (GB, McLaren-Mercedes MP4/13), – 0"702 s
	3. Heinz-Harald Frentzen (D, Williams-Mecachrome FW20), – 1 giro
Pole Position 1998:	Mika Hakkinen (McLaren-Mercedes MP4/13), 1'30"010 m
Giro più veloce 1998:	Mika Hakkinen (McLaren-Mercedes MP4/13), 1'31"649 m
Sosta box più breve 1998:	Mika Hakkinen (McLaren-Mercedes MP4/13), 11"242 s

Poca presa sul terreno, ma molta atmosfera di pubblico

"Per essere un circuito cittadino Melbourne è eccezionale. L'Albert Park Circuit è come una vera pista da corsa. Come atmosfera generale l'Australia offre uno dei migliori Gran Premi della stagione. Qui tutti si industriano per trovare aderenza. La macchina è costantemente sottosterzo perchè la pista è scivolosa e l'asfalto spesso molto caldo".

Eddie Irvine

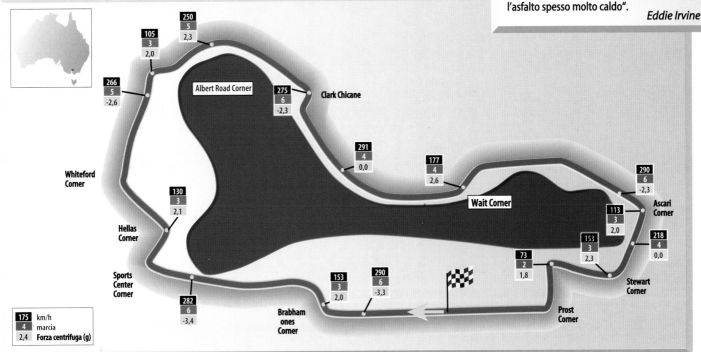

Risultati

Pilota	Team	Soste ai box	Giri	Tempo(h)	Media(km/h)	Distacco	Sul precedente
1. Eddie Irvine	Ferrari	1	57	1 h 35'01"659	190,852	–	–
2. Heinz-Harald Frentzen	Jordan-Mugen-Honda	1	57	1 h 35'02"686	190,818	1"026 s	–
3. Ralf Schumacher	Williams-Supertec	1	57	1 h 35'08"671	190,618	7"012 s	5"986 s
4. Giancarlo Fisichella	Benetton-Playlife	2	57	1 h 35'35"077	189,740	33"418 s	26"406 s
5. Rubens Barrichello	Stewart-Ford	3	57	1 h 35'56"357	189,038	54"697 s	21"279 s
6. Pedro de la Rosa	TWR-Arrows	2	57	1 h 36'25"976	188,071	1'24"316 m	29"619 s
7. Toranosuke Takagi	TWR-Arrows	1	57	1 h 36'27"947	188,007	1'26"288 m	1"972 s
8. Michael Schumacher	Ferrari	3	56	1 h 35'16"505	187,017	1 Giro	1 Giro

Pilota	Team	Soste ai box	Nel giro	Motivo ritiro	Pos. prima del ritiro		
Ricardo Zonta	BAR-Supertec	3	48	Guasto al cambio	8		
Luca Badoer	Minardi-Ford	2	42	Guasto al cambio	9		
Alexander Wurz	Benetton-Playlife	1	28	Sospensione	10		
Pedro Diniz	Sauber-Petronas	1	27	Guasto al cambio	4		
Marc Gené	Minardi-Ford	1	25	Collisione	12		
Jarno Trulli	Prost-Peugeot	1	25	Collisione	13		
Olivier Panis	Prost-Peugeot	0	23	Fissaggio ruota	9		
Mika Hakkinen	McLaren-Mercedes	1	21	Guasto al motore	16		
Alessandro Zanardi	Williams-Supertec	1	20	Incidente	13		
David Coulthard	McLaren-Mercedes	0	13	Guasto al motore	2		
Jacques Villeneuve	BAR-Supertec	0	13	Rottura ala	8		
Damon Hill	Jordan-Mugen-Honda	0	0	Collisione	9		
Jean Alesi	Sauber-Petronas	0	0	Guasto al cambio	16		
Johnny Herbert	Stewart-Ford	0	nessun Restart	Motore sovrariscaldato	–		

GP di Australia

1. corsa Campionato Mondiale F 1 1999, Circuito Albert Park , Melbourne (AUS), 7 marzo 1999

Griglia di partenza

1 Mika Häkkinen (FIN)
McLaren-Mercedes MP4/14
1'30"462 m (293,7 km/h) [1]

2 David Coulthard (GB)
McLaren-Mercedes MP4/14
1'30"946 m (291,3 km/h)

3 Michael Schumacher (D)
Ferrari F399
1'31"781 m (285,1 km/h)

16 Rubens Barrichello (BR)
Stewart-Ford SF3
1'32"148 m (286,4 km/h)

8 Heinz-Harald Frentzen (D)
Jordan-Mugen-Honda 199
1'32"276 m (288,1 km/h)

4 Eddie Irvine (GB)
Ferrari F399
1'32"289 m (288,0 km/h)

9 Giancarlo Fisichella (I)
Benetton-Playlife B199
1'32"540 m (285,0 km/h)

6 Ralf Schumacher (D)
Williams-Supertec FW21
1'32"691 m (284,5 km/h)

7 Damon Hill (GB)
Jordan-Mugen-Honda 199
1'32"695 m (286,7 km/h)

10 Alexander Wurz (A)
Benetton-Playlife B199
1'32"789 m (285,2 km/h)

22 Jacques Villeneuve (CDN)
BAR-Supertec 01
1'32"888 m (284,2 km/h)

19 Jarno Trulli (I)
Prost-Peugeot AP02
1'32"971 m (281,0 km/h)

17 Johnny Herbert (GB)
Stewart-Ford SF3
1'32"991 m (286,0 km/h)

12 Pedro Diniz (BR)
Sauber-Petronas C18
1'33"374 m (283,6 km/h)

5 Alessandro Zanardi (I)
Williams-Supertec FW21
1'33"549 m (283,9 km/h)

11 Jean Alesi (F)
Sauber-Petronas C18
1'33"910 m (283,8 km/h)

15 Toranosuke Takagi (J)
TWR-Arrows A20
1'34"182 m (280,5 km/h)

14 Pedro de la Rosa (E)
TWR-Arrows A20
1'34"244 m (281,9 km/h)

23 Ricardo Zonta (BR)
BAR-Supertec 01
1'34"412 m (283,8 km/h)

18 Olivier Panis (F)
Prost-Peugeot AP02
1'35"068 m (281,3 km/h)

20 Luca Badoer (I)
Minardi-Ford-Zetec-R M01
1'35"316 m (281,2 km/h)

21 Marc Gené (E) [2]
Minardi-Ford-Zetec-R M01
1'37"013 m (275,2 km/h)

107-%-limite: 1'36"794 m

1) Tempo giro (Topspeed in Qualifying); 2) Ammesso in gara pur non avendo raggiunto il tempo di qualificazione del 107%

Giri più veloci

Prove libere

1.	Häkkinen	1'30"324	12. Wurz	1'33"110
2.	Coulthard	1'30"969	13. Trulli	1'33"252
3.	Herbert	1'32"569	14. Alesi	1'33"305
4.	Hill	1'32"661	15. R. Schumacher	1'33"323
5.	Villeneuve	1'32"717	16. Panis	1'34"129
6.	M. Schumacher	1'32"722	17. de la Rosa	1'34"194
7.	Barrichello	1'32"828	18. Takagi	1'34"386
8.	Frentzen	1'32"876	19. Zanardi	1'35"444
9.	Fisichella	1'32"975	20. Badoer	1'35"839
10.	Irvine	1'32"994	21. Gené	1'36"848
11.	Diniz	1'32"999	22. Zonta	1'48"227

Corsa

1.	M. Schumacher	1'32"112	12. Trulli	1'34"980
2.	Barrichello	1'32"894	13. de la Rosa	1'35"220
3.	Häkkinen	1'33"309	14. Takagi	1'35"877
4.	Frentzen	1'33"378	15. Panis	1'35"910
5.	R. Schumacher	1'33"407	16. Wurz	1'36"068
6.	Irvine	1'33"560	17. Badoer	1'37"073
7.	Coulthard	1'33"603	18. Zanardi	1'37"146
8.	Fisichella	1'33"657	19. Gené	1'37"454
9.	Diniz	1'34"748	20. Hill	1'37"491
10.	Zonta	1'34"756	21. Alesi	–
11.	Villeneuve	1'34"771	22. Herbert	–

Tutte le soste ai box

Giro	Durata	Giro	Durata	Giro	Durata
13 Zanardi	23"512	27 Wurz	27"315	38 M. Schumacher	46"248
15 Diniz	24"711	27 M. Schumacher	41"287	40 de la Rosa	23"293
15 Zonta	34"918	31 Barrichello	26"345	46 Zonta	28"728
15 Badoer	46"637	31 Zonta	29"441		
18 Fisichella	37"052	32 Takagi	27"046		
18 Häkkinen	47"557	32 Barrichello	26"335		
22 Trulli	23"752	33 R. Schumacher	24"890		
22 Barrichello	25"027	33 Badoer	27"282		
22 de la Rosa	23"919	34 Irvine	24"474		
23 Gené	27"215	34 Frentzen	24"630		
23 Trulli	28"602	37 Fisichella	25"520		

La corsa giro per giro

Poco prima della partenza: scene incredibili per la Stewart – ambedue le macchine in fiamme. Interruzione. Barrichello sale sul muletto, Herbert rimane a piedi. Partenza come il finale di stagione 98 in Giappone. Michael Schumacher rimane fermo per problemi al cambio e deve reinserirsi nello schieramento come 20mo. Hakkinen vince la partenza davanti a Coulthard, Irvine, Frentzen, Ralf Schumacher e Fisichella . Trulli spinge Hill fuori pista nella prima curva . Giro 3: Hakkinen davanti a Coulthard, Irvine, Frentzen, R. Schumacher, Fisichella e Trulli. Giro 14: nella BAR di Villeneuve si spezza l'alettone posteriore e il canadese compie un volo spettacolare. La Safety car conduce la corsa. Coulthard si ritira. Giro 18: Hakkinen non può più accellerare e sosta per 30 sec. ai box. Trulli e Fisichella si toccano al termine della dirittura d'arrivo. La successione: Irvine davanti a Frentzen, Trulli, R.

Schumacher. Giro 21: Zanardi conclude il suo comeback contro le sponde d'acciaio. Nuovo impiego della Safety car. M.Schumacher è ora sesto. Giro 22: Hakkinen si ritira. Giro 26: Genè e Trulli si scontrano e si ritirano. Giro 27: Déja-vu n.2 per Michael Schumacher - danni a un penumatico. Dopo la sosta ai box è undicesimo e ultimo. Giro 28: Wurz termina con un danno al retrotreno. Giro 31: Barrichello è al quarto posto, ma una penalità di 10 secondi per vietato superamento lo fa retrocedere. Giro 34: Irvine e Frentzen entrano insieme nei box. Eddie riesce a difendere la prima posizione. Giro 37: pit stop di Michael Schumacher. Giro 38: nuova sosta ai box di M. Schumacher. Giro 43: Barrichello è al quinto posto. Giro 49: la BAR di Zonta ha un guasto al motore. Giro 57: R. Schumacher attacca Frentzen che si rifà su Irvine. In quest'ordine arrivano al traguardo.

Classifica

Mondiale piloti	Punti
1. Eddie Irvine	10
2. Heinz-Harald Frentzen	6
3. Ralf Schumacher	4
4. Giancarlo Fisichella	3
5. Rubens Barrichello	2
6. Pedro de la Rosa	1

Mondiale costruttori	Punti
1. Ferrari	10
2. Jordan-Mugen-Honda	6
3. Williams-Supertec	4
4. Benetton-Playlife	3
5. Stewart-Ford	2
6. TWR-Arrows	1

Forse aiuta: Giancarlo Fisichella quarto al traguardo

I secondi cruciali: quando i dieci semafori rossi si spengono, parte il GP.

Fase critica : la partenza...

"When the flag drops, the bullshit stops." Jack Brabham si diceva sempre felice quando la bandiera segnalava il via e finalmente ci si poteva concentrare solo sulla corsa. Da allora i tempi sono molto cambiati. Oggi la procedura per una partenza corretta figura fra le voci più complicate del regolamento di formula 1.

Chi viene superato dalle auto di sicurezza È SQUALIFICATO.

La grazia dai computer: la partenza viene regolata automaticamente da un computer.

Quando si spengono le luci gialli dell'automobile di guida la corsa prosegue nel giro successivo.

Bandiera rossa: se le auto bloccano il passagio la corsa viene sospesa. La procedura comincia daccapo.

Avvio di stagione in Australia. La caccia di M. Schumacher al titolo inizia male. Nel giro di ricognizione il fuoriclasse tedesco non riesce ad ingranare la marcia e si vede superare quasi dall'intero schieramento prima di muoversi.

A questo punto, scambio febbrile di battute con i box. Schumacher può o non può allinearsi al suo terzo posto nella formazione di partenza? Prima che gli strateghi Ferrari cessino di consultare il regolamento è lo stesso tedesco a decidere. Per escludere il rischio di una penalità va ad occupare l'ultimo posto dello schieramento. Un eccesso di cautela, come si apprenderà più tardi. Dal momento che era riuscito a partire prima che venisse superato dall'ultimo concorrente avrebbe potuto infilarsi benissimo al suo posto. Ecco un caso insomma che si trasforma poi in una perdita di punti solo per un'insicurezza nell'applicazione del regolamento.

A questo punto va detto che il regolamento di formula 1 è così vasto e complicato da richiedere

Sfortuna per M. Schumacher: a Suzuka egli dovette allinearsi in fondo dopo la rottura del motore della sua Ferrari prima della partenza.

Se il semaforo diventa rosso è troppo tardi. Chi non riesce a posizionarsi in tempo nella postazione di partenza, deve aspettare nelle corsie dei box.

Problemi alla partenza del Gran Premio: cause, conseguenze e punizioni

Mancato l'arrivo alla postazione di partenza:	Partenza dalla corsia dei box dopo che l'ultima auto è passata.
Rimanere fermo alla partenza:	a) Superare è permesso solo per riprendere il proprio posto nello schieramento. Tutto dev'essere concluso prima del Pole-Sitter. b) Partire per ultimo. Mettersi dietro. Partenza dall'ultima fila. c) Partire dopo la luce rossa o rimanere fermo: la macchina viene allontanata. Possibile partenza dalla corsia dei box. *Superare nel giro di formazione: penalità di 10 sec.*
Provocare un'interruzione di partenza:	Il pilota in questione parte in ultima fila. Dopo 5 minuti nuovo giro di ricognizione. Vietato rifornirsi nello schieramento di partenza. *La gara si riduce di un giro.*
Rimanere fermo alla partenza:	La macchina viene allontanata. Se il motore dovesse riprendere la macchina può seguire il gruppo ormai partito. La stessa cosa vale se la macchina è stata già spinta nella corsia dei box e i meccanici vi hanno lavorato. *Partenza prematura : 10 secondi di penalità.*
Interruzione al primo giro:	La corsa non viene considerata 'partita'. La procedura inizia da capo, permesso il muletto, ma non un rabbocco di benzina. Se un pilota a causa di una penalità si trovava già dietro, parte dalla posizione originaria. I chilometri del giro di ricognizione vengono detratti dalla distanza complessiva.
Partenza o nuova partenza dietro la Safety-Car:	Dopo un giro senza luce gialla è nuovamente permesso superare dopo la linea del traguardo. *In caso di non osservanza, 10 secondi di penalità.*

un esperto apposito. La procedura di partenza poi sembra fatta apposta per creare confusione. Se Schumacher durante il giro di ricognizione fosse retrocesso in ultima posizione avrebbe ricevuto l'ingiunzione di partire anche per ultimo. Se un pilota durante il giro di ricognizione non riesce a far partire la propria macchina o ci riesce quando il semaforo della pista è nuovamente sul rosso, deve subito venir spinto dal personale dell'autodromo nella corsia dei box e rimanervi fermo fino alla partenza dell'intero schieramento e fino a quando il semaforo della corsia box - sul rosso a 15 minuti dalla partenza – non scatti nuovamente sul verde.

Inoltre chi è causa di un'interruzione di partenza viene relegato dai commissari del circuito in ultima posizione. Questo anche se il colpevole si chiama Michael Schumacher come, per esempio, nella finale del 98 a Suzuka quando al tedesco già inserito nello schieramento di partenza si spense il motore. Se a quel punto la direzione corse interrompe il Gran Premio al primo giro, la gara viene

considerata non iniziata. Tutti i piloti qualificati ritornano al loro posto e il prossimo countdown inizia a 5 minuti dalla partenza.

Se il primo tentativo termina invece con un incidente e con la conseguente interruzione della corsa, anche i piloti coinvolti nel crash possono ripresentarsi alla partenza con il loro muletto. Prima dell'introduzione di questa regola il potersi ripresentare alla partenza dipendeva esclusivamente dalla discrezione dei commissari di corsa. Quando nel 1976 a Brands Hatch James Hunt si ripresenta alla partenza con la sua T-Car - cosa assolutamente vietata - i suoi connazionali nella direzione chiusero ambedue gli occhi.

Discrezione personale e a volte anche arbitrio dei giudici di gara sembrano oggi in gran parte banditi grazie all'impiego della tecnica. Da tempo ormai una partenza prematura non viene più rilevata ad occhio nudo. Sensori a terra registrano anche il più piccolo movimento delle macchine in posizione di partenza. E in caso appunto di un avanzamento, anche se leggero, prima che sui

semafori scompaia il rosso, il pilota della macchina in questione viene penalizzato con una sosta ai box di 10 secondi.

Anche nel caso di mancata osservanza delle regole specifiche dopo l'intervento della Safety-Car viene decretata la stessa penalità. Solo alla fine di quel giro, nel quale la macchina di sicurezza ha spento gli intermittenti gialli deviando nella corsia dei box, solo allora e comunque dopo la linea del traguardo, si può nuovamente superare. Una regola abbastanza semplice quando tutto fila liscio, ma che in caso contrario può creare serie difficoltà. A Melbourne, per esempio, la prima macchina dello schieramento - quella di Hakkinen - accusava un guasto alla trasmissione proprio mentre la Safety-Car spegneva le luci intermittenti e voltava nella corsia dei box. A questo punto si può ben immaginare la confusione indescrivibile dietro la macchina del finlandese con i piloti incolonnati che chiedevano strada, ma che non potevano superare prima della linea del traguardo.

Gara da cardiopalma

Una freccia d'argento al settimo cielo: a Interlagos Mika Hakkinen è inarrestabile.

Trio teutonico : il pilota della Mercedes Mika Hakkinen divide il podio con Michael Schumacher (a sinistra) e Heinz-Harald Frentzen (a destra).

Il secondo appuntamento della stagione conferma ciò che già si intuiva: anche nel 1999 il grande duello della Formula 1 è quello fra Mika Hakkinen e Michael Schumacher, fra la McLaren-Mercedes e la Ferrari. A Interlagos è comunque un altro pilota a conquistare i cuori dei 100.000 tifosi. È il pilota della Stewart Rubens Barrichello che, caricato al massimo sul circuito di casa propria, riesce a condurre la corsa per ben 23 giri.

Interlagos

GP del Brasile

Buon auspicio per la McLaren: già alla partenza Mika Hakkinen si impone su Rubens Barrichello alla guida della corsa.

Sopra: lamentele – Zanardi getta la spugna per un difetto al cambio. Centro: eroe delle masse - Rubens Barrichello conduce in casa ma non vince. Sotto: sfortuna – Ricardo Zonta subisce un grave infortunio nelle prove libere e si ferisce ad un piede.

Il Brasile, lo sappiamo tutti, in fatto di formula 1 ha visto tempi migliori: quando nel 1994 l'idolo nazionale Ayrton Senna morì ad Imola, gli abitanti delle 'favelas' persero con lui un sogno di grandezza e di orgoglio. Senna, tra l'altro, non era amato solo per il suo talento al volante di un bolide di formula 1, ma anche perchè devolveva una parte dei suoi immensi guadagni ai poveri e ai bisognosi. I suoi connazionali lo venerano ancora oggi non per ultimo perchè la fondazione che porta il suo nome finanzia ulteriormente opere di beneficenza. Da allora il Brasile ha atteso invano un nuovo idolo nella formula 1. Con il futuro ferrarista le cose potrebbero effettivamente cambiare.

A Interlagos le ovazioni della tifoseria nell'autodromo Carlos Pace hanno ricordato quelle che salutavano Senna. Una tifoseria letteralmente impazzita perchè è un brasiliano a condurre la corsa. E il brasiliano ovviamente è Rubens Barrichello, uno dei talenti di più vecchia data nella formula 1. A soli 26 anni si trova già alla sua settima stagione ed ora al volante di una Stewart-Ford conduce la corsa, il suo 99mo Gran Premio. "Quando improvvisamente sono passato in testa mi sono concentrato solo sulla guida per dare il meglio di me. I tifosi esultanti non li ho nemmeno recepiti. Se si vuole vincere una corsa non si può dare spazio alle sensazioni".

Per 23 giri un intero Paese ha corso con lui, per altri 19 ha pregato perchè riuscisse a conquistare il podio. Ma tutto è inutile. Il motore cede e il sogno della tifoseria brasiliana cessa di esistere. 'Rubinho' però ha potuto dimostrare di poter benissimo far parte della stretta schiera di piloti di razza. "Dobbiamo ancora lavorare all'affidabilità della macchina, ma stiamo già bussando alle porte della McLaren e della Ferrari. Ora una vittoria rientra nel possibile".

Nel frattempo nell'autodromo Carlos Pace sono i protagonisti di sempre a prendere in mano il timone della corsa. E i protagonisti ovviamente sono Michael Schumacher e Mika Hakkinen che anzi sembrano avere assunto gli stessi ruoli della scorsa stagione. Il finlandese con la sua McLaren Mercedes decisamente superiore alla Ferrari e che domina come sempre le prove di qualifica e il fuoriclasse tedesco sempre ottimista, ma che questa volta non può nascondere la delusione sulle prestazioni della sua Ferrari. Quasi un secondo separa i due concorrenti e un secondo in formula 1 è a volte un'eternità. Le facce lunghe nel box Ferrari non hanno bisogno di commenti e lo stesso Michael Schumacher non minimizza affatto: "Non abbiamo raggiunto il nostro traguardo di essere concorrenziali fin dalla prima corsa".

"Non abbiamo centrato l'obbiettivo", lamenta Michael Schumacher.

Due frecce d'argento in prima fila. Schumacher al quarto posto addirittura dietro Barrichello. Alla McLaren-Mercedes si respira grande ottimismo e Mika Hakkinen sembra già aver vinto la corsa prima della partenza. Ma il Gran Premio del Brasile dimostra ancora una volta che i conti senza l'oste non vanno mai fatti.

McLaren, la prima: quando i dieci semafori danno il via libera David Coulthard rimane al suo posto con il motore spento. E prima che anche questa monoposto si metta in moto trascorre troppo tempo. E il troppo tempo trascorso, più la sosta ai box, si traducono alla fine in due giri di svantaggio. A questo punto è chiaro che la freccia d'argento di David Coulthard non può più svolgere un ruolo di primo piano. Nel 22mo giro, poi, ritiro definitivo per un guasto al motore

McLaren, la seconda: Mika Hakkinen dopo una partenza fulminante e dopo aver guadagnato due secondi su Barrichello e Schumacher deve subire una battuta d'arresto. All'uscita della 'Curva del Sol' il motore fa improvvisamente i

"Game over" pensa già Hakkinen.

capricci. Ne approfittano subito Rubinho e Schumi che ovviamente lo sorpassano. "Tutto procedeva per il meglio e il distacco dai miei inseguitori aumentava di giro in giro quando improvvisamente non sono più riuscito ad inserire la quinta marcia. Ho pensato subito che ormai per me la corsa era finita, ma poi ho riprovato e la marcia è entrata". Momenti di panico anche per il capo sportivo della Mercedes, Norbert Haug: "Mi sembrava una situazione irreale, uno non era riuscito a partire con gli altri, l'altro stava per ritirarsi..."

Mika Hakkinen decide di lottare. Dalla terza posizione inizia una rimonta entusiasmante. Ben presto Schumacher lo vede apparire nello specchietto retrovisore e, giro dopo giro, lo vede avvicinarsi sempre di più. "La situazione non era delle migliori. Alcune volte avrei potuto tentare il sorpasso, ma il rischio era troppo grande. Quindi ho deciso di aspettare il pit stop di Michael."

Questa prova di pazienza alla fine viene premiata. Quando il tedesco al 38mo giro entra nella corsia dei box, Hakkinen passa in testa. A questo punto il finlandese ha solo quattro giri a disposizione per accumulare un vantaggio decisivo sul suo diretto inseguitore. Quando si trova davanti il vincitore del Gran Premio di Australia, Eddie Irvine, non perde la calma e quando con le

Sei punti : Michael Schumacher deve accontentarsi del secondo posto.

Tutto a sinistra: offroad – il debuttante Stéphane Sarrazin arranca sul prato, più tardi demolirà del tutto la sua Minardi. Accanto: buona prestazione – Ralf Schumacher.

Tutto a destra: giornata no – David Coulthard sbaglia la partenza prima del ritiro definitivo. Accanto: ottimo show – Jean Alesi in lotta contro un intero schieramento, anche se alla fine non vedrà il traguardo.

gomme nuove ritorna in pista al 42mo giro, Schumacher è definitivamente secondo. Ormai la sua prima vittoria della stagione è cosa fatta.

Ai box della Ferrari non ci si arrabbia affatto per i due punti persi. Al contrario gli ingegneri si mostrano piacevolmente sorpresi delle prestazioni della rossa. Praticamente all'ultimo minuto si era trovato un nuovo assetto del telaio che consentiva una regolazione più morbida degli alettoni. "Ci siamo decisi per il minor carico dinamico possibile per poter superare meglio. Solo puntando sulle nostre forze, però, non possiamo ancora battere le McLaren". Questo il breve commento di Schumacher dopo essere sceso dal podio.

Primo posto quindi per la McLaren Mercedes, secondo posto per la Ferrari di Schumacher e terzo posto pure per un tedesco. Come già a Melbourne, Heinz-Harald Frentzen si distingue per una corsa eccellente al limite delle sue effettive possibilità. Partito all'ottavo posto, ha saputo rimontare il gruppo che lo precedeva e ha terminato la corsa al terzo posto". La nostra tattica – dice raggiante il pilota della Jordan- si è dimostrata vincente". Frentzen comunque ha dovuto tremare due volte per il suo terzo posto: all'ultimo giro la sua macchina improvvisamente si fermava per un'acuta carenza di benzina. Durante il suo unico pit stop era stato immesso nel serbatoio meno carburante: "Sono contento di aver

A sinistra : i sogni di Eddie Jordan si avverano – Heinz Harald Frentzen (a destra) è ancora una volta sul podio.

girato molto velocemente alla fine per non venir doppiato da Hakkinen". Una velocità che avrebbe potuto costargli cara. Alla fine solo a gran fatica

A Frentzen viene a mancare il sorriso

i tecnici riescono ad estrarre dalla sua macchina la quantità di benzina sufficiente per le dovute analisi. Se non ci fossero riusciti Frentzen sarebbe stato squalificato.

Ralf Schumacher conclude il Gran Premio del Brasile al quarto posto dopo aver saputo tenere a bada il suo compagno di scuderia, Alex Zanardi. Il pilota italiano, che alla vigilia della stagione sembrava il più diretto concorrente di Ralf Schumacher, ha un avvio più che modesto. Nelle qualifiche rimane ad un secondo dal compagno e nella corsa addirittura a due secondi. Anche alla Williams, comunque, le cose non vanno per il verso giusto. Le glorie del passato sembrano ormai lontane e ora non rimane altro che puntare alla prossima stagione, quando la Williams potrà disporre di motori BMW.

Momenti agonistici di entusiasmo con Jean Alesi come protagonista. Questo pilota italo-francese dalla personalità carismatica ma anche caotica si trovava nelle ultime posizioni dopo un testa coda al secondo giro. Ed ecco che invece di rassegnarsi inizia un inseguimento mozzafiato per superare uno dopo l'altro, Villeneuve, Zanardi e Ralf Schumacher. Poi fa segnare il quarto miglior tempo, ma al 21mo giro e in quinta posizione, è costretto a cedere per un guasto al motore. Dopo Rubens Barrichello, un altro pilota con una prestazione brillante che alla fine però non viene premiata...

Ricercati: gli autografi di Michael Schumacher.

Statistica

2. corsa Campionato Mondiale F 1 1999, Autodromo Carlos Pace, Sao Paulo (BR), 11 aprile 1999

Lunghezza percorso:	4,292 km
Numero giri:	72 (= 309,024 km)
Partenza:	19.00 GMT
Condizioni del tempo:	poco nuvoloso, caldo, tempo ventoso
Spettatori:	119 000
Scorsa stagione:	1. Mika Hakkinen (FIN, McLaren-Mercedes MP4/13), 1 h 37'11"747
	2. David Coulthard (GB, McLaren-Mercedes MP4/13), – 1"102 s
	3. Michael Schumacher (D, Ferrari F300), – 1'00"550 m
Pole Position 1998:	Mika Hakkinen (McLaren-Mercedes MP4/13), 1'17"092 m
Giro più veloce 1998:	Mika Hakkinen (McLaren-Mercedes MP4/13), 1'19"337 m
Sosta box più breve 1998:	Jacques Villeneuve (Williams-Mecachrome FW 20), 33"185 s

Qui contano la potenza del motore e le condizioni fisiche

"Interlagos è un circuito fantastico che esige molto dalla macchina e dal pilota. Per la lunga curva in salita verso il rettilineo la potenza non basta mai. Il tracciato stretto è una sfida continua e diverte molto. La corsa in direzione antiorario sollecita molto le fasce muscolari".

Mika Hakkinen

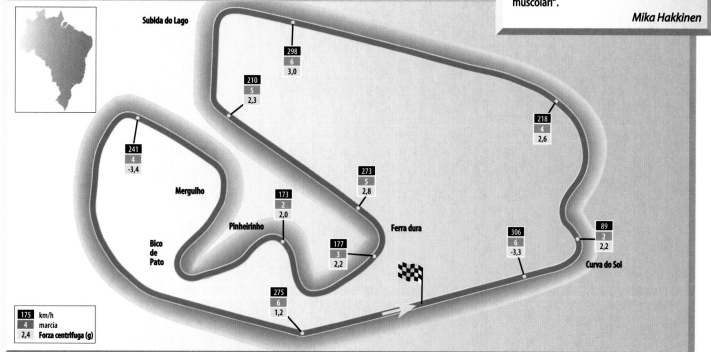

Risultati

Pilota	Team	Soste ai box	Giri	Tempo(h)	Media(km/h)	Distacco	Sul precedente
1. Mika Hakkinen	McLaren-Mercedes	1	72	1 h 36'03"785	192,994	–	–
2. Michael Schumacher	Ferrari	1	72	1 h 36'08"710	192,829	4"925 s	–
3. Heinz-Harald Frentzen[1]	Jordan-Mugen-Honda	1	71	1 h 35'56"877	190,542	Ritiro	–
4. Ralf Schumacher	Williams-Supertec	1	71	1 h 36'22"860	189,685	1 Giro	25"983 s
5. Eddie Irvine	Ferrari	2	71	1 h 36'23"103	189,677	1 Giro	0"243 s
6. Olivier Panis	Prost-Peugeot	3	71	1 h 37'13"368	188,043	1 Giro	50"265 s
7. Alexander Wurz	Benetton-Playlife	1	70	1 h 36'12"021	187,365	2 Giri	1 Giro
8. Toranosuke Takagi	TWR-Arrows	1	69	1 h 37'10"072	184,750	3 Giri	1 Giro
9. Marc Gené	Minardi-Ford	2	69	1 h 37'02"116	183,099	3 Giri	52"044 s

Pilota	Team	Soste ai box	Nel giro	Motivo ritiro	Pos. prima del ritiro
Pedro de la Rosa	TWR-Arrows	1	53	Idraulica	8
Jacques Villeneuve	BAR-Supertec	1	50	Idraulica	9
Alessandro Zanardi	Williams-Supertec	2	44	Cambio	12
Rubens Barrichello	Stewart-Ford	1	43	Motore	3
Pedro Diniz	Sauber-Petronas	0	43	Collisione	7
Giancarlo Fisichella	Benetton-Playlife	0	39	Frizione	6
Stéphane Sarrazin	Minardi-Ford	0	32	Incidente	11
Jean Alesi	Sauber-Petronas	1	28	Cambio	9
David Coulthard	McLaren-Mercedes	1	23	Cambio	18
Jarno Trulli	Prost-Peugeot	1	22	Cambio	18
Johnny Herbert	Stewart-Ford	0	16	Idraulica	19
Damon Hill	Jordan-Mugen-Honda	0	11	Incidente	20

1) Non più in gara alla fine, ma valido secondo la distanza percorsa.

GP del Brasile

2. corsa Campionato Mondiale F 1 1999, Autodromo Carlos Pace, Sao Paulo (BR), 11 aprile 1999

Griglia di partenza

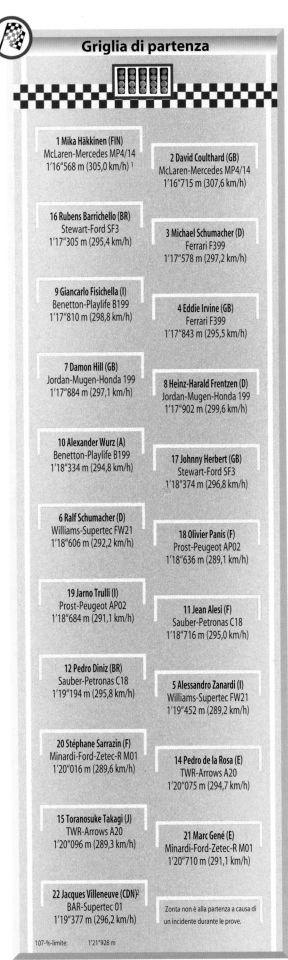

1 Mika Häkkinen (FIN)
McLaren-Mercedes MP4/14
1'16"568 m (305,0 km/h) [1]

2 David Coulthard (GB)
McLaren-Mercedes MP4/14
1'16"715 m (307,6 km/h)

16 Rubens Barrichello (BR)
Stewart-Ford SF3
1'17"305 m (295,4 km/h)

3 Michael Schumacher (D)
Ferrari F399
1'17"578 m (297,2 km/h)

9 Giancarlo Fisichella (I)
Benetton-Playlife B199
1'17"810 m (298,8 km/h)

4 Eddie Irvine (GB)
Ferrari F399
1'17"843 m (295,5 km/h)

7 Damon Hill (GB)
Jordan-Mugen-Honda 199
1'17"884 m (297,1 km/h)

8 Heinz-Harald Frentzen (D)
Jordan-Mugen-Honda 199
1'17"902 m (299,6 km/h)

10 Alexander Wurz (A)
Benetton-Playlife B199
1'18"334 m (294,8 km/h)

17 Johnny Herbert (GB)
Stewart-Ford SF3
1'18"374 m (296,8 km/h)

6 Ralf Schumacher (D)
Williams-Supertec FW21
1'18"606 m (292,2 km/h)

18 Olivier Panis (F)
Prost-Peugeot AP02
1'18"636 m (289,1 km/h)

19 Jarno Trulli (I)
Prost-Peugeot AP02
1'18"684 m (291,1 km/h)

11 Jean Alesi (F)
Sauber-Petronas C18
1'18"716 m (295,0 km/h)

12 Pedro Diniz (BR)
Sauber-Petronas C18
1'19"194 m (295,8 km/h)

5 Alessandro Zanardi (I)
Williams-Supertec FW21
1'19"452 m (289,2 km/h)

20 Stéphane Sarrazin (F)
Minardi-Ford-Zetec-R M01
1'20"016 m (289,6 km/h)

14 Pedro de la Rosa (E)
TWR-Arrows A20
1'20"075 m (294,7 km/h)

15 Toranosuke Takagi (J)
TWR-Arrows A20
1'20"096 m (289,3 km/h)

21 Marc Gené (E)
Minardi-Ford-Zetec-R M01
1'20"710 m (291,1 km/h)

22 Jacques Villeneuve (CDN)[2]
BAR-Supertec 01
1'19"377 m (296,2 km/h)

Zonta non è alla partenza a causa di un incidente durante le prove.

107-%-limite: 1'21"928 m

1) Tempo giro (Topspeed in Qualifying); 2) Per benzina irregolare retrocesso fine schieramento.

Giri più veloci

Prove libere				Corsa			
1. Häkkinen	1'18"881	12. Alesi	1'20"824	1. Häkkinen	1'18"448	12. Fisichella	1'20"484
2. Coulthard	1'19"352	13. Herbert	1'20"934	2. M. Schumacher	1'18"616	13. Villeneuve	1'20"727
3. M. Schumacher	1'19"621	14. Zonta	1'21"116	3. Irvine	1'18"816	14. Diniz	1'20"833
4. Irvine	1'19"772	15. Diniz	1'21"323	4. Alesi	1'18"897	15. Trulli	1'20"969
5. Fisichella	1'20"309	16. Zanardi	1'21"773	5. Frentzen	1'19"009	16. Hill	1'21"140
6. Barrichello	1'20"338	17. Gené	1'21"897	6. Coulthard	1'19"310	17. Sarrazin	1'21"225
7. Trulli	1'20"359	18. Takagi	1'22"355	7. Panis	1'19"386	18. Zanardi	1'21"473
8. Frentzen	1'20"431	19. de la Rosa	1'22"494	8. R. Schumacher	1'19"395	19. Takagi	1'21"598
9. Panis	1'20"562	20. Sarrazin	1'22"578	9. Barrichello	1'19"477	20. de la Rosa	1'21"698
10. R. Schumacher	1'20"671	21. Hill	1'32"229	10. Wurz	1'20"145	21. Gené	1'21"731
11. Wurz	1'20"779	22. Villeneuve	1'36"568	11. Herbert	1'20"324		–

Tutte le soste ai box

Giro	Durata	Giro	Durata	Giro	Durata
11 Zanardi	34"893	40 de la Rosa	32"772		
12 Panis	34"096	42 Häkkinen	30"983		
20 Trulli	47"618	41 Wurz	32"543		
22 Coulthard	33"328	41 Takagi	32"359		
26 Alesi	46"641	42 Zanardi	42"514		
27 Barrichello	31"245	43 Villeneuve	35"085		
27 Panis	37"500	45 Frentzen	30"780		
34 Gené	35"674	47 Panis	31"159		
35 R. Schumacher	33"386	50 Gené	40"903		
38 M. Schumacher	32"552	55 Irvine	32"791		
40 Irvine	33"656				

La corsa giro per giro

Partenza: Coulthard rimane fermo e viene spinto verso i box. Hakkinen in testa davanti a Barrichello, M. Schumacher ed Irvine. Giro 3: Coulthard schizza dalla corsia box mentre sopraggiunge Hakkinen e passa a condurre. Giro 4: Hakkinen non può accellerare, Barrichello passa in testa, Michael Schumacher ora è secondo. Il problema di Hakkinen si risolve da solo e da un attimo all'altro. Il finlandese è terzo. Giro 11: Coulthard con tre giri di ritardo, esattamente così veloce come Barrichello, lascia passare M. Schumacher ed Hakkinen. Dietro: Irvine davanti a Fisichella, Frentzen e Wurz. Giro 15: Alesi, partito in 14ma posizione supera Herbert ed è già settimo. Giro 19: Alesi ha ragione di Frentzen. Giro 21: la prossima vittima di Alesi è Fisichella. Ora Alesi è quinto. Giro 22: fine corsa per Trulli a causa di un guasto al motore. Giro 25: Alesi è già nella visuale di Irvine quando si avvia al pit stop. Giro 27: accompagnato dall'esultanza dei tifosi, Barrichello si ferma ai box per il rifornimento e si reinserisce nella corsa al quarto posto. Giro 32: la Minardi del sostituto di Badoer, Sarrazin, scivola fuori pista e gira più volte su se stessa. Giro 36: Barrichello conquista il terzo posto di Irvine. Primo pit stop di Ralf Schumacher al settimo posto. Giro 38: la frizione difettosa costringe Fisichella al ritiro. Giro 42: grazie ad un pit stop di 5 secondi più veloce Hakkinen rientra in pista per primo davanti a M. Schumacher. Giro 43: la grande giornata di Barrichello termina con un guasto al motore. Giro 45: unica sosta di Frentzen, ora quarto. Giro 56: sosta non prevista di Irvine, Frentzen avanza al terzo posto, R. Schumacher è quarto. Giro 71: Frentzen rimane senza benzina ma la macchina prosegue verso il traguardo. Hakkinen lo precede e vince, Frentzen rimane terzo.

Classifica

Mondiale piloti	Punti	Mondiale costruttori	Punti
1. Eddie Irvine	12	1. Ferrari	18
2. Mika Häkkinen	10	2. McLaren-Mercedes	10
3. Heinz-Harald Frentzen	10	3. Jordan-Mugen-Honda	10
4. Ralf Schumacher	7	4. Williams-Supertec	7
5. Michael Schumacher	6	5. Benetton-Playlife	3
6. Giancarlo Fisichella	3	6. Stewart-Ford	2
7. Rubens Barrichello	2	7. TWR-Arrows	1
8. Pedro de la Rosa	1	8. Prost-Peugeot	1
9. Olivier Panis	1		

Una gioia per gli occhi :
il Brasile non è avaro di belle
vedute.

A 22 anni veniva considerato il nuovo supertalento. La morte del suo idolo Ayrton Senna lo fece cadere in una profonda crisi. Ora è nuovamente sulle piste, più forte, più equilibrato e più veloce che mai; sempre pronto con la sua Stewart-Ford a minare il dominio delle grandi scuderie. A partire dalla prossima stagione, comunque, lui stesso ne farà parte: il brasiliano prenderà il posto di Eddie Irvine come compagno di scuderia di Michael Schumacher.

Il veterano giovane

Quest'anno la migliore stagione di Barrichello in F 1 è iniziata in modo catastrofico. Esattamente come l'auto del compagno Johnny Herbert, anche la sua prendeva fuoco nello schieramento di partenza per il Gran Premio di Australia – era uscito dell'olio dal tubo di scappamento. Rubens passa così al muletto, parte per ultimo, fa segnare il secondo miglior tempo e termina la corsa al quinto posto. Nella gara successiva, nel Gran Premio di casa, il brasiliano sembrava addirittura dovesse vincere. Nessun dubbio: Rubens è tornato.

Da qualche tempo non si parlava più del grande talento sudamericano che a 18 anni aveva abbandonato il suo Paese per andare a vincere nel 1990 l'Euroserie Opel Lotus e l'anno successivo addirittura la combattutissima Formula 3 britannica, tra l'altro contro un certo David Coulthard. Ad appena 20 anni Rubens aveva già

debuttato in F1: per la giovane squadra di Eddie Jordan Barrichello conquistò allora 2 dei 3 punti della stagione. La stella del giovane brasiliano, che già allora sembrava di età più matura, brillava sempre più intensamente. In Brasile, dove le simpatie del pubblico erano tutte per il suo grande modello, amico e sostenitore Ayrton Senna, veniva già considerato come il suo successore.

Ma la stagione 1994 non doveva rivelarsi fatale solo per Senna. In quel tragico fine settimana fra aprile e maggio quando il tre volte iridato e l'austriaco Roland Ratzenberger persero la loro vita a Imola, fu proprio Barrichello ad avviare la successione fatale dei gravi incidenti. Nelle prove libere la Jordan del brasiliano usciva di strada nella shicane 'variante bassa' e solo per un soffio non andava a finire direttamente nelle file del pubblico.

"Con la scomparsa di Senna iniziarono i miei problemi"- dirà più tardi 'Rubinho'- come lo chiamano i suoi fan". Mi chiedevo sempre dov'era e perchè non mi poteva più aiutare". Per Barrichello appena 22nne inizia un periodo difficile. Le aspettative che i brasiliani ripongono in lui lo mettono a terra perchè cerca di ottenere dalla sua Jordan più di ciò che è umanamente possibile; gli esperti in questi casi parlano di 'overdriving'. Inoltre non riusciva ad abituarsi a frenare con il piede sinistro. La telemetria poi rilevava che Rubens premeva leggermente il freno persino sui rettilinei.

Anche se il 1994 sarà poi un anno grandioso per Rubens che termina la stagione al sesto posto e che nelle prove di qualifica a Spa-Francorchamps conquista addirittura la pole, il morale del brasiliano è a terra. Non si sente bene, è insicuro e non all'altezza della situazione. Con la McLaren aveva firmato un'opzione per il 1995, una fan-

Al Nürburgring è Johnny Herbert e non Barrichello a festeggiare la prima vittoria del team.

Ha dato a Barrichello il necessario sostegno: il capo del team ed ex campione del mondo Jackie Stewart.

La grande incognita : nella sua Stewart-Ford SF 3 Rubens Barrichello ha sempre dato la caccia alle più veloci Ferrari e McLaren. Nel suo Paese, in Brasile, si è visto sfuggire la vittoria per un soffio.

tastica prospettiva di carriera. Nella penultima corsa però Ron Dennis gli comunica che non ci sarà contratto e che il posto andrà ad Hakkinen. "Non so proprio cosa sia successo allora. Prima la McLaren fa di tutto per avermi, poi non se ne sa più niente. Oggi, comunque, sono sicuro che Ron mi stima molto come pilota."

Nella stagione successiva la Jordan monta il 10 cilindri della Peugeot che però si rivela debole e pesante e comunque non adatto a quel tipo di telaio. Al termine di 5 Gran Premi deludenti Barrichello rinuncia a frenare con il piede sinistro e il successo ritorna subito. Il brasiliano conclude il controverso Gran Premio del Brasile in seconda posizione. "Dopo che a Montreal avevo finalmente battuto il mio compagno di squadra Irvine nelle qualifiche, ci sono riuscito anche a Magny-Cours e a Silverstone. La F 1 la si corre molto anche mentalmente..."

Alla fine della stagione, però, Irvine passa alla Ferrari come compagno di Schumacher. Barrichello rimane.

Nel quarto anno di Jordan, Rubens si sente a proprio agio e pensa di avere risolto i suoi problemi. Ormai è il n.1 e Martin Brandle se lo gioca a piacere. Anzi è proprio Barrichello a consigliarlo e a svelargli le traiettorie migliori. Quando però Martin inizia ad essere più veloce di lui, Rubens capisce che la scuderia opera con materiali diversi.

A questo punto il brasiliano reagisce e nel 1996 firma un contratto con la nuova scuderia di Jackie Stewart. "In realtà è stato il mio vero primo anno in F 1 perchè ho iniziato tutto da principio e ho lasciato dietro di me tutte le tristezze e amarezze. Capivo meglio la vita e non tentavo più di vincere per Ayrton. Volevo vincere in prima linea per me e poi per il Brasile." Nel team della

Ford Rubens da ottima prova di sé e a Monaco conquista un sorprendente secondo posto. Specialmente il sostegno umano del tre volte iridato Jackie Stewart sembra farlo rinascere". Oggi mi sento come un altro uomo. Sono più felice e più veloce che mai." Quando Frank Williams gli sottopone un'offerta per il 1999, Rubens rifiuta anche se nella sua scuderia i problemi tecnici non mancano di certo.
"Mi sembrava che alla Stewart avessi ancora un conto aperto."

Il sudamericano comunque sapeva che per la nuova stagione il suo team si era equipaggiato molto bene. La nuova macchina, la SF 3, sarebbe stata pronta con tale anticipo che la Bridgestone non avrebbe potuto fornire le gomme per i primi test. La Ford poi non solo sostiene la scuderia, ma la compera anche, con il risultato che il 10 cilindri Zetec ha fatto grandi progressi da quando la casa americana si è ripresa la Cosworth dalla Audi.

I risultati daranno poi ragione a Barrichello. Se in Brasile perde per poco la vittoria, al Nürburgring è il compagno Johnny Herbert a conquitarla. "Tenevo a questa vittoria che avrei regalato a Jackie Stewart"- commenterà Barrichello.
Un regalo nell'accommiatarsi: per il 2000 il 28nne giovane veterano cambia con Irvine. Barrichello sarà il nuovo pilota Ferrari e Irvine ritorna alla Stewart che si chiamerà Jaguar. "La chance della mia vita"- dice Barrichello". Per me Michael Schumacher è sullo stesso gradino di Ayrton. È il migliore e io quindi, misurandomi con lui, saprò quali sono le mie effettive possibilità".

GP di San Marino

3. corsa Campionato Mondiale di F 1,
San Marino, Imola, 2 maggio 1999

Pres

È primavera a Imola, ma i piloti della McLaren non hanno motivo di rallegrarsi. Grazie all'usuale rimonta in campo tecnico le Ferrari si sono avvicinate di molto alle frecce d'argento e Michael Schumacher manda in visibilio i suoi tifosi.

Anche gli occhiali da sole neri non possono nasconderlo: il pilota della McLaren, Hakkinen ha regalato la vittoria del Gran Premio a Imola.

ione **e reazione**

GP di San Marino

Sono ben 16 anni che a Imola si tenta di riagganciarsi ad un passato glorioso. Nell'autodromo Enzo e Dino Ferrari, all'ombra del grande Gilles Villeneuve, un vero mito fra i piloti delle rosse, si pensa a Jean Alesi che a Imola non ha mai avuto fortuna, a Gerhard Berger che nel 1989 sempre ad Imola rischiò di morire bruciato, e ai due ultimi piloti Ferrari che hanno tagliato vittoriosi questo traguardo: Didier Pironi nel 1982 e Patrick Tambay nel 1983. Ora però il riallacciarsi al passato non ha più ragione di essere. Michael Schumacher al termine di una corsa grandiosa regala ai tifosi la prima vittoria Ferrari dopo ben sedici lunghi anni di digiuno. Un avvenimento, questo, che commuove perfino il pilota tedesco solitamente poco incline a mostrare sentimenti davanti ad un pubblico.

Dopo il dominio incontrastato delle McLaren-Mercedes a Melbourne e ad Interlagos, il pilota n.1 della Ferrari definisce un successo la riduzione del distacco nelle prove di qualifica da 1,6 a 0,2 secondi. "Se qualcuno ad Interlagos avesse pronosticato un distacco così risicato non gli avrei creduto. Ora però siamo più avanti rispetto alla scorsa stagione".

La fortuna della Ferrari: il circuito italiano tutto stop-and-go non poteva mettere a nudo impietosamente come nelle due prime gare le debolezze aereodinamiche nelle curve veloci. Inoltre la Ferrari, come molte altre scuderie ex Goodyear, era riuscita per la prima volta ad azzeccare la giusta temperatura dei pneumatici Bridgestone. Anche un nuovo musetto con alettoni a cuneo aveva dato buoni risultati. Insomma Michael Schumacher riesce per la prima volta ad ingaggiare un serio duello con le MacLaren-Mercedes per conquistare la pole.

E alla fine il distacco che lo separa dalle due frecce d'argento è così irrisorio che la tifoseria ferrarista esulta come per un primo posto.

Hakkinen non si fa prendere dal nervosismo. Ottima partenza e subito via a razzo seguito a fatica da Coulthard, Schumacher ed Irvine. A sette giri dall'inizio il suo distacco sul compagno di squadra è di 5,4 secondi, due i pit stop previsti, il finlandese guida al limite per acquisire maggior vantaggio possibile. Coulthard a 3,3 secondi davanti a Schumacher dovrebbe fermarsi una sola volta. Alla Ferrari, Ross Brawn, capo del reparto tecnico, ha discusso a tarda sera la sua strategia con il fuoriclasse tedesco. Un pit stop a circa metà gara è sicuro. Per il resto il super-stratega della Ferrari ha proposto due varianti. Se Schumacher dovesse condurre, al pit stop dovrebbe fare il pieno. Con una macchina più pesante non si potrebbero ottenere tempi ottimali, ma uno Schumacher potrebbe difendere la prima posizione anche con una macchina più lenta. Se però Schumacher non dovesse trovarsi in testa subentrerebbe il piano B di cui tratteremo più tardi. È Schumacher che parla: "Dovevamo tener conto del fatto che alla partenza molto probabilmente non saremmo potuti schizzare in testa. Per questa ragione avevamo dovuto ricorrere ad una doppia tattica".

Sopra: peccato ! Ralf Schumacher prima del ritiro era quarto. Al centro: Damon Hill avanza in quinta posizione grazie alla sfortuna di Frentzen. A destra: molto raro un posticino tranquillo nel perimetro piloti.

Un volto molto noto in Italia: Giancarlo Fisichella ha guadagnato 2 punti.

"Uno stupido errore" lamenta Mika Hakkinen.

Il problema Hakkinen, che in questo giorno, nessuna strategia al mondo avrebbe potuto risolvere cessa da solo di esistere al 17mo giro. Il finlandese incappa in un errore piuttosto inconsueto per un pilota di grande esperienza come lui.

All'uscita dell'ultima curva prima della linea del traguardo la sua macchina tocca il muro, scivola, accenna un testa coda e poi si blocca. Si ferma esattamente di fronte al posto cronometrico della McLaren-Mercedes e Hakkinen fissando attonito il volante cerca di capire che cosa gli sia successo. "Accellerando in uscita sono salito troppo violentemente sui cordoli". Un errore di guida - si dirà più tardi. Un errore grossolano per un grande pilota che - come si affretta a dichiarare il suo capo Ron Dennis - l'ultimo anno aveva saputo resistere ad ogni tipo di pressione.

David Coulthard, di cui non si può sempre dire che abbia le stesse qualità, si trova quindi improvvisamente a condurre la corsa e subito si deve preoccupare di Michael Schumacher che lo tallona da vicino. Ovviamente il tedesco si sente ricaricato dopo l'incidente di Hakkinen e si butta decisamente all'attacco. Per superare l'avversario

Sopra a sinistra: manovre al millimetro. I grandi camion delle scuderie parcheggiano a distanze esattamente definite. Al centro: comeback n.1 – Mika Salo sostituisce a Imola l'infortunato pilota della BAR, Ricardo Zonta.
A sinistra: le Stewart sono veloci come non mai.

però si deve ricorrere al magistrale, ulteriore stratagemma del supertattico Ross Brawn. Brawn, un uomo tranquillo che nel poco tempo libero si dedica alla cura del suo prato inglese, si rende subito conto della situazione e decide immediatamente di adottare la strategia alternativa. Il previsto pit stop di metà gara è estremamente breve e Schumacher schizza di nuovo in pista dopo avere imbarcato poco carburante. Poi entra la McLaren e Coulthard fa il pieno in quanto era prevista una sola sosta.

Si ferma ai box per 3 secondi in più rispetto alla Ferrari, ma sono proprio quei tre secondi a decidere la corsa. Quando Coulthard ritorna in pista si vede superare da Schumacher che assume ovviamente la conduzione della corsa.

Ma a questo punto cosa fare ? D'accordo, Schumacher conduce e Coulthard con il pieno di carburante risulta più lento. Ma dopo, quando Schumacher sarà costretto al suo secondo pit stop non verrà a sua volta superato da Coulthard? Giustissimo. Quindi non rimane altro da fare che assicurarsi un vantaggio tale da consentire un secondo pit stop mantenendo al contempo la posizione di leader.

Certo, la macchina di Schumacher è più leggera, ma guadagnare 25 secondi nello spazio di 14 giri è un'impresa quasi impossibile sia in teoria che nella pratica. Ecco però che il fuoriclasse tedesco realizza l'impossibile. Come già un anno prima in Ungheria il due volte campione del mondo macina i chilometri del circuito come se stesse compiendo le prove di qualifica. Esulta la tifoseria sciocata poco dopo da un testa coda Di Pedro Diniz che, uscendo di traverso dalla chicane del Tamburello, manca per un pelo la Ferrari di Schumacher.

E David Coulthard? Il colpo accusato con il sorpasso deve averlo scosso più del previsto dal

momento che la sua corsa non è quella di un campione lanciato all'inseguimento, ma piuttosto quella di un pilota rassegnato, date le circostanze, a mantenere almeno la sua posizione. Umiliato poi da un lungo confronto con Olivier Panis impegnato in un duello con Fisichella, esce di pista dopo averlo appena superato. A questo punto Panis riprende la sua posizione e tutto ricomincia da capo.

Risultato: il vantaggio di Schumacher su Coulthard aumenta costantemente e quando si ferma ai box per imbarcare benzina ritorna in pista senza aver perso la conduzione della corsa. Più tardi ai box della McLaren-Mercedes: "Questo Gran Premio avremmo dovuto vincerlo. Il fatto di averlo perso non è dipeso né dall'impostazione , né dall'intero team. Avevamo la strategia giusta e anche la macchina giusta".

E Coulthard, di rimando: "La tattica migliore si è rivelata quella della Ferrari perché loro hanno vinto pur avendo una macchina più lenta".

E la tifoseria? Letteralmente impazzita. Le emozioni che si sono via via accumulate nel pubblico si trasformano ora in commozione, in lacrime, in ovazioni. Per un decennio e mezzo si è dovuto aspettare una vittoria in casa e ora il Michele nazionale regala a Maranello un trionfo che significa anche la conduzione nella classifica. Orgoglio nazionale alla decima potenza e un mare di bandiere rosse con il cavallino rampante. Invasione dei tifosi in ogni angolo della pista nella parte delle tribune e cori di migliaia di persone esultanti e inneggianti alla vittoria. Piccolo dispiacere anche se ampiamente superato dalla gioia per la vittoria di Schumacher: la rottura del motore di Eddie Irvine e quindi la perdita del terzo posto. Un inconveniente deplorevole, ma comunque il primo della

Ferrari dal Gran Premio d'Australia del 1998.

Heinz-Harald Frentzen al termine di una gara brillante ma sfortunata commenta l'uscita di Irvine con toni accusatori: "Superata la salita della Piratella ho trovato la pista piena d'olio e di acqua senza nessuno che sventolasse la relativa bandiera di avvertimento. Tutti erano come scioccati perché pensavano che avesse ceduto il motore della macchina di Schumacher". A questo punto l'uscita di pista è inevitabile e Frentzen viene a perdere un sicuro terzo posto consecutivo. Sfortuna di Frentzen, ma fortuna di Barrichello che prende il suo posto sul podio.

„Nessuno sventola la bandiera dell'olio in pista". Heinz-Harald Frentzen

La gioia più breve per un punto vinto è quella di Alex Zanardi. Si era appena accorto del ritiro di Johnny Herbert per guasto al motore e quindi del suo avanzamento al sesto posto quando scivola fuori pista su una lunga scia di olio.

Gli ex compagni della Lotus raggiungono insieme e a piedi i loro box e Zanardi commenta così la sua scalogna: "Prima della corsa non ci eravamo augurati buona fortuna perché porta male. Tutte le volte che lo avevamo fatto eravamo usciti tutti e due".

Il punto del sesto posto andrà quindi a Jean Alesi. Il novello viticultore (ha vinto recentemente una medaglia d'oro per il suo Chateauneuf du Pape) ha offerto così l'occasione

Sopra: apoteosi verso la vittoria - Michael Schumacher. Sotto: riflessione - a Frentzen la pausa di concentrazione non è servita.

all'equipe della Sauber di festeggiare il suo centesimo Gran Premio e di dimenticare almeno per un attimo il ristagno tecnico della casa svizzera.

Di breve durata i segni di ripresa alla BAR. Jacques Villeneuve commenta con ironia il suo quinto posto alle prove di qualifica asserendo di aver dimenticato che cosa significhi la vera velocità. In gara poi le cose sono andate diversamente. Alla partenza la macchina di Villeneuve è rimasta incollata al terreno e il pilota canadese può parlare di grande fortuna per non essere stato investito da qualche macchina del gruppo di coda.

A sinistra: come impazziti – i tifosi a Imola hanno motivo di festeggiare. Michael Schumacher (a destra) ha regalato loro la prima vittoria dopo 16 anni.

Statistica

3. corsa Campionato Mondiale F 1 1999, Autodromo Enzo e Dino Ferrari, Imola (I), 2 maggio 1999

Lunghezza percorso:	4,93 km
Numero giri:	62 (= 305,66 km)
Partenza:	14.00 Uhr GMT
Condizioni del tempo:	sereno, caldo
Spettatori:	90 000
Scorsa stagione:	1. David Coulthard (GB, McLaren-Mercedes MP4/13), 1 h 34″24″59_
	2. Michael Schumacher (D, Ferrari F300), – 4″554 s
	3. Eddie Irvine (GB, Ferrari F300), – 51″776 s
Pole Position 1998:	David Coulthard (McLaren-Mercedes MP4/13), 1′25″973 m
Giro più veloce 1998:	Michael Schumacher (Ferrari F300), 1′29″345 m
Sosta box più breve 1998:	Michael Schumacher (Ferrari F300), 23″299 s

Il circuito in casa Ferrari esige molto dai freni

"Correre qui è un qualcosa di particolare. I festeggiamenti dei tifosi per la Ferrari sono unici. Imola si trova in un bel paesaggio collinare ed è una via di mezzo fra un circuito cittadino ed uno nel verde. Dopo le modifiche l'autodromo ha perso purtroppo qualcosa del suo ritmo."

Michael Schumacher

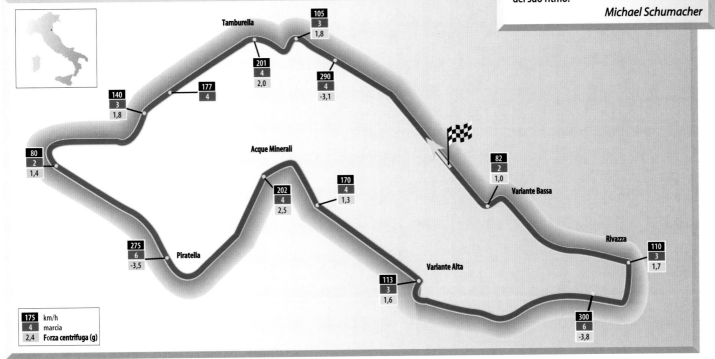

175	km/h
4	marcia
2,4	Forza centrifuga (g)

Risultati

	Pilota	Team	Soste ai box	Giri	Tempo(h)	Media(km/h)	Distacco	Sul precedente
1.	Michael Schumacher	Ferrari	2	62	1 h 33′44″792	195,481	–	–
2.	David Coulthard	McLaren-Mercedes	1	62	1 h 33′49″057	195,333	4″265 s	–
3.	Rubens Barrichello	Stewart-Ford	2	61	1 h 33′46″721	192,259	1 Giro	1 Giro
4.	Damon Hill	Jordan-Mugen-Honda	2	61	1 h 33′47″629	192,288	1 Giro	0″908 s
5.	Giancarlo Fisichella	Benetton-Playlife	2	61	1 h 34′27″002	190,893	1 Giro	39″373 s
6.	Jean Alesi	Sauber-Petronas	3	61	1 h 34′33″056	190,689	1 Giro	6″054 s
7.	Mika Salo [1]	BAR-Supertec	2	59	1 h 32′08″096	189,268	Ritiro	–
8.	Luca Badoer	Minardi-Ford	2	59	1 h 33′53″344	185,732	3 Giri	1′45″248
9.	Marc Gené	Minardi-Ford	2	59	1 h 34′16″112	184,985	3 Giri	22″768 s
10.	Johnny Herbert [1]	Stewart-Ford	1	58	1 h 29′37″619	191,264	Ritiro	–
11.	Alessandro Zanardi [1]	Williams-Supertec	2	58	1 h 29′45″043	191,001	Ritiro	–

Pilota	Team	Soste ai box	Nel giro	Motivo ritiro	Pos. prima del ritiro		
Pedro Diniz	Sauber-Petronas	3	50	Incidente	12		
Olivier Panis	Prost-Peugeot	2	49	Motore	10		
Eddie Irvine	Ferrari	1	47	Motore	3		
Heinz-Harald Frentzen	Jordan-Mugen-Honda	1	47	Incidente	4		
Toranosuke Takagi	TWR-Arrows	2	30	Testacoda	15		
Ralf Schumacher	Williams-Supertec	1	29	Impianto elettrico	4		
Mika Häkkinen	McLaren-Mercedes	0	18	Incidente	1		
Pedro de la Rosa	TWR-Arrows	0	6	Collisione	17		
Alexander Wurz	Benetton-Playlife	0	6	Collisione	18		
Jarno Trulli	Prost-Peugeot	0	1	Incidente	14		
Jacques Villeneuve	BAR-Supertec	0	–	Cambio	5		

1) Non più in gara alla fine, ma valido secondo la distanza percorsa.

GP di San Marino

3. corsa Campionato Mondiale F 1 1999, Autodromo
Enzo e Dino Ferrari, Imola (I), 2 maggio 1999

Griglia di partenza

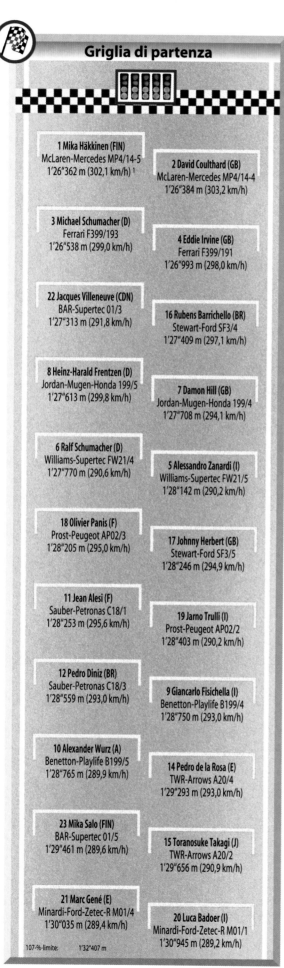

1 Mika Häkkinen (FIN)
McLaren-Mercedes MP4/14-5
1'26"362 m (302,1 km/h) [1]

2 David Coulthard (GB)
McLaren-Mercedes MP4/14-4
1'26"384 m (303,2 km/h)

3 Michael Schumacher (D)
Ferrari F399/193
1'26"538 m (299,0 km/h)

4 Eddie Irvine (GB)
Ferrari F399/191
1'26"993 m (298,0 km/h)

22 Jacques Villeneuve (CDN)
BAR-Supertec 01/3
1'27"313 m (291,8 km/h)

16 Rubens Barrichello (BR)
Stewart-Ford SF3/4
1'27"409 m (297,1 km/h)

8 Heinz-Harald Frentzen (D)
Jordan-Mugen-Honda 199/5
1'27"613 m (299,8 km/h)

7 Damon Hill (GB)
Jordan-Mugen-Honda 199/4
1'27"708 m (294,1 km/h)

6 Ralf Schumacher (D)
Williams-Supertec FW21/4
1'27"770 m (290,6 km/h)

5 Alessandro Zanardi (I)
Williams-Supertec FW21/5
1'28"142 m (290,2 km/h)

18 Olivier Panis (F)
Prost-Peugeot AP02/3
1'28"205 m (295,0 km/h)

17 Johnny Herbert (GB)
Stewart-Ford SF3/5
1'28"246 m (294,9 km/h)

11 Jean Alesi (F)
Sauber-Petronas C18/1
1'28"253 m (295,6 km/h)

19 Jarno Trulli (I)
Prost-Peugeot AP02/2
1'28"403 m (290,2 km/h)

12 Pedro Diniz (BR)
Sauber-Petronas C18/3
1'28"559 m (293,0 km/h)

9 Giancarlo Fisichella (I)
Benetton-Playlife B199/4
1'28"750 m (293,0 km/h)

10 Alexander Wurz (A)
Benetton-Playlife B199/5
1'28"765 m (289,9 km/h)

14 Pedro de la Rosa (E)
TWR-Arrows A20/4
1'29"293 m (293,0 km/h)

23 Mika Salo (FIN)
BAR-Supertec 01/5
1'29"461 m (289,6 km/h)

15 Toranosuke Takagi (J)
TWR-Arrows A20/2
1'29"656 m (290,9 km/h)

21 Marc Gené (E)
Minardi-Ford-Zetec-R M01/4
1'30"035 m (289,4 km/h)

20 Luca Badoer (I)
Minardi-Ford-Zetec-R M01/1
1'30"945 m (289,2 km/h)

107-%-limite: 1'32"407 m

Giri più veloci

Prove libere					Corsa			
1. Häkkinen	1'28"467	12. Panis	1'30"408		1. M. Schumacher	1'28"547	12. Diniz	1'30"908
2. Coulthard	1'28"605	13. Diniz	1'30"482		2. Häkkinen	1'29"145	13. Fisichella	1'30"977
3. Irvine	1'29"046	14. Salo	1'30"569		3. Coulthard	1'29"199	14. Salo	1'31"007
4. Hill	1'29"452	15. Wurz	1'30"830		4. Irvine	1'29"726	15. Herbert	1'31"238
5. M. Schumacher	1'29"534	16. Fisichella	1'30"854		5. Panis	1'30"081	16. Takagi	1'31"587
6. Zanardi	1'29"641	17. Frentzen	1'30"991		6. Hill	1'30"140	17. Badoer	1'32"851
7. R. Schumacher	1'29"630	18. Herbert	1'31"046		7. Frentzen	1'30"229	18. Gené	1'33"175
8. Villeneuve	1'29"765	19. de la Rosa	1'31"257		8. Zanardi	1'30"254	19. de la Rosa	1'33"328
9. Barrichello	1'29"792	20. Badoer	1'31"547		9. Alesi	1'30"442	20. Wurz	1'33"337
10. Trulli	1'29"808	21. Takagi	1'31"557		10. Barrichello	1'30"564		–
11. Alesi	1'30"182	22. Gené	1'33"529		11. R. Schumacher	1'30"737		–

Tutte le soste ai box

Giro	Durata	Giro	Durata	Giro	Durata
15 Alesi	27"592	29 Irvine	25"237	41 Gené	25"865
17 Takagi	44"670	29 Hill	25"640	42 Badoer	26"644
21 Badoer	26"696	29 Zanardi	25"406	43 Barrichello	25"868
24 Barrichello	26"368	30 Alesi	25"879	45 M. Schumacher	24"541
23 Takagi	26"934	31 M. Schumacher	23"922	45 Alesi	25"330
23 Gené	28"102	31 Herbert	30"613	45 Salo	26"048
24 Salo	27"599	35 Coulthard	26"216	46 Zanardi	25"293
25 Diniz	29"834	35 Fisichella	28"793	49 Hill	24"360
26 Panis	25"605	35 Diniz	189"684		
27 Frentzen	25"181	40 Diniz	26"956		
28 R. Schumacher	26"007	41 Panis	55"569		

La corsa giro per giro

Partenza: Hakkinen parte bene. Villeneuve è bloccato e per fortuna non viene tamponato. Giro 12: un Häkkinen scatenato ha già 8,9 secondi su Coulthard, dietro M. Schumacher davanti ad Irvine, Barrichello, Frentzen, R. Schumacher, Hill e Alesi. Giro 17: il finlandese ha 15 secondi di vantaggio, ma perde il controllo della macchina e va ad urtare il muro di fronte ai box. M. Schumacher inizia ad avvicinarsi a Coulthard, dietro, l'ordine rimane invariato. Giro 30: la Williams di R. Schumacher si ferma per guasto all'impianto elettrico. Il fratello colleziona giri record e sosta brevemente ai box. Giro 32: Tora Takagi riceve una penalità di 10 sec. per non aver rispettato una bandiera blu. Giro 35: sosta ai box per David Coulthard. Quando rientra in pista dopo 26,2 secondi M. Schumacher è già passato e guida ora la corsa.

Giro 36: Diniz si pone più volte di traverso al Tamburello e per poco non investe M. Schumacher. Giro 39: Fisichella e Panis sono così concentrati nella lotta per il sesto posto da non dare strada a Coulthard. Giro 42: finalmente Coulthard passa avanti però sbaglia in frenata, falcia il prato ed è nuovamente dietro i due. Giro 45: M. Schumacher si ferma per la seconda volta. Dal momento che Coulthard è trattenuto dai molti doppiaggi M. Schumacher mantiene la posizione leader. Giro 47: Eddie Irvine in terza posizione è costretto al ritiro per guasto al motore. Frentzen scivola su una macchia d'olio ed esce. Giro 49: Coulthard si avvicina a M. Schumacher, ma il tedesco reagisce bene. Giro 59: scoppia il motore di Herbert, Zanardi esce. Giro 62: vittoria della Ferrari in casa. L'eroe è Schumacher.

Classifica

Mondiale piloti/Punti				Mondiale costruttori	Punti
1. Michael Schumacher	16	Jean Alesi	1	1. Ferrari	28
2. Eddie Irvine	12			2. McLaren-Mercedes	16
3. Mika Häkkinen	10			3. Jordan-Mugen-Honda	13
Heinz-Harald Frentzen	10			4. Williams-Supertec	7
5. Ralf Schumacher	7			5. Stewart-Ford	6
6. David Coulthard	6			6. Benetton-Playlife	5
Rubens Barrichello	6			7. TWR-Arrows	1
8. Giancarlo Fisichella	5			8. Prost-Peugeot	1
9. Damon Hill	3			9. Sauber-Petronas	1
10. Pedro de la Rosa	1				
Olivier Panis	1				

1) Tempo giro (Topspeed in Qualifying)

Il "Terminator"

Come compagno di scuderia è per molti versi una disgrazia. Il due volte iridato Michael Schumacher ha segnato la fine di alcune promettenti carriere di F 1. Lauda, Senna e Prost – come tutti i grandi di questo sport anche il fuoriclasse tedesco dalle eccellenti prestazioni, dal forte carattere e dall'abilità politica, punta solo su se stesso. Il che spesso danneggia il compagno di squadra.

La lista delle sue vittime ha raggiunto nel frattempo una lunghezza considerevole. Andrea de Cesaris, Nelson Piquet, Martin Brundle, Riccardo Patrese, Jos Verstappen, JJ Lehto o anche Johnny Herbert – tutti accomunati dallo stesso destino: essere stati compagni di scuderia di Michael Schumacher e spesso con conseguenze negative: fine prematura della carriera in F 1 oppure periodo di forte crisi.

Nello sport automobilistico un segreto di Pulcinella dice che il compagno di scuderia è l'avversario più irriducibile di ogni pilota. Per Michael Schumacher questa regola sembra non avere validità. Per il più grande pilota tedesco di tutti i tempi è ormai cosa ovvia dominare il rivale. Lui stesso definisce il traguardo ultimo e il modo di raggiungerlo: Schumacher vuole battere il pilota più veloce con l'auto migliore. Spuntarla su Villeneuve in Williams-Renault o su Hakkinen in McLaren Mercedes: questi sono i traguardi per i quali Schumacher lavora. E la sua più grande soddisfazione è vincere con una macchina inferiore. Per poterlo fare necessita di un team concentrato unicamente sulla sua persona, il che, ovviamente va a scapito del compagno di squadra.

Nella lista dei piloti usciti malconci per la sua vicinanza figurano anche grandi nomi. Talenti ora in pensione o condannati alla mediocrità per non essere stati capaci di sostenere il confronto diretto con il fuoriclasse tedesco. Molto tempo prima che Eddie Irvine, suo compagno di squadra da 4 anni, parlasse del 'rullo compressore Schumacher' Johnny Herbert commentava amareggiato: "Toglie all'altro pilota l'aria per respirare". L'odierno pilota Stewart vede il motivo della superiorità di Schumacher in una smisurata fiducia in se stesso. "È l'uomo che tutte le scuderie sognano. Con questa consapevolezza qualsiasi pilota è in grado di dare il meglio,,.

Herbert dimentica però che anche il fuoriclasse tedesco ha iniziato da zero. Nessuno aveva

certo svolto un tappeto rosso per quel tedesco sconosciuto che nel 1991 saliva nel cockpit della Jordan con l'aiuto finanziario della Mercedes. Già al suo debutto eccolo declassare l'espertissimo Andrea de Cesaris sul più difficile circuito di F 1: Spa-Frachorchamps.

Dopo questa prova il capo del team Benetton, Flavio Briatore, non perde un secondo per assicurarselo. A fianco del tre volte iridato Nelson Piquet -così si pensa alla Benetton- avrà tutto il tempo di imparare bene il mestiere di pilota di F 1. Succederà invece esattamente il contrario e la lezione dovrà apprenderla il playboy brasiliano. Dopo che Schumacher si aggiudica quattro volte su 5 corse il duello interno per le qualifiche e dopo che per ben tre volte arriva in zona punti, termina l'era di Piquet. La stella del tedesco invece brilla sempre di più.

Per il 1992 Briatore ingaggia come partner di Schumacher, Martin Brundle, un pilota che ai tempi della formula 3 si confrontava spesso con Ayrton Senna. Grazie ad una Benetton-Ford estremamente affidabile Brundle inzia a collezionare punti. Con una brillante prima vittoria di un Gran Premio e con un terzo posto in classifica Michael Schumacher si conquista però definitivamente il primo posto nella scuderia. Brundle perde lo smalto del pilota con grinta ed è costretto ad ammettere la superiorità del tedesco. „Con un auto perfetta molti sono veloci, ma lui riesce sempre ad ottenere il massimo anche in condizioni sfavorevoli. Frank Williams è ancora più esplicito alla domanda se considera Schumacher un aspirante al titolo : "Michael rappresenta sempre un pericolo, anche se si presentasse in pista a bordo di una carriola".

Williams doveva avere intuito tutto. Se nel 1992 Riccardo Patrese è vicecampione mondiale con la Williams-Renault, l'anno successivo è la prossima vittima di Schumacher. Alla Benetton il confronto con Schumacher è disastroso. Patrese ha solo il privilegio di provare per primo una nuova macchina. In un triunvirato con Ross

Pecca nella carriera nonostante la vincita di 2 Gran Premi. Johnny Herbert non ha molto da ridere nella Benetton - Renault.

La prima vittima di Schumacher: il tre volte iridato della formula 1, Nelson Piquet, prende congedo.

Il cosiddetto 'Young Gun': Marti Brundle dichiara al suo collega di essere il migliore.

di carriera

Dietro questo sguardo si nasconde una volontà di ferro: il bilancio di M. Schumacher nel duello di qualificazione all'interno della squadra termina con lo sterminio dei concorrenti.

Ne è uscito intatto: Eddie Irvine è il primo pilota di formula 1 che è riuscito a proseguire la propria carriera come n.1 dopo essere stato collega di squadra di Schumacher.

"Ho bisogno di Schumacher", ammette Eddie Irvine

Brawn e Roy Byrne (i due lo seguiranno più tardi alla Ferrari) si fa praticamente 'tagliare su misura' la B 193. Fa concepire la macchina, cioè, con delle caratteristiche a lui congeniali, come un sovrasterzo estremo, ma non condivise da Patrese. E mentre Schumacher con questa macchina può imporsi persino su Alain Prost, Patrese conclude la stagione e la sua carriera con la metà dei punti del tedesco. Insostenibile in ogni caso il confronto con Schumacher dal punto di vista fisico. Il fuoriclasse di Kerpen riesce a mantenere la stessa concentrazione per tutta la distanza di un Gran Premio.

Nel 1994 Benetton diventa definitivamente una 'scuderia Schumacher' e il tedesco una superstar. E mentre si aggiudica il titolo contro un Damon Hill e una Williams senz'altro tecnicamente superiore, usura in grande stile i compagni di scuderia. JJ Lehto, entrato tardi nella stagione a causa di un grave incidente, non riesce mai a distinguersi come d'altronde anche Jos Verstappen, arrivato fresco fresco dalla formula 3. Ambedue i piloti non possono far fronte né alla velocità, né alla forza mentale di Schumacher. In F 1 Lehto non riesce a fare più nulla, Verstappen si muove nelle ultime posizioni.

Infine è Johnny Herbert ad avere una Chance negli ultimi 2 Gran Premi dell'anno e per un posto di n. 2 per la stagione successiva. Ed ecco che il piccolo Herbert si aggiudica due vittorie che vanno però viste nella giusta luce. Ambedue le volte infatti il duello Schumacher-Damon

	Anno	Corse	Qualifiche	Punti	Vittorie
Andrea de Cesaris	1991	1	0:1	0:0	0:0
Nelson Piquet	1991	5	1:4	4,5:4	0:0
Martin Brundle	1992	16	0:16	38:53	0:1
Riccardo Patrese	1993	16	0:16	20:52	0:1
Jos Verstappen	1994	8	0:8	8:50	0:5
JJ Lehto	1994	4	0:4	1:36	0:3
Johnny Herbert	1994 / '95	19	1:18	49:112	2:9
Eddie Irvine	1996 – '99	58	4:54	114:255	1:16

Hill si conclude con un fuori pista e con il loro ritiro. Con lo stesso materiale il tedesco si aggiudica il numero record di 9 Gran Premi e il secondo titolo mondiale. Herbert è declassato.

Schumacher passa come campione a una scuderia Ferrari che insegue ormai da decenni un titolo mondiale. Una sfida, questa, che piace a Schumacher. Mentre Jean Alesi e Gerhard Berger - i suoi predecessori a Maranello e successori alla Benetton - rompono una dopo l'altra le macchine, 'costruite su misura Schumacher' e le definiscono inguidabili, il tedesco a Fiorano colleziona giri record. E nonostante la F 310 entra nel mondo della F 1 come 'aborto aereodinamico' Schumacher riesce a conquistare 3 vittorie. Il fatto poi che Eddie Irvine, il nuovo uomo al suo fianco, riesca a batterlo nelle prime qualifiche della stagione lo lascerà indifferente. Nei 126 Gran Premi della sua carriera Schumacher ha

dovuto incolonnarsi dietro al suo compagno di squadra solo sei volte...

La Ferrari si sottomette completamente al fuoriclasse tedesco. È Schumacher a stabilire le direzioni dello sviluppo ed è sempre lui a dettare l'assunzione dei tecnici Benetton, Brawn e Byrne. Irvine, come secondo pilota, riesce comunque ad adeguarsi allo stile di guida di Schumacher. Nelle qualifiche anzi – ma non certo in gara - lo tallona spesso da vicino.

L'assenza di Schumacher dopo l'infortunio di Silverstone lo hanno evidenziato. Senza di lui la Ferrari non è più la stessa. Una forte personalità motivatrice non è sostituibile. Eddie Irvine che all'inizio si rallegrava in quanto il team - come diceva lui - non doveva più sottostare ad una 'pressione inumana' alla fine era costretto a lamentare la sua mancanza. "Ho bisogno di Schumacher"- diceva Irvine e intendeva soprattutto il

La posa solita: il capo festeggia - solo Eddie Irvine riesce a girare questo rapporto a suo vantaggio in seguito alla pausa forzata dell'incidente di Schumacher.

Partenza affrettata: il supertalento Jos Verstappen è saltato direttamente dalla F 3 nella F 1 con la Benetton.

lavoro di sviluppo del tedesco. Nessun'altro pilota può guidare la Ferrari così al limite, nessun'altro è in grado di riferire agli ingegneri il comportamento della macchina e fornire dati così precisi da poterli trasformare poi in migliorie. Tuttavia Irvine rimane l'unico pilota non vittima di Schumacher e che prosegue ora la carriera in una squadra di grande prestigio. Il consiglio di Irvine al suo successore, Rubens Barrichello: "Devi essere furbo, furbo e insensibile".

Una foto di raro valore: Michael Schumacher dà sono in casi eccezionali consigli ai colleghi di squadra.

GP di Monaco

Quarta corsa

· 16 maggio 1999

Nella roulette del circuito cittadino di Monaco la pallina si fermerà nuovamente sul rosso? Michael Schumacher e tutto il team Ferrari non intendono certo affidarsi alla fortuna e puntano i loro gettoni su un perfetto lavoro di squadra e sull'abilità di guida del nuovo leader del mondiale.

La fortuna dello stratega: Michael Schumacher punta tutto su una carta e con una partenza fulminante si catapulta in avanti. Il pilota tedesco si era esercitato a lungo in questa manovra.

Almeno a Monaco la velocità è pura stregoneria. Mika Hakkinen in azione.

Festeggiano la pole di Mika Hakkinen come una vittoria: il direttore sportivo della Mercedes Norbert Haugh (a sinistra), Dieter Zetsche della Presidenza Sviluppo (al centro), Jürgen Hubbert (a destra) capo del settore automobili.

Nessun'altra gara si avvicina come questa ad un antica corsa romana con le bighe. Così si legge in una cronaca della rivista 'Autocar' del primo Gran Premio di Monaco del 1929. Settant'anni più tardi il fascino di questo Gran Premio è rimasto immutato. Quando i moderni gladiatori lanciano i loro bolidi a velocità di 290 km orari e attraverso strade decisamente strette per una corsa del genere, gli spettatori sono così vicini ai piloti da sentirsi praticamente essi stessi protagonisti del Gran Premio più spettacolare della Formula 1. Su questo circuito è il pilota a fare la differenza, macchina e materiale hanno ruoli anche importanti, ma secondari. Insomma Monaco è il palcoscenico decisamente congeniale a Michael Schumacher. Nessuno come lui sa mantenere così bene la padronanza della macchina nello stretto labirinto di curve del circuito cittadino di Monaco.

Ancora caricato al massimo per la vittoria ad Imola, Schumacher mette subito le carte in tavola per evidenziare la sua superiorità su questo circuito. E infatti nelle prove libere domina incontrastato su tutti e si lascia ammirare per una guida al limite ma anche estremamente precisa e senza sbavature. Sabato mattina si concede anche un crash che non ha la minima conseguenza se non quella di alcune ore straordinarie dei meccanici per rimettere a posto la macchina. Ma non è ancora stata detta l'ultima parola e

infatti Hakkinen con un giro irresistibile a pochi secondi dallo scadere del tempo ufficiale si catapulta in prima posizione e conquista la pole ad una velocità media di 150 km orari. Schumacher aveva interrotto il suo ultimo giro pochi minuti prima a causa di una bandiera gialla, sicuro ormai che nessuno avrebbe potuto insidiare il suo tempo. Coulthard ed Hakkinen invece

Nella partita fra la squadra rossa contro quella argento Eddie Irvine porta il risultato a 2 a 0.

proseguono poco dopo la corsa nonostante la bandiera gialla ed hanno ragione. Solo quando la bandiera, infatti, viene sventolata il pilota ha l'obbligo di alzare il piede dall'acceleratore. La prima fila delle due frecce d'argento conquistata a pochi secondi dallo scadere del tempo manda in fibrillazione il capo sportivo della Mercedes, Norbert Haug, che si complimenta subito con il direttore della McLaren, Ron Dennis, con sonore pacche sulla spalla.

Alla partenza comunque sono gli altri a gioire. Non le due frecce d'argento, ma ambedue le Ferrari. Nel duro confronto di accellerazione e con un'operazione rischiosa del 'tutto o niente' sia Schumacher che Irvine riescono ad aver ragione rispettivamente di Hakkinen e Coulthard proprio all'imbocco della curva Ste. Devote. Il commento a posteriori di Schumacher: "Io stesso ero molto meravigliato della brutta partenza di Mika. Sui rettilinei il più veloce ero io. In fase di sorpasso comunque ci siamo toccati e se Mika non avesse ceduto un crash sarebbe stato inevitabile." Meno soddisfatto ovviamente Mika Hakkinen: "Dopo che ci siamo toccati non ho più potuto sterzare con esattezza".

Per la partenza vinta la scuderia Ferrari ha dovuto ringraziare ancora una volta il suo pilota n.1, Schumacher. Mentre la maggior parte dei piloti si rilassava il venerdì, Schumacher volava a Fiorano per simulare tutta una serie di partenze sul circuito di casa.

"Ho voluto troppo!" – ha dovuto confessare Damon Hill.

Mentre davanti scatta a razzo il quartetto formato da Schumacher in prima posizione ed Hakkinen, Irvine e Coulthard all'inseguimento, il resto del gruppo rinuncia per fortuna al solito incidente nella prima curva. Ed ecco che la colonna di bolidi si infila su un circuito cittadino stretto e tortuoso ma anche unico al mondo per fascino e bellezza con o senza manovre di sorpasso. Già, perchè chi tenta di superare a Montecarlo si muove in un precario equilibrio fra decisione e disperazione. Damon Hill, per esempio, tenta di riscattarsi per il suo miserevole 17mo posto con una manovra da assoluto

La via crucis del giovane scozzese: David Coulthard fa registrare il terzo ritiro nella quarta corsa della stagione.

Anche gli irlandesi sono esseri umani: Eddie Irvine non si fa intimorire e assicura a Monaco una doppia vittoria Ferrari.

La sfortuna del giocatore: Jean Alesi punta tutto su una carta e va a toccare di fianco.

Vista nel tunnel: a 270 km orari attraverso il sottopassaggio del Grand Hotel - qui Damon Hill.

Un pilota costante: a Monte Carlo il collezionista di punti Heinz-Harald Frentzen si aggiudica il quarto posto.

Ottima prestazione davanti alle tribune esaurite: Giancarlo Fisichella e Alexander Wurz in zona punti.

principiante. Il tentativo di infilarsi in uno spazio che non c'era prima della schicane e all'uscita del tunnel, finisce naturalmente con mezza macchina demolita. "Sono stato io a provocare l'incidente-dichiarerà più tardi Hill - ho voluto semplicemente troppo". Ralf Schumacher nasconde a stento la sua rabbia perchè Hill con il suo sbaglio lo ha costretto ad un testa coda che lo ha poi relegato all'ultimo posto.

"L'ho visto arrivare, ma non avrei mai pensato che avrebbe veramente tentato di passare avanti."

Nel frattempo il fratello in testa alla corsa conclude ogni giro con mezzo secondo di vantaggio su Hakkinen. Ambedue le Ferrari sono partite con poca benzina ed ora sfruttano il vantaggio che deriva dalla maggior leggerezza della macchina. Anche Eddie Irvine infatti non è da

Le sue fan più fedeli: quando Michael Schumacher accellera (a destra) gioiscono la figlia Gina-Maria e la moglie Corinna.

meno e accumula costantemente vantaggio su Coulthard. Ma ecco che improvvisamente la rossa di Irvine comincia a fumare e non certo per una forma pubblicitaria dello sponsor di sigarette West, ma per un problema meccanico, come si accerterà poi al 37mo giro con il ritiro definitivo dello scozzese per guasto al motore.

Tra l'altro il terzo ritiro in sole 4 corse.

Ma c'è chi sta peggio di lui. Jacques Villeneuve, l'uomo della BAR si era sì conquistato un rispettabilissimo ottavo posto alla griglia di partenza (un risultato questo che a Monaco con la Williams non aveva mai raggiunto), ma poi una perdita d'olio dal motore lo aveva costretto al ritiro per la quarta volta consecutiva. In compenso l'amico e manager di Villeneuve, Craig Pollock, sorprende molti con una notizia ecce-

A sinistra: le congratulazioni – Michael Schumacher ed Eddie Irvine. A destra: più luci che ombre. Alex Zanardi a Monaco.

zionale. Il capo della scuderia British American Racing è riuscito a portare a termine un contratto di enorme prestigio: a partire dal prossimo anno la Honda diventerà grande fornitore di motori alla BAR.

Al 37mo giro fine spettacolare della corsa per Toranosuke Takagi. Invece di superare i concorrenti agonisticamente, tende loro una trappola. La rottura del suo motore infatti provoca una fuoriuscita d'olio che rende la pista sdrucciolevole. E la prima sua illustre vittima è proprio il campione del mondo Hakkinen, che invece di voltare in direzione Grand Hotel prosegue diritto verso l'uscita di emergenza. "Ho sentito la parte posteriore andare per conto suo. Se avessi sterzato sarei finito immediatamente contro i muretti di protezione". Hakkinen perde così 18 secondi e un secondo posto che appariva ormai sicuro.

Ora la situazione alla Ferrari è delle migliori e lo stratega Ross Brawn decide di applicare subito quella tattica che era riservata per il caso in cui Schumi fosse in seconda posizione, ma che ora appare ancora più sicura. Primo pit stop breve per imbarcare poca benzina e poi con la

Pronta per essere trainata? Una Arrows appesa al gancio (a sinistra), tipici passeggeri su una barca nel porto (a destra).

"Se avessi ceduto sarei andato a finire contro la barriera"- riassume Mika Hakkinen.

macchina leggera buttarsi a tutta velocità in una serie di giri fino a guadagnare un vantaggio che permetta il secondo pit stop senza perdere la posizione di leader. E questo stratagemma pensato in teoria, funziona ora ancor meglio in pratica dopo l'incidente di Hakkinen. La doppia vittoria delle Ferrari a Monaco è ormai perfetta, i posti sul podio sono praticamente già assegnati.

A questo punto si consideri la superba prestazione di Heinz Harald Frentzen, che col passare del tempo migliora sempre di più. Sono

Jordan conia il "Super-Frentzen".

ormai lontani i tempi del 1996 quando proprio nel Gran Premio di Monaco e con la pista bagnata Frentzen buttava via le sue chance di vittoria a causa di una manovra troppo azzardata. Ora invece Frentzen aspetta che Barrichello si fermi ai box per lanciarsi in un paio di giri mozzafiato e guadagnare così il quarto posto. Frentzen: "il nostro traguardo era vincere la corsa contro le Stewart-Ford. Ebbene ci siamo riusciti." Più breve ma molto incisivo il commento di Eddie Jordan: "Super-Frentzen!"

Nelle prove Frentzen aveva perso il duello con la Stewart-Ford perchè nel suo giro più veloce gli era rimasto un dito imprigionato sotto il volante.

Nella corsa invece risultato di nullità proprio per la Stewart-Ford. Rottura delle sospensioni in ambedue le macchine nella parte finale della gara e quindi neppure un punto per la scuderia scozzese. Unica consolazione: Rubinho e Johnny Herbert riescono a dimostrare con i dati telemetrici alla mano che il cedimento delle sospensioni era dipeso dalla debolezza del materiale e non da un errore di guida.

Ralf Schumacher dal canto suo conclude una giornata da dimenticare contro i guardrail a fianco del Grand Hotel. Il suo compagno Alex Zanardi taglia almeno il traguardo, ma non si dice per niente soddisfatto. La sua prestazione si è rivelata molto modesta e ha provocato addirittura una lunga coda di macchine per la sua lentezza. Alex Zanardi: "Un'altra giornata nera. Il sedile

Per nulla soddisfatto: Ralf Schumacher a colloquio con il suo manager Wilhelm 'Willi' Weber.

si era rotto e nel cockpit mi sembrava di nuotare. A volte non riuscivo neppure a raggiungere i pedali".

Il brillante vincitore del Gran Premio di Monaco, Michael Schumacher, al termine della premiazione pronuncia il suo avvertimento: "Solo a Barcellona sapremo dove ci troviamo veramente. I 16 punti conquistati oggi ci serviranno tutti". Insomma nessuna esplosione di gioia da parte di Schumacher neppure per il fatto di aver battuto il record di Niki Lauda e di essere diventato il miglior pilota Ferrari di tutti i tempi. Non va comunque dimenticato che Lauda, a differenza del pilota tedesco, ha regalato a suo tempo a Maranello due titoli mondiali.

Unico: perfino nella moderna formula 1, Monaco, come circuito di un Gran Premio, rimane un affascinante anacronismo.

Statistica

4. corsa Campionato Mondiale F 1 1999,
Monte Carlo (MC), 16 maggio 1999

Lunghezza percorso:	3,367 km
Numero giri:	78 (= 262,626 km)
Partenza:	14.00 GMT
Condizioni del tempo:	sereno, caldo
Spettatori:	130 000
Scorsa stagione:	1. Mika Hakkinen (FIN, McLaren-Mercedes MP4/13), 1 h 51'23"59
	2. Giancarlo Fisichella (I, Benetton-Playlife B198), – 11"475 s
	3. Eddie Irvine (GB, Ferrari F300), – 41"378 s
Pole Position 1998:	Mika Hakkinen (McLaren-Mercedes MP4/13), 1'19"798 m
Giro più veloce 1998:	Mika Hakkinen (McLaren-Mercedes MP4/13), 1'21"973 m
Sosta box più breve 1998:	Michael Schumacher (D, Ferrari F300), 24"328 s

Superare fra i guardrail quasi impossibile

"Il percorso di Monaco è assolutamente unico. Il fine settimana del Gran Premio l'intera città cambia le sembianze. Guidare così vicino ai guardrail è sempre emozionante. I tratti essenziali sono le curve cieche al casinò e al tunnel. Superare è quasi impossibile. Con molto rischio si può tentare nel tornante Loews."

Michael Schumacher

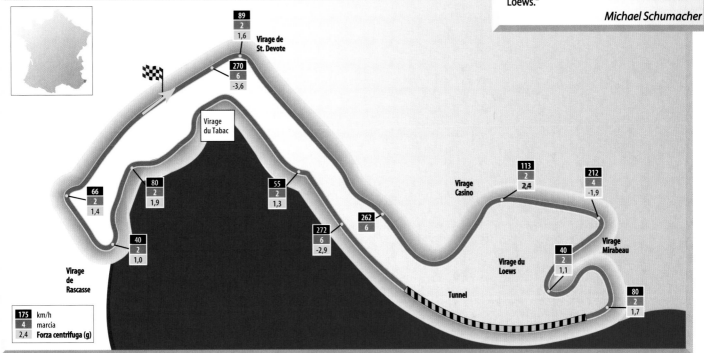

175	km/h
4	marcia
2,4	Forza centrifuga (g)

Risultati

Pilota	Team	Soste ai box	Giri	Tempo(h)	Media(km/h)	Distacco	Sul precedente
1. Michael Schumacher	Ferrari	1	78	1 h 49'31"812	143,864	–	–
2. Eddie Irvine	Ferrari	2	78	1 h 50'02"288	143,200	30"476 s	–
3. Mika Hakkinen	McLaren-Mercedes	1	78	1 h 50'09"295	143,049	37"483 s	7"007 s
4. Heinz-Harald Frentzen	Jordan-Mugen-Honda	1	78	1 h 50'25"821	142,892	54"009 s	16"526 s
5. Giancarlo Fisichella	Benetton-Playlife	1	77	1 h 49'32"705	142,001	1 Giro	1 Giro
6. Alexander Wurz	Benetton-Playlife	1	77	1 h 49'47"799	141,675	1 Giro	16"054 s
7. Jarno Trulli	Prost-Peugeot	2	77	1 h 50'05"845	141,288	1 Giro	18"046 s
8. Alessandro Zanardi	Wiliams-Supertec	1	76	1 h 49'49"514	139,799	2 Giri	1 Giro
9. Rubens Barrichello [1]	Stewart-Ford	1	71	1 h 40'57"711	142,067	Ritiro	

Pilota	Team	Soste ai box	Nel giro	Motivo ritiro	Pos. prima del ritiro
Ralf Schumacher	Williams-Supertec	1	55	Incidente	10
Jean Alesi	Sauber-Petronas	2	51	Incidente	11
Pedro Diniz	Sauber-Petronas	0	50	Incidente	8
Olivier Panis	Prost-Peugeot	1	41	Motore	12
David Coulthard	McLaren-Mercedes	0	37	Cambio	4
Mika Salo	BAR-Supertec	0	37	Incidente	11
Toranosuke Takagi	TWR-Arrows	0	37	Motore	15
Jacques Villeneuve	BAR-Supertec	0	33	Idraulica	8
Johnny Herbert	Stewart-Ford	0	33	Sospensione	11
Pedro de la Rosa	TWR-Arrows	0	31	Cambio	19
Marc Gené	Minardi-Ford	0	25	Incidente	19
Luca Badoer	Minardi-Ford	0	11	Cambio	18
Damon Hill	Jordan-Mugen-Honda	0	4	Incidente	17

1) Non più in gara alla fine, ma valido secondo la distanza percorsa.

GP di Monaco

4. corsa Campionato Mondiale F 1 1999,
Monte Carlo (MC), 16 maggio 1999

Griglia di partenza

1 Mika Häkkinen (FIN)
McLaren-Mercedes MP4/14-5
1'20"547 m (284,4 km/h) [1]

3 Michael Schumacher (D)
Ferrari F399/193
1'20"611 m (284,2 km/h)

2 David Coulthard (GB)
McLaren-Mercedes MP4/14-4
1'20"956 m (288,0 km/h)

4 Eddie Irvine (GB)
Ferrari F399/191
1'21"011 m (279,5 km/h)

16 Rubens Barrichello (BR)
Stewart-Ford SF3/4
1'21"350 m (281,5 km/h)

8 Heinz-Harald Frentzen (D)
Jordan-Mugen-Honda 199/5
1'21"556 m (280,0 km/h)

19 Jarno Trulli (I)
Prost-Peugeot AP02/2
1'21"769 m (276,4 km/h)

22 Jacques Villeneuve (CDN)
BAR-Supertec 01/3
1'21"827 m (280,0 km/h)

9 Giancarlo Fisichella (I)
Benetton-Playlife B199/6
1'21"938 m (280,2 km/h)

10 Alexander Wurz (A)
Benetton-Playlife B199/5
1'21"968 m (278,4 km/h)

5 Alessandro Zanardi (I)
Williams-Supertec FW21/5
1'22"152 m (280,9 km/h)

23 Mika Salo (FIN)
BAR-Supertec 01/3
1'22"241 m (278,9 km/h)

17 Johnny Herbert (GB)
Stewart-Ford SF3/5
1'22"248 m (282,1 km/h)

11 Jean Alesi (F)
Sauber-Petronas C18/5
1'22"354 m (279,2 km/h)

12 Pedro Diniz (BR)
Sauber-Petronas C18/4
1'22"659 m (278,9 km/h)

6 Ralf Schumacher (D)
Williams-Supertec FW21/4
1'22"719 m (281,3 km/h)

7 Damon Hill (GB)
Jordan-Mugen-Honda 199/4
1'22"832 m (281,9 km/h)

18 Olivier Panis (F)
Prost-Peugeot AP02/3
1'22"916 m (279,0 km/h)

15 Toranosuke Takagi (J)
TWR-Arrows A20/2
1'23"290 m (274,6 km/h)

20 Luca Badoer (I)
Minardi-Ford-Zetec-R M01/1
1'23"765 m (277,7 km/h)

14 Pedro de la Rosa (E)
TWR-Arrows A20/4
1'24"260 m (289,4 km/h)

21 Marc Gené (E)
Minardi-Ford-Zetec-R M01/4
1'24"914 m (289,4 km/h)

107-%-limite: 1'26"185 m

1) Tempo giro (Topspeed in Qualifying)

Giri più veloci

Prove libere

1. M. Schumacher	1'22"718	12. Trulli	1'23"958
2. Häkkinen	1'22"854	13. Zanardi	1'24"065
3. Panis	1'23"318	14. Wurz	1'24"263
4. Irvine	1'23"396	15. Alesi	1'24"492
5. Fisichella	1'23"458	16. R. Schumacher	1'24"906
6. Coulthard	1'23"503	17. Diniz	1'25"094
7. Barrichello	1'23"545	18. de la Rosa	1'26"148
8. Salo	1'23"793	19. Frentzen	1'26"336
9. Villeneuve	1'23"862	20. Takagi	1'27"618
10. Herbert	1'23"865	21. Gené	1'27"687
11. Hill	1'23"874	22. Badoer	1'28"316

Corsa

1. Häkkinen	1'22"259	12. Villeneuve	1'23"537
2. M. Schumacher	1'22"288	13. Barrichello	1'23"583
3. Frentzen	1'22"471	14. Trulli	1'23"646
4. Irvine	1'22"572	15. Panis	1'24"480
5. Diniz	1'22"637	16. Salo	1'24"787
6. R. Schumacher	1'22"837	17. Herbert	1'24"919
7. Coulthard	1'22"883	18. Takagi	1'26"482
8. Wurz	1'23"236	19. Gené	1'26"864
9. Zanardi	1'23"294	20. de la Rosa	1'26"914
10. Alesi	1'23"417	21. Badoer	1'28"691
11. Fisichella	1'23"473	22. Hill	1'28"848

Tutte le soste ai box

Giro	Durata	Giro	Durata	Giro	Durata
23 Trulli	24"101	52 R. Schumacher	25"357		
27 Panis	23"976	56 Irvine	23"332		
37 Irvine	23"387	57 Frentzen	24"073		
42 M. Schumacher	26"745				
43 Fisichella	27"197				
44 Wurz	26"866				
50 Häkkinen	26"172				
50 Barrichello	25"866				
50 Alesi	34"261				
50 Zanardi	25"839				
52 Trulli	23"525				

La corsa giro per giro

Partenza: con una partenza brillante M. Schumacher affianca Hakkinen e si insinua per primo in curva. Irvine supera Coulthard nello stesso modo. Giro 4: Hill avvia un superamento troppo ottimistico all'uscita del tunnel e provoca l'uscita di se stesso e R. Schumacher. Ralf può proseguire come ultimo, Hill è fuori. Davanti le due falangi Ferrari e McLaren, dietro Barrichello, Frentzen, Trulli e Fisichella. Giro 18: in accelerazione dalla McLaren di Coulthard esce del fumo. Giro 21: M. Schumacher fa segnare il giro più veloce, Coulthard con problemi alla trasmissione è sempre più lento. Giro 31: il vantaggio di Schumacher su Hakkinen è già di 16 secondi, da dietro Irvine si fa sempre più minaccioso. Giro 33: Herbert accusa la rottura della ruota posteriore destra, Villeneuve deve cedere per noie al motore. Giro 39 : breve sosta ai box di Irvine. Coulthard, ormai retrocesso, rientra ai box e si ritira. Giro 39: rititiro di Takagi con motore scoppiato, Hakkinen scivola sull'olio nella via di fuga prima di Mirabeau. Ingrana la retromarcia, rientra in pista e riprende la corsa. Irvine nonostante la sosta ai box gli è ormai a ridosso. Giro 50 : sosta ai box di Hakkinen, Irvine ora è secondo. Giro 56: seconda breve sosta di Irvine, rimane davanti ad Hakkinen. Giro 57 : l'unica sosta di Frentzen è ritardata, quindi imbarca poca benzina. Rientra prima di Barrichello e conquista così il quarto posto. Giro 67 : Hakkinen colleziona giri più veloci ma Irvine ha sempre un distacco di 7,5 secondi. Giro 72 : Barrichello va ad urtare il guardrail per la rottura della sospensione e cede i suoi punti a Fisichella. Giro 78 : con un vantaggio di 30 secondi sul compagno Irvine, M. Schumacher vince il Gran Premio di Monaco per la quarta volta. Al campione del mondo Hakkinen rimane il terzo posto.

Classifica

Mondiale piloti/Punti

1. Michael Schumacher	26		Jean Alesi	1
2. Eddie Irvine	18		Alexander Wurz	1
3. Mika Häkkinen	14			
4. Heinz-Harald Frentzen	13			
5. Ralf Schumacher	7			
	Giancarlo Fisichella	7		
7. David Coulthard	6			
	Rubens Barrichello	6		
9. Damon Hill	3			
10. Pedro de la Rosa	1			
	Olivier Panis	1		

Mondiale costruttori

	Punti
1. Ferrari	44
2. McLaren-Mercedes	20
3. Jordan-Mugen-Honda	16
4. Benetton-Playlife	8
5. Williams-Supertec	7
6. Stewart-Ford	6
7. TWR-Arrows	1
	Prost-Peugeot	1
	Sauber-Petronas	1

A 290 attraverso un centro abitato: Ralf Schumacher nella sua Monaco.

Circo massimo

La formula 1 è un mondo di superlativi. In nessun altro sport viene impiegata una tale quantità di mezzi tecnici e

logistici. Alla fine di una stagione le cifre complessive riferite al materiale e al lavoro sono impressionanti.

Un nuovo musetto di F 1 costa ca. 12 milioni senza le ali.

Lavorate a mano: un team come quello Jordan consuma per stagione oltre 4.000 gomme Bridgestone.

Usa e getta: al termine di ogni corsa specchietti laterali un bolide di F 1 vengono gettati nella spazzatura.

Due miliardi di lire: per ogni comune mortale una somma incredibile. Un impiegato di concetto con uno stipendio di 4 milioni al mese deve lavorare per questa cifra 41 anni e 8 mesi. Un team Gran Turismo riesce con due miliardi a svolgere un'intera stagione agonistica. Per la F 1 invece sono noccioline. Una scuderia come la Jordan spende questa cifra solo per viaggi aerei e pernottamenti. Da questo esempio si capisce che nello sport più caro del mondo valgono altre regole.

In effetti in F 1 nessuna somma e nessun impiego di mezzi appaiono impossibili se si tratta di raggiungere il traguardo finale e cioè il successo. In primo piano ovviamente figura una tec-nica avanzatissima. Meno peso, maggior robustezza, maggiore velocità. Ogni sin-

golo pezzo è sollecitato fino al limite e quindi l'usura è altissima. La Jordan consuma annualmente 85 motori 10 cilindri Mugen-Honda e anche se le spese di un singolo propulsore, considerati gli altissimi costi per sviluppo e ricerca, non si possono calcolare con precisione è certo che le 3.200 parti che lo compongono costano pressapoco come la cifra prevista per biglietti aerei e pernottamenti.

Dimensioni stratosferiche? Certamente. Anche le spese di lavanderia per le tute dei meccanici di un singolo team sono di tutto rispetto: ca. 38 milioni di lire. Sono quindi anche le piccole cose della F 1 a pesare sul bilancio finale.Le pastiglie dei freni, per esempio, costano solo 300 mila lire l'una, ma in una stagione ne vengono cambiate 1000...

Molte parti singole poi vengono usate una sola volta per timore che possano rompersi. Ciò vale non solo per viti e dadi, ma anche, per esempio, per gli specchi laterali o per le ruote dentate della trasmissione.

Ai 16 Gran Premi l'anno vanno ad assommarsi per le scuderie più in vista 125 giornate di test per complessivi 15 mila chilometri. Nel caso della Ferrari con un proprio circuito a Maranello, addirittura di più. Aggiungiamo poi 150.000 litri di carburante e 4.300 gomme, per cui ogni singolo treno si aggira sugli 8 milioni di lire. Ma il pezzo veramente più caro è lo chassis in fibra di carbonio. Una scuderia utilizza ben 7 monoscocche per stagione, premesso che non rimanga vittima di un numero di incidenti superiore al previsto.

Impiego limitato: lo sterzo High-Tech - estremamente caro - viene utilizzato non più di tre volte.

Prodotto di consumo: in una sola stagione la Sauber-Petronas monta sui suoi bolidi oltre 80 degli ex 10 cilindri Ferrari.

Costi di viaggio: ogni scuderia di F 1 possiede come minimo tre grandi autocarri speciali e non di serie e un pullman a due piani.

Assorbono non solo energia ma anche molti soldi: le pastiglie dei freni costano 300 mila lire l'una.

La British-American-Racing (BAR) ha impiegato per Jacques Villeneuve l'ottavo chassis nell'undicesima corsa di campionato in Canada e comunque prima che il canadese e il suo compagno brasiliano Ricardo Zonta demolissero le loro monoposto a Spa-Francorchams. Il solo musetto senza le ali laterali costa ca.12 milioni di lire.

Ma anche le spese di altra natura sono gigantesche. Per le corse d'oltreoceano ogni singola scuderia carica su un jumbo ca. 18 tonnellate di materiale. In Europa i grandi camion delle scuderie - ogni singolo team dispone in media di 4 camion da 500 cv. l'uno – percorrono rispettivamente ben 18.000 chilometri fra i vari circuiti e le loro sedi. Per le corse poi vanno ad aggiungersi i grandi camion del partner fornitore di

motori e il pullman a due piani con le tende 'Hospitality'. In queste tende decisamente eleganti una scuderia come la Jordan accoglie ogni anno ca. 1.500 ospiti del solo sponsor Benson & Hedges che mangiano ca. 73 chili di prosciutto e bevono 800 bottiglie di vino.

Ma non solo in fatto di gastronomia la F 1 cura in particolare il lato estetico. Nel corso di una stagione le macchine vengono verniciate per ben 60 volte e decorate inoltre con complessivi 8.500 autoadesivi di sponsor. E perchè siano sempre splendenti vengono utilizzate 400 confezioni di lucido...

Cielo sereno

A stagione iniziata il pilota della Mc-Laren Merce-

des, Mika Hakkinen, si trova in una posizione

insolita: parte per il Gran Premio di Spagna non

come primo in classifica, ma come inseguitore

della Ferrari e di Michael Schumacher. A Barcel-

lona, però, il finlandese cerca la rivalsa.

L'avversario nella visuale : Michael Schumacher (sopra) e Mika Hakkinen (a sinistra) proseguono in Spagna la loro lotta
per il mondiale.

Una grande rivalsa: in Spagna Mika Hakkinen riesce a riscattarsi dalla figura fatta nei precedenti due Gran Premi.

La strategia della Ferrari, quale essa sia stata, non ha funzionato per nulla...

Per la McLaren-Mercedes il Gran Premio di Spagna è decisivo per le sorti del campionato: dopo i ripetuti ritiri dei due piloti delle frecce d'argento, Mika Hakkinen e David Coulthard non si può certo dire che il campionato per la casa anglo-tedesca sia iniziato sotto buoni auspici. I ferraristi finora sono saliti sul primo gradino del podio per ben tre volte, mentre il detentore del titolo mondiale ha trionfato una sola volta nel Gran Premio del Brasile. "Se la Ferrari ci batte anche qui - si sente dire negli ambienti McLaren - il campionato per noi è finito." Nonostante la superiorità tecnica, il grande favorito è costretto a battersi da una posizione di difesa.

Nel frattempo nonostante le due grandi vittorie consecutive Michael Schumacher sa perfettamente che la resa dei conti la si avrà proprio sul Circuito de Catalunya, nei pressi di Barcellona, e per un motivo ben preciso. Si tratta di un circuito perfettamente piano e come fatto apposta per le McLaren-Mercedes che qui, tra l'altro, effettuano gran parte dei loro test invernali. E dal momento che su una pista del genere le possibilità di superare sono pressochè le stesse di Monaco, vale a dire quasi zero assoluto, ecco

che le prove di qualifica assumono un ruolo estremamente importante.

La sensazione comunque è nell'aria. Fino al 59mo minuto sembra ormai sicuro che la Ferrari abbia conquistato la sua prima pole della stagione. Il fatto straordinario però è che non è stato Schumacher a far segnare il tempo più veloce, ma il suo compagno di scuderia, Eddie Irvine. Ed ecco che Mika Hakkinen scende in pista e praticamente all'ultimo secondo riesce a capovolgere il tutto a suo favore anche se per un soffio. Ora il suo vantaggio su Irvine è di appena 0,133 secondi. Irvine, a sua volta, precede David Coulthard di 25 millesimi. Michael Schumacher, tutt'altro che entusiasta di essere stato battuto da Irvine, completa la seconda fila della griglia di partenza. Immediatamente dietro, a grande sorpresa, il pilota della Sauber, Jean Alesi, e quello della BAR, Jacques Villeneuve.

Per Villeneuve l'inizio di stagione si era rivelato tutto in salita: 4 Gran Premi e nessuno portato a termine. La realtà aveva impietosamente ridimensionato la scuderia BAR e i suoi due promotori: l'ex insegnante sportivo e manager di Villeneuve, Craig Pollock, e l'esperto costruttore di macchine da corsa, Adrian Reynard.

Invece di vincere subito il primo Gran Premio - come annunciato più volte alla vigilia della stagione - la BAR ha attirato l'attenzione su di sé in altro modo e cioè con guasti, incidenti e anche con una buona dose di scalogna.

Chiaro a questo punto che Villeneuve mentalmente è preparato a tutto pur di riscattare in qualche modo sia la macchina che la sua guida.

Una cosa era certa. La partenza avrebbe avuto un'importanza determinante per l'intero svolgimento della corsa in quanto rappresentava la migliore se non l'unica possibilità a disposizione per guadagnare posti con le proprie forze. E indipendentemente dal tipo di tattica scelta dalla Ferrari va detto subito che non c'era niente da fare. Al via dei semafori le frecce d'argento schizzano via irresistibili e abbordano per prime la curva a destra. Non solo. Irvine ha una partenza lenta e blocca addirittura il suo compagno di scuderia. Questo più tardi il commento di Schumacher: "La mia partenza è stata buona, ma poi mi hanno trattenuto sia David che Eddie, tanto che ho dovuto addirittura frenare".

Mentre le due Ferrari affiancate si avviano verso la curva, è il terzo incomodo ad avere la meglio. Con una manovra decisa e spavalda Jac-

Un disastro: anche in Spagna Alex Zanardi ha deluso la sua scuderia Williams.

Via col vento: venerdì nelle prove libere è stato un colpo di vento a spingere fuori strada la Ferrari di Irvine.

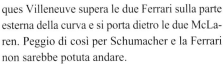

Un secondo posto sicuro: David Coulthard non si è fatto ingannare.

A mani vuote: Fisichella si è qualificato solo 13mo.

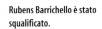

Rubens Barrichello è stato squalificato.

ques Villeneuve supera le due Ferrari sulla parte esterna della curva e si porta dietro le due McLaren. Peggio di così per Schumacher e la Ferrari non sarebbe potuta andare.

A questo punto Jacques, il figlio dell'uomo-leggenda della Ferrari, Gilles Villeneuve, dimostra di non aver perso affatto la grinta di un tempo. "Oggi la mia macchina è andata benissimo e io stesso mi sono meravigliato della facilità con cui riuscivo a trattenere Schumacher". Villeneuve, insomma, lo tiene a bada e al tedesco non resta altro da fare che attendere l'occasione propizia. "Nel primo giro alla curva 5 avrei potuto attaccarlo, ma sarebbe stato troppo rischioso. Quindi ho deciso di aspettare".

In effetti poi quasi tutti i piloti hanno pensato come Schumacher, con il risultato che il Gran Premio di Spagna è stato tutt'altro che una corsa avvincente e dai molti imprevisti. In pratica fino ai primi pit stop tutte le 22 macchine hanno compiuto i 4,728 km del percorso quasi nello stesso ordine di partenza. In testa Mika Hakkinen aumentava costantemente il suo vantaggio su Coulthard e dietro Villeneuve riusciva egregiamente ad aver ragione delle due Ferrari di Schumacher ed Irvine. Seguivano nelle posizioni suc-

GP di Spagna

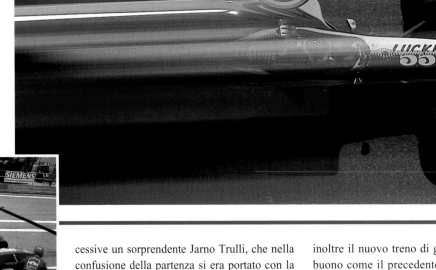

Veloce non solo in fotografia. In Spagna Jacques Villeneuve con la sua BAR è stato finalmente fra i primi. Ancora una volta però non ha potuto terminare la corsa.

Sopra: per quanto i meccanici Ferrari ce l'abbiano messa tutta non è bastato per superare Coulthard ai box. Sotto: pit stop per l'eroe locale Pedro de la Rosa.

Visita illustre: re Juan Carlos ospite di Heinz-Harald Frentzen ed Eddie Jordan.

cessive un sorprendente Jarno Trulli, che nella confusione della partenza si era portato con la sua Prost-Peugeot dal nono al sesto posto, la Sauber di Jan Alesi, Ralf Schumacher con la Williams più veloce, Heinz Harald Frentzen con la Jordan e Rubens Barrichello con la prima delle due Stewart. Per la precisione, nei primi 22 dei complessivi 65 giri del Gran Premio si sono avuti solo due cambi di posizione.

Al quinto giro Wurz usciva dalla pista consentendo a Mika Salo, sostituto di Riccardo Zonta, di portarsi avanti al sedicesimo posto. Undici giri più tardi problemi per Giancarlo Fisichella con la sua Benetton e quindi leggero miglioramento della deludente prestazione di Alex Zanardi, dal 15mo al 14mo posto. Per i piloti Williams non certo risultati incoraggianti...

Eddie Irvine avvia la tornata dei pit stop al 22mo giro. Due giri dopo entrano nei box uno dietro l'altro Villeneuve e Michael Schumacher. Ad avere la peggio è la BAR, perchè i meccanici della Ferrari si rivelano più rapidi. Schumacher si rimette in pista per primo: ora è in terza posizione a 18 secondi da Coulthard.

C'è comunque molto da fare ma Schumacher non si tira certo indietro. Con una serie impressionante di giri veloci accorcia lo svantaggio che lo separa dal n. 2 a volte di quasi un secondo per giro. Al 42mo giro ha già nella visuale la macchina di Coulthard. Insomma tutto sta andando per il meglio. Poi però al suo secondo pit stop viene trattenuto da un'altra macchina e

inoltre il nuovo treno di gomme non si rivela buono come il precedente. Due giri più tardi anche lo scozzese fa un pit stop. I meccanici però fanno miracoli e la loro rapidità non consente a Schumacher di passare avanti. Il terzo posto del tedesco insomma è ormai cosa certa e lui si deve accontentare.

Mika Hakkinen, in testa alla corsa non è mai costretto a lottare e sembra quasi concedersi una gara di svago. Anche Eddie Irvine, che taglierà il traguardo al quarto posto, non viene mai sollecitato nella maniera dovuta. "Durante la corsa avrei voluto avere una radio per annoiarmi di meno"- dirà più tardi il pilota n. 2 della Ferrari. Mentre Ralf Schumacher al termine di una corsa non certo spettacolare si classifica quinto, dietro di lui si svolge l'unica vera lotta del Gran Premio di Spagna per conquistare l'ultimo punto a disposizione, fra Trulli, Barrichello e il pilota della Jordan, Damon Hill. Il confronto viene infine deciso quando il terzetto viene doppiato. È Hill a sfruttare la sua chance e quando Barrichello fa passare Schumacher si infila nella sua scia e supera a sua volta il brasiliano.

L'ex campione del mondo però non può più aver ragione di Jarno Trulli: l'italiano si aggiudica così il secondo punto della stagione.

Per la cronaca Heinz-Harald Frentzen è costretto al ritiro al 35mo giro per la rottura dell'albero motore. E anche Jacques Villeneuve deve gettare la spugna per la rottura del cambio. Si tratta del quinto ritiro nella quinta corsa.

Via allo champagne: Mika Hakkinen festeggia in Spagna la sua seconda vittoria della stagione.

Statistica

Lunghezza percorso:	4,728 km
Numero giri:	65 (= 307,32 km)
Partenza:	14.00 GMT
Condizioni del tempo:	caldo, nuvoloso
Spettatori:	81 000
Scorsa stagione:	1. Mika Hakkinen (FIN, McLaren-Mercedes MP4/13), 1 h 33'37"621
	2. David Coulthard (GB, McLaren-Mercedes MP4/13), – 9"439 s
	3. Michael Schumacher (D, Ferrari F300), – 47"094 s
Pole Position 1998:	Mika Hakkinen (McLaren-Mercedes MP4/13), 1'20"262 m
Giro più veloce 1998:	Mika Hakkinen (McLaren-Mercedes MP4/13), 1'24"275 s
Sosta box più breve 1998:	David Coulthard (McLaren-Mercedes MP4/13), 25"165 m

Di questo circuito si sa tutto

"Il circuito, alle porte di Barcellona, è tecnicamente molto ambizioso. Le curve lunghe e veloci mettono le gomme anteriori a dura prova ed esigono una macchina ben bilanciata. È uno dei circuiti per test più frequentati e quindi lo si conosce molto bene. La sfida consiste nello sfruttare queste conoscenze in corsa".

Mika Hakkinen

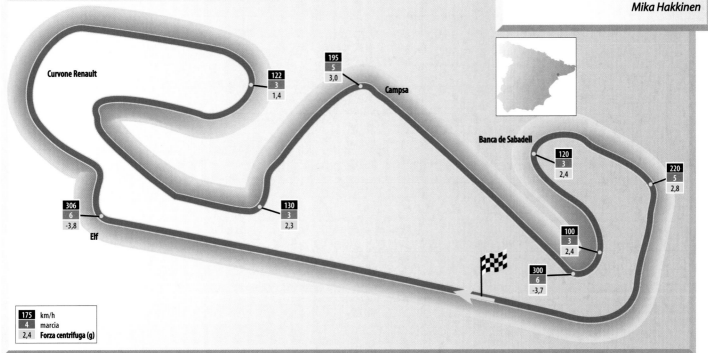

175	km/h
4	marcia
2,4	Forza centrifuga (g)

Risultati

Pilota	Team	Soste ai box	Giri	Tempo(h)	Media(km/h)	Distacco	Sul precedente
1. Mika Hakkinen	McLaren-Mercedes	2	65	1 h 34'13"665	195,608	–	–
2. David Coulthard	McLaren-Mercedes	2	65	1 h 34'19"903	195,393	6"238 s	–
3. Michael Schumacher	Ferrari	1	65	1 h 34'24"510	195,234	10"845 s	4"607 s
4. Eddie Irvine	Ferrari	2	65	1 h 34'43"847	194,569	30"182 s	19"337 s
5. Ralf Schumacher	Williams-Supertec	2	65	1 h 35'40"873	192,637	1'27"208 m	57"026 s
6. Jarno Trulli	Prost-Peugeot	2	64	1 h 34'24"028	192,245	1 Giro	1 Giro
7. Damon Hill	Jordan-Mugen-Honda	2	64	1 h 34'25"044	192,211	1 Giro	1"016 s
8. Mika Salo	BAR-Supertec	2	64	1 h 35'21"065	190,329	1 Giro	56"021 s
9. Giancarlo Fisichella	Benetton-Playlife	3	64	1 h 35'22"704	190,274	1 Giro	6"844 s
10. Alexander Wurz	Benetton-Playlife	3	64	1 h 35'29"548	190,047	1 Giro	1 Giro
11. Pedro de la Rosa	TWR-Arrows	3	63	1 h 34'41"268	188,666	2 Giri	1 Giro
12. Toranosuke Takagi	TWR-Arrows	2	62	1 h 34'38"929	185,746	3 Giri	

Pilota	Team	Soste ai box	Nel giro	Motivo ritiro	Pos. prima del ritiro
Luca Badoer	Minardi-Ford	2	51	Testacoda	14
Jacques Villeneuve	BAR-Supertec	1	41	Cambio	5
Pedro Diniz	Sauber-Petronas	1	41	Trasmissione	9
Johnny Herbert	Stewart-Ford	1	41	Trasmissione	11
Heinz-Harald Frentzen	Jordan-Mugen-Honda	1	36	Albero motore	8
Jean Alesi	Sauber-Petronas	1	28	Impianto elettrico	9
Alessandro Zanardi	Williams-Supertec	0	25	Cambio	13
Olivier Panis	Prost-Peugeot	0	25	Cambio	21
Luca Badoer	Minardi-Ford	0	0	Motore	22
Rubens Barrichello [1]	Stewart-Ford	2	64	Squalificato	8

1) Ottavo al traguardo, ma squalificato per infrazione.

GP di Spagna

5. corsa Campionato Mondiale F 1 1999, Circuito
de Catalunya, Barcellona (E), 16 maggio 1999

Griglia di partenza

1 Mika Häkkinen (FIN)
McLaren-Mercedes MP4/14-5
1'22"088 m (319,3 km/h) [1]

4 Eddie Irvine (GB)
Ferrari F399/191
1'22"219 m (307,1 km/h)

2 David Coulthard (GB)
McLaren-Mercedes MP4/14-4
1'22"244 m (314,1 km/h)

3 Michael Schumacher (D)
Ferrari F399/193
1'22"277 m (308,1 km/h)

11 Jean Alesi (F)
Sauber-Petronas C18/5
1'22"388 m (306,2 km/h)

22 Jacques Villeneuve (CDN)
BAR-Supertec 01/3
1'22"703 m (306,2 km/h)

16 Rubens Barrichello (BR)
Stewart-Ford SF3/4
1'22"920 m (308,9 km/h)

8 Heinz-Harald Frentzen (D)
Jordan-Mugen-Honda 199/6
1'22"938 m (305,7 km/h)

19 Jarno Trulli (I)
Prost-Peugeot AP02/6
1'23"194 m (301,4 km/h)

6 Ralf Schumacher (D)
Williams-Supertec FW21/4
1'23"303 m (303,2 km/h)

7 Damon Hill (GB)
Jordan-Mugen-Honda 199/4
1'23"317 m (305,2 km/h)

12 Pedro Diniz (BR)
Sauber-Petronas C18/6
1'23"331 m (306,0 km/h)

9 Giancarlo Fisichella (I)
Benetton-Playlife B199/6
1'23"333 m (304,3 km/h)

17 Johnny Herbert (GB)
Stewart-Ford SF3/5
1'23"505 m (309,5 km/h)

18 Olivier Panis (F)
Prost-Peugeot AP02/5
1'23"559 m (301,0 km/h)

23 Mika Salo (FIN)
BAR-Supertec 01/5
1'23"683 m (300,0 km/h)

5 Alessandro Zanardi (I)
Williams-Supertec FW21/5
1'23"703 m (306,2 km/h)

10 Alexander Wurz (A)
Benetton-Playlife B199/5
1'23"824 m (305,9 km/h)

14 Pedro de la Rosa (E)
TWR-Arrows A20/4
1'24"619 m (299,6 km/h)

15 Toranosuke Takagi (J)
TWR-Arrows A20/2
1'25"280 m (299,8 km/h)

21 Marc Gené (E)
Minardi-Ford-Zetec-R M01/4
1'25"672 m (298,0 km/h)

20 Luca Badoer (I)
Minardi-Ford-Zetec-R M01/1
1'25"833 m (298,6 km/h)

107-%-limite: 1'27"834 m

1) Tempo giro (Topspeed in Qualifying)

Giri più veloci

Prove libere				Corsa			
1. Irvine	1'23"577	12. Diniz	1'24"823	1. M. Schumacher	1'24"982	12. Frentzen	1'26"894
2. Frentzen	1'23"790	13. Trulli	1'24"957	2. Häkkinen	1'25"209	13. Salo	1'27"004
3. M. Schumacher	1'23"895	14. Panis	1'25"140	3. Irvine	1'25"343	14. Wurz	1'27"029
4. Häkkinen	1'23"982	15. Fisichella	1'25"448	4. Coulthard	1'25"487	15. Fisichella	1'27"098
5. Zanardi	1'24"312	16. Herbert	1'25"667	5. Barrichello	1'26"006	16. Panis	1'27"175
6. Hill	1'24"318	17. Wurz	1'25"901	6. Diniz	1'26"315	17. Zanardi	1'27"248
7. Coulthard	1'24"339	18. Salo	1'25"990	7. Hill	1'26"348	18. de la Rosa	1'27"409
8. Barrichello	1'24"347	19. de la Rosa	1'26"595	8. Trulli	1'26"505	19. Herbert	1'27"442
9. Villeneuve	1'24"458	20. Takagi	1'27"296	9. R. Schumacher	1'26"520	20. Takagi	1'29"184
10. R. Schumacher	1'24"559	21. Badoer	1'27"314	10. Alesi	1'26"542	21. Badoer	1'29"632
11. Alesi	1'24"571	22. Gené	1'27"506	11. Villeneuve	1'26"675		

Tutte le soste ai box

Giro		Durata	Giro		Durata	
17	de la Rosa	31"482	25 Hill	27"178	40 Badoer	32"096	50 Hill	25"455
18	Herbert	29"669	26 Coulthard	30"416	41 Takagi	26"149	50 Salo	26"161
19	Wurz	29"812	26 Alesi	26"643	42 Trulli	29"493	
19	Badoer	26"609	26 Frentzen	26"344	43 M. Schumacher	26"125	
21	Fisichella	25"310	26 Barrichello	26"947	43 Barrichello	27"605	
21	Salo	29"344	27 R. Schumacher	26"764	44 Häkkinen	26"307	
22	Irvine	25"800	27 Diniz	25"445	44 R. Schumacher	25"374	
23	Häkkinen	25"955	31 de la Rosa	27"442	45 Coulthard	25"650	
23	Trulli	26"086	33 Wurz	24"678	46 de la Rosa	30"970	
23	Takagi	28"299	35 Fisichella	26"312	48 Fisichella	25"009	
24	Villeneuve	27"891	41 Irvine	26"549	49 Wurz	25"587	

La corsa giro per giro

Partenza: Hakkinen come al solito parte bene, Michael Schumacher invece viene trattenuto da un Irvine indeciso. Coulthard si assicura la seconda posizione nonostante un avvio piuttosto lento. Villeneuve beneficia del blocco Irvine e si porta in terza posizione seguito da Schumacher. Panis e Genè rimangono fermi al loro posto, il francese si muove con ritardo, per lo spagnolo la corsa è già finita. Giro 10: Hakkinen in testa davanti a Coulthard e Villeneuve. Il canadese è tallonato da un M. Schumacher invano più veloce. In posizioni arretrate Irvine, Trulli, Alesi, R. Schumacher e Fretzen. Giro 22: Irvine si ferma per primo ai box e retrocede al decimo posto. Giro 23: sosta per Hakkinen, Coulthard conduce. Giro 24: Villeneuve e Schumacher entrano insieme nei loro box. La Ferrari è più veloce. Schumacher ora è terzo davanti al canadese. Giro 26: lo stop di Coulthard dura molto perchè la macchina si è fermata più avanti e i meccanici devono spostare l'impianto di rifornimento. Nonostante tutto mantiene il secondo posto. Giro 36: Fretzen esce per la rottura dell'albero motore. Giro 41: seconda sosta per Irvine. Giro 43: M. Schumacher ai box per la seconda volta. La sosta veloce accende le speranze per un secondo posto. Giro 45: Coulthard ai box. Nonostante M. Schumacher abbia guadagnato un po' di terreno, Coulthard è nuovamente in pista prima del tedesco. Giro 50: le quattro prime posizioni sono ormai cementate. Dietro le due McLaren e le due Ferrari seguono Hill, R. Schumacher e Trulli. Giro 55: Hakkinen perde tempo nei doppiaggi. Coulthard e Schumacher avanzano. Giro 62: Hill supera Barrichello in modo spettacolare lungo la linea esterna. Giro 65: Hakkinen vince.

Classifica

Mondiale piloti/Punti				Mondiale costruttori	Punti
1. Michael Schumacher	30	Jean Alesi	1	1. Ferrari	51
2. Mika Häkkinen	24	Alexander Wurz	1	2. McLaren-Mercedes	36
3. Eddie Irvine	21	Jarno Trulli	1	3. Jordan-Mugen-Honda	16
4. Heinz-Harald Frentzen	13			4. Williams-Supertec	9
5. David Coulthard	12			5. Benetton-Playlife	8
6. Ralf Schumacher	9			6. Stewart-Ford	6
7. Giancarlo Fisichella	7			7. Prost-Peugeot	2
8. Rubens Barrichello	6			8. TWR-Arrows	1
9. Damon Hill	3			Sauber-Petronas	1
10. Pedro de la Rosa	1				
Olivier Panis	1				

Peter Wurz non ha alcun
motivo di rallegrarsi:
l'austriaco si è qualificato al
decimo posto.

L'uomo **del domani**

Si è definitivamente sganciato dalla figura invadente del fratello: dopo la sua terza stagione in F 1

nessuno mette in dubbio le sue grandi capacità di guida. Al Nürburgring ha mancato solo di un soffio

e per la seconda volta la sua prima vittoria in un Gran Premio.

C i sono persone estremamente restie a pronunciare una parola di lode. Eppure Frank Williams e Patrick Head, i proprietari della scuderia di maggiore successo negli anni 90, sono letteralmente entusiasti del loro giovane pilota. "Per certi versi - afferma Williams – mi ricorda Nigel Mansell. Ha molto talento, sa essere incredibilmente concentrato ed è un grande lavoratore. Le nostre aspettative sono state più che soddisfatte".

No, per una volta tanto non si parla della superstar Michael Schumacher anche se certamente è lui a figurare in cima alla lista dei desideri del capo della scuderia inglese. In ogni caso non si è andati lontano, perchè è il fratello Ralf ad entusiasmare Williams. Il suo periodo di apprendimento è trascorso da tempo. Dopo due anni con Eddie Jordan il 24nne Ralf si distingue per una maturità sorprendente. Nei primi 15 Gran Premi della stagione 1999 non solo ha terminato la corsa per undici volte, ma una sola volta non è entrato in zona punti. In altre parole, i 33 punti con i quali la Williams si aggiudica il quinto posto nel mondiale costruttori, si devono solo a lui. Il compagno di scuderia Alex Zanardi richiamato in F 1 dalla Champ Car americana si presenta ancora a mani vuote. Non riesce a spuntarla con una macchina dalla guida difficile, con un motore non estremamente potente e con i penumatici scolpiti.

Altri piloti non avrebbero sopportato la pressione

La grande scuderia Williams con ben 9 titoli del mondiale costruttori, 5 dei quali ottenuti fra il 1992 e il 1997, attraversa attualmente un periodo di crisi. Da quanto il partner motoristico Renault si è ufficialmente ritirato dalla F 1, la scuderia inglese di Grove nello Oxfordshire deve accontentarsi del Supertec, un motore sempre con tecnica Renault, ma senza ulteriori sviluppi. In F 1, però, una battura d'arresto significa regresso e quindi la Williams è ora tutta protesa alla stagione 2000 quando verrà affiancata dalla BMW come fornitore di motori.

Williams ed Head comunque non puntano solo sul motore, ma anche sul pilota tedesco ingaggiato definitivamente fino al 2003. Insomma progressi considerevoli da parte di Ralf che certamente solo pochi esperti avrebbero potuto prevedere. Quando nel 1997 riuscì a passare dal

Sulla stessa lunghezza d'onda: Schumacher e il team Williams.

Più veloce di quanto consente la macchina: Ralf Schumacher in azione.

Al massimo dietro al volante. Come il fratello anche Ralf non sembra conoscere momenti di debolezza.

campionato giapponese della formula 3000 al grande circo della F 1, dovette affrontare non solo l'invidia di molti, ma anche le loro critiche.

Come fratello del grande Michael corre praticamente sotto il microscopio dell'attenzione pubblica. Anche il più piccolo errore non sfugge e molti piloti al suo posto non avrebbero sopportato una situazione simile. Ralf Schumacher invece non sembra risentirne. Ha imparato fin da giovanissimo ad affrontare a testa alta anche frangenti spiacevoli.

La stessa volontà d'acciaio

Essere il fratello più giovane di un fuoriclasse eccezionale, comunque, può effettivamente rendere la vita difficile non solo per i continui confronti da parte di terzi, ma anche per quelli dello stesso interessato rispetto al fratello più grande e più famoso. L'ex campione iridato Damon Hill si è sempre detto sbalordito dalla crescita interiore di Ralf e dalla rapidità con la quale ha saputo sganciarsi dall'immagine del fratello. "Ha la stessa volontà d'acciaio che caratterizza anche il fratello Michael".

Arroganza? Presumibilmente timidezza, almeno secondo Frank Williams. Gay Anderson, ex direttore tecnico alla Jordan, è dello stesso avviso: "Penso che la sua apparente arroganza debba solo coprire la sua insicurezza e timidezza".

Un mondo pazzo: Ralf passa alla Williams al posto del sensibile Heinz-Harald Frentzen che ha sempre considerato troppo fredda la scuderia inglese, e subito si sente a suo agio. Frentzen a sua volta alla Jordan riesce a mostrare di cosa è capace. Ma ci sono altri paralleli. Alla Jordan Ralf ha trascorso due anni difficili e finalizzati a capire i suoi effettivi limiti. Ora alla Williams può mettere in pratica ciò che ha imparato alla Jordan e ci riesce in modo eccellente. Frank Williams: "Da noi svolge un ottimo lavoro. Ha appena 24 anni ma è già estremamente professionista. Come il fratello poi non conosce giornate nere e riesce sempre a dare il meglio. Un aspetto molto importante, questo, per lo sviluppo della macchina".

Nonostante il notorio, difficile carattere di Frank Williams, sembra che Ralf Schumacher sia riuscito a stabilire con lui un ottimo rapporto. Questo dipende forse anche da una certa dose di durezza e risolutezza di Ralf anche nel contatto con altri. Per quanto riguarda le sue condizioni

fisiche, per esempio, nonostante la sua costituzione robusta, ha quasi ormai eguagliato il fratello. Sa concedersi svaghi, ma sa anche lavorare molto duramente specialmente per mantenere condizioni fisiche e mentali ottimali. D'altronde il duro lavoro da lui svolto ha poi un riscontro effettivo nei risultati che riesce ad ottenere nei vari Gran Premi.

Ripetiamo: su 15 corse ben 11 volte in zona punti.

Ma cosa c'è di nuovo per Schumacher? "Jordan e Williams - dice Ralf – non si possono paragonare fra di loro. La Williams è più grande e ha più mezzi a disposizione. Quello che hanno fatto Eddie Jordan e il suo team nella scorsa e anche in questa stagione è veramente eccezionale. Il potenziale maggiore, però, è della Williams. Il suo reparto tecnico, per esempio, ne sa molto di più".

Ralf Schumacher pone grandi speranze nei nuovi motori BMW. "I propulsori Supertec sono validi ed affidabili, ma non abbastanza potenti. Spero che il 10 cilindri BMW sarà buono fin dall'inizio, anche se è chiaro che dovremo affrontare qualche problema. È vero che la BMW ha già iniziato a testarlo da tempo, ma è anche vero che quest'anno la F 1 inizia già a febbraio e che quindi ci mancherà del tempo per il lavoro di sviluppo. Alla BMW però si è ottimisti e vi lavorano ottime persone".

Quali sono le aspettative di Ralf per la prossima stagione? "Se la macchina sarà valida come ci attendiamo e se il motore sarà stabile spero di essere competitivo verso metà anno".

Una mente importante dietro le quinte: il manager Wilhelm Weber si occupa della carriera di Ralf.

Entusiasta della nuova Superstar: Frank Williams apprezza moltissimo il lavoro di Ralf.

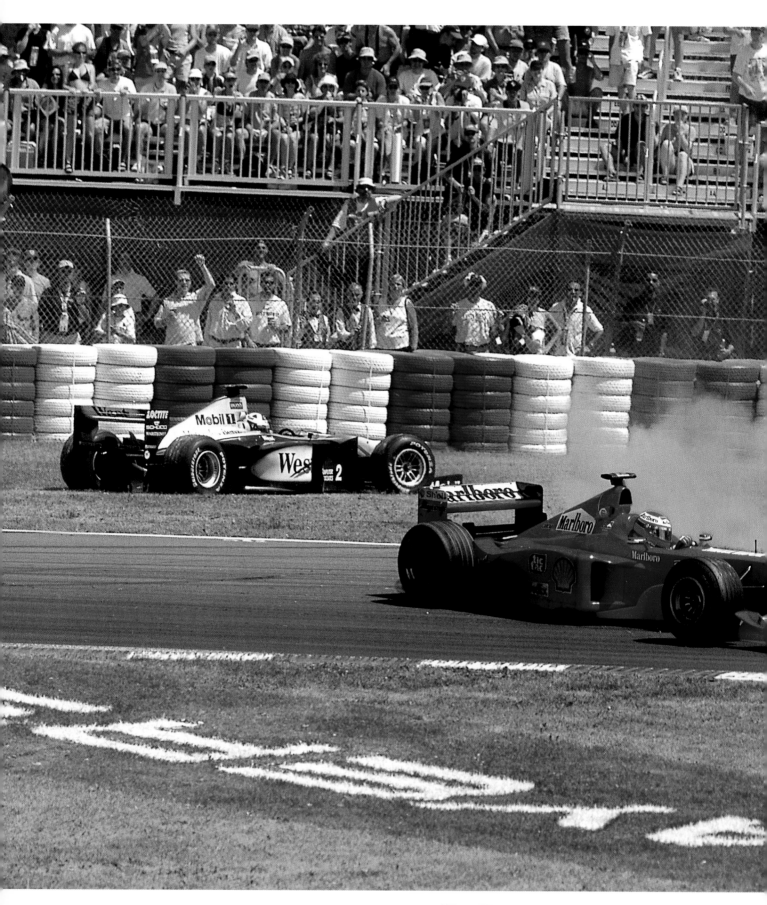

Un muro

Accanto: l'attacco di David Coulthard su Eddie Irvine è finito ai lati della pista.

Michael Schumacher è pensieroso: questa volta è stato il pilota della Ferrari a vedersi sfuggire di mano una vittoria ritenuta sicura.

Le turbolenze al Gran Premio del Canada non sono certo mancate. Mentre Michael Schumacher cercava di sfogare la rabbia per il suo errore, anche gli altri protagonisti avevano di che lamentarsi. Solo Mika Hakkinen alla fine si poteva dire soddisfatto.

decisivo

GP del Canada

Senza pieghe: Mika Hakkinen sfrutta la buona stella.

Senza sbavature: Ralf Schumacher si rallegra per il quarto posto.

Al primo posto: la safety-car.

S ul circuito intitolato a Gilles Villeneuve c'è una curva che quest'anno per alcuni piloti si è rivelata fatale. Questa curva, chiamata Turn 15, ha figurato al centro di tutta una serie di spettacolari incidenti che per ben 3 volte hanno richiesto l'impiego della Safety-car. Tra l'altro proprio gli stessi tratti del percorso si erano distinti anche lo scorso anno per vari incidenti. Quest'anno quindi la stessa cosa.

Jean Alesi era fuori di sé. "Trulli è un idiota", gridava a pugno alzato subito dopo la partenza. L'italiano lo aveva buttato fuori pista esattamente nella strettoia Senna, come d'altronde aveva buttato fuori pista pochi secondi prima anche Rubens Barrichello. Alesi era furente anche perchè nella scorsa stagione Trulli lo aveva tamponato proprio nello stesso punto. Il pilota della Prost tra l'altro si sentiva accusato ingiustamente: "Frentzen aveva avuto una brutta partenza e si era portato tutto dalla mia parte. Io, per evitarlo, sono sconfinato nell'erba. Jean dovrebbe calmarsi e far lavorare il cervello..."

Nello stesso punto un'altra manovra rompicollo aveva avuto esito favorevole. Michael Schumacher, che per la prima volta in questa stagione

aveva potuto strappare la pole all'eterno avversario Mika Hakkinen, aveva avuto una partenza un po' lenta ma non era affatto disposto a lasciare ad altri la prima posizione. Ed ecco che con una manovra spericolata impedisce alla McLaren Mercedes di superarlo. Molti diranno poi che il fuoriclasse tedesco aveva rischiato troppo anche se il risultato gli aveva dato ragione. Schumacher conduce ora davanti ad Hakkinen ed Irvine. Ma a guidare la corsa intanto è un'altra Mercedes: la Safety-car pilotata dall'asso della formula 3000, Oliver Gavin.

"È stato un mio errore", ha confessato Damon Hill.

Già pochi minuti dopo il direttore della corsa concede il via libera e Schumacher si mette subito al lavoro per cercare di aumentare il suo vantaggio. Poi però nuova interruzione. Riccardo Zonta quale prima vittima della 'Turn 15' entra

a far parte della storia di questo Gran Premio del Canada.

L'attuale campione del mondo GT perde il controllo della sua BAR Supertec nella combinazione stretta e scivolosa destra-sinistra e va a sbattere violentemente proprio contro quel muro della 'Turn 15' che alla maniera americana funge da limite del percorso. Rientra la Safety-car e solo alla fine dell'ottavo giro Gavin può finalmente parcheggiare la sua Mercedes CLK 55.

Terza partenza: Schumacher davanti ad Hakkinen ed Irvine, dietro David Coulthard, Giancarlo Fisichella, Heinz-Harald Frentzen, Johnny Herbert, Ralf Schumacher, Pedro Diniz e Jacques Villeneuve. Ancora una volta il n.1 della Ferrari tenta di accumulare un certo vantaggio su Mika Hakkinen. L'idilliaco circuito Gilles Villeneuve al centro del fiume San Lorenzo, però, esige ancora le sue vittime e al 15mo giro è Damon Hill a doversi ritirare. Senza un motivo apparente, il campione del mondo 1996 va a toccare proprio quel muro che aveva già segnato il ritiro di Zonta: Turn 15. "È stato un mio errore – dirà più tardi il pilota della Jordean – al muro purtroppo non si può dare la colpa.

Una grande giornata: in Canada Giancarlo Fisichella è sempre stato veloce. Questa volta è arrivato secondo.

Senza fortuna: Jacques Villeneuve a Montreal è stato nuovamente costretto a ritirarsi.

Finalmente : Jonny Herbert conquista i primi punti della stagione.

Avevo perso il controllo della macchina".

Fortuna per Michael Schumacher. Questa volta Oliver Gavin può lasciar parcheggiata la sua Safety-car perchè Hill riesce a portarsi lentamente con l'auto danneggiata ai suoi box. Ora Michael Schumacher si scatena, fa segnare quale unico pilota tempi inferiori all'1,21 e aumenta costantemente il suo vantaggio su Hakkinen. Alla fine, però, tutto si rivela fatica sprecata perchè anche il fuoriclasse tedesco va a sbattere contro il muro della Turn 15. "Evidentemente ogni anno devo incorrere in un grosso errore. Ho deviato dalla traccia pulita e sono capitato sullo sporco. Un vero peccato: la macchina funzionava in modo perfetto".

Ad approfittare di questo errore ovviamente è Mika Hakkinen che ora passa in testa senza neppure l'incalzare di Irvine e Coulthard e che dopo un unico pit stop al 37mo giro, si aggiudica la corsa. Hakkinen: "L'incidente di Michael non è stato una sorpresa. Nella prima metà della corsa abbiamo veramente guidato al limite e io sapevo che prima o poi o io o lui saremmo incappati in un incidente o in un guasto tecnico".

La colpa era dell'altro...

Nonostante un rassicurante vantaggio di sette secondi di Mika su Irvine l'ultima parte della corsa non è stata noiosa. Al 33mo giro, Ralf Schumacher, ormai n.1 alla Williams, esce per un breve tratto dalla pista ed è costretto a cedere il sesto posto al pilota della Sauber Pedro Diniz. Tra l'altro sopraggiunge anche Jacques Villeneuve che subito passa all'attacco. Il fatto che la sua BAR non può assolutamente competere con la Williams non lo scoraggia affatto. Il campione del mondo 1997 guida oltre il massimo e, al 35mo giro, è ancora il muro della Turn 15 a fare la sua parte.

L'impatto è decisamente violento e anche se Villeneuve esce dal Cockpit senza neppure un graffio, i pezzi della macchina si spargono tutt'attorno sulla pista. Oliver Gavin quindi risale in macchina e per altri 5 giri si assiste ancora una volta alla solita processione. Molti piloti ne approfittano per il loro pit stop.

La corsa è appena ripartita ed anche Irvine deve fare i conti l'ingannevole Turn 15. Per evitare il muro è costretto ad una manovra azzardata che lo fa sbandare e che consente a David Coulthard di avvicinarsi paurosamente. Lo scozzese è ormai lanciato e alla fine della dirittura d'arrivo decide di attaccare. Le due macchine si toccano ed escono di pista. Poi mentre Irvine, ora in ottava posizione, si butta anima e corpo in una rimonta che lo porterà fino al terzo posto, il pilota della McLaren preferisce rientrare nei box per una verifica. E come sempre in casi del genere, i due piloti alla fine si accusano vicendevolmente di aver provocato l'incidente.

Ora Fisichella si trova al secondo posto, ma non per molto. Perde infatti terreno tallonando da vicino Olivier Panis nel tentativo di superarlo. Il pilota francese è considerato un po' da tutti gli altri piloti come pericoloso in fase di sorpasso in quanto non collabora minimamente anche se si trova nelle ultime posizioni. Mentre il pilota Benetton cerca un varco per superare appunto Panis, ecco che ne approfitta Heinz-Harald Frentzen con una manovra impeccabile. Adesso è lui al secondo posto.

A sinistra : impotenti – i meccanici della Ferrari hanno visto l'incidente del velocissimo Schumacher (a destra) senza essere potuti intervenire.

GP del Canada

A sinistra: un momento da festeggiare. In Canada Mika Hakkinen non ha conquistato solo la vittoria del Gran Premio, ma anche la vetta della classifica mondiale. Nessuna fortuna a casa. Villeneuve contro il muro.

Anche il pilota della Jordan però non rimane a lungo alle costole di Hakkinen. A quattro giri dalla fine rimane vittima dello stesso guasto che nel 1997, nella sua prima corsa per la Williams-Renault, gli costò una vittoria ormai sicura. Scoppia un disco freni e Frentzen, a 200 km orari, va a sbattere lateralmente contro un muro di protezione. Ma la fortuna aiuta gli audaci. Frentzen perde conoscenza solo per breve tempo e più tardi i medici dell'ospedale Sacré Cour sciolgono la prognosi non riscontrando fratture o traumi interni.

Ma le vicissitudini di questo Gran Premio del Canada non sono ancora finite. Per la prima volta una corsa di formula 1 termina con la bandiera gialla. Mika Hakkinen se ne rallegra e taglia sicuro il traguardo davanti a Fisichella, Irvine, Ralf Schumacher, Johnny Herbert e Pedro Diniz. Ora ha 34 punti e per la prima volta in questa stagione passa a condurre il mondiale.

Il secondo circuito cittadino dopo Monaco: a Montreal le macchine di formula 1 gareggiano su un'isola del fiume San Lorenzo.

Statistica

6. corsa Campionato Mondiale F 1 1999, Circuito Gilles Villeneuve, Montreal (CDN), 13 giugno 1999

Lunghezza percorso:	4,421 km
Numero giri:	69 (= 305,049 km)
Partenza:	19.00 Uhr MEZ
Condizioni del tempo:	sereno, soleggiato, vento debole
Spettatori:	104 000
Scorsa stagione:	1. Michael Schumacher (D, Ferrari F300), 1 h 40'57"355
	2. Giancarlo Fisichella (I, Benetton-Playlife B198), – 16"662 s
	3. Eddie Irvine (GB, Ferrari F300), – 1'00"059 m
Pole Position 1998:	David Coulthard (GB, McLaren-Mercedes MP4/13), 1'18"213 m
Giro più veloce 1998:	Michael Schumacher (Ferrari F300), 1'19"379 m
Sosta box più breve 1998:	Eddie Irvine (Ferrari F300), 23"516 s

Questo circuito stop-and-go usura terribilmente i penumatici

"Dal momento che il circuito viene usato una sola volta all'anno, è sporco e offre poca aderenza. È un circuito che per i lunghi rettilinei e le schicane può essere paragonato a Monza; è però molto critico per i freni. Se il loro bilanciamento è buono si può superare bene".

Mika Hakkinen

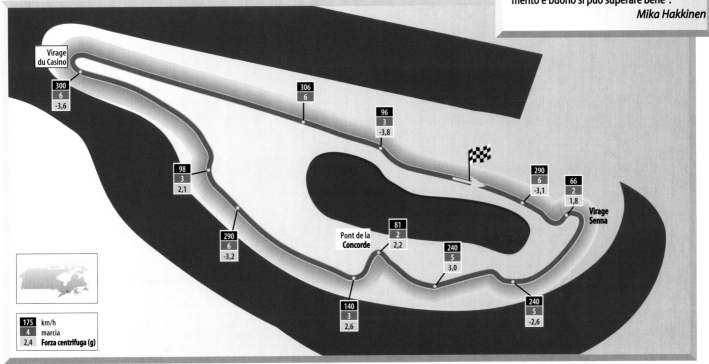

Risultati

Pilota	Team	Soste ai box	Giri	Tempo(h)	Media(km/h)	Distacco	Sul precedente
1. Mika Hakkinen	McLaren-Mercedes	1	69	1 h 41'35"727	180,155	–	–
2. Giancarlo Fisichella	Benetton-Playlife	1	69	1 h 41'36"509	180,132	1"015 s	–
3. Eddie Irvine	Ferrari	1	69	1 h 41'37"524	180,102	1"796 s	1"015 s
4. Ralf Schumacher	Williams-Supertec	1	69	1 h 41'38"119	180,084	2"391 s	0"595 s
5. Johnny Herbert	Stewart-Ford	2	69	1 h 41'38"532	180,072	2"804 s	0"413 s
6. Pedro Diniz	Sauber-Petronas	1	69	1 h 41'39"438	180,045	3"710 s	0"906 s
7. David Coulthard	McLaren-Mercedes	3	69	1 h 41'40"731	180,007	5"003 s	1"293 s
8. Marc Gené	Minardi-Ford	1	68	1 h 41'39"918	177,422	1 Giro	1 Giro
9. Olivier Panis	Prost-Peugeot	2	68	1 h 41'40"658	177,400	1 Giro	0"740 s
10. Luca Badoer	Minardi-Ford	2	67	1 h 41'38"062	174,866	2 Giri	1 Giro
11. Heinz-Harald Frentzen [1]	Jordan-Mugen-Honda	1	65	1 h 34'50"784	181,787	Ritiro	Ritiro

Pilota	Team	Soste ai box	Nel giro	Motivo ritiro	Pos. prima del ritiro
Alessandro Zanardi	Williams-Supertec	2	51	Cambio	8
Toranosuke Takagi	TWR-Arrows	1	42	Trasmissione	9
Jacques Villeneuve	BAR-Supertec	0	35	Incidente	8
Michael Schumacher	Ferrari	0	30	Incidente	1
Pedro de la Rosa	TWR-Arrows	0	23	Trasmissione	11
Damon Hill	Jordan-Mugen-Honda	0	15	Incidente	11
Rubens Barrichello	Stewart-Ford	1	15	Incidente	18
Ricardo Zonta	BAR-Supertec	0	3	Incidente	13
Jean Alesi	Sauber-Petronas	0	1	Collisione	8
Jarno Trulli	Prost-Peugeot	0	1	Collisione	9
Alexander Wurz	Benetton-Playlife	0	1	Albero motore	22

1) Non più in gara alla fine, ma valido secondo la distanza percorso.

6. corsa Campionato Mondiale F 1 1999, Circuito Gilles Villeneuve, Montreal (CDN), 13 giugno 1999

Griglia di partenza

3 Michael Schumacher (D)
Ferrari F399/193
1'19"298 m (320,9 km/h) [1]

1 Mika Häkkinen (FIN)
McLaren-Mercedes MP4/14-2
1'19"327 m (320,0 km/h)

4 Eddie Irvine (GB)
Ferrari F399/191
1'19"440 m (319,4 km/h)

2 David Coulthard (GB)
McLaren-Mercedes MP4/14-4
1'19"729 m (324,7 km/h)

16 Rubens Barrichello (BR)
Stewart-Ford SF3/4
1'19"930 m (319,6 km/h)

8 Heinz-Harald Frentzen (D)
Jordan-Mugen-Honda 199/5
1'20"158 m (320,3 km/h)

9 Giancarlo Fisichella (I)
Benetton-Playlife B199/1
1'20"378 m (314,0 km/h)

11 Jean Alesi (F)
Sauber-Petronas C18/5
1'20"459 m (315,1 km/h)

19 Jarno Trulli (I)
Prost-Peugeot AP02/6
1'20"557 m (321,4 km/h)

17 Johnny Herbert (GB)
Stewart-Ford SF3/5
1'20"829 m (319,9 km/h)

10 Alexander Wurz (A)
Benetton-Playlife B199/6
1'21"000 m (319,7 km/h)

5 Alessandro Zanardi (I)
Williams-Supertec FW21/5
1'21"076 m (313,0 km/h)

6 Ralf Schumacher (D)
Williams-Supertec FW21/4
1'21"081 m (307,6 km/h)

7 Damon Hill (GB)
Jordan-Mugen-Honda 199/4
1'21"094 m (320,3 km/h)

18 Olivier Panis (F)
Prost-Peugeot AP02/5
1'21"252 m (318,7 km/h)

22 Jacques Villeneuve (CDN)
BAR-Supertec 01/3
1'21"302 m (307,0 km/h)

23 Ricardo Zonta (BR)
BAR-Supertec 01/6
1'21"467 m (316,1 km/h)

12 Pedro Diniz (BR)
Sauber-Petronas C18/6
1'21"571 m (315,3 km/h)

15 Toranosuke Takagi (J)
TWR-Arrows A20/2
1'21"693 m (320,3 km/h)

14 Pedro de la Rosa (E)
TWR-Arrows A20/4
1'22"613 m (319,1 km/h)

20 Luca Badoer (I)
Minardi-Ford-Zetec-R M01/1
1'22"808 m (313,7 km/h)

21 Marc Gené (E)
Minardi-Ford-Zetec-R M01/4
1'23"387 m (313,3 km/h)

107-%-limite: 1'24"849 m

Giri più veloci

Prove libere				
1. Coulthard	1'20"614	12. Panis	1'22"027
2. Barrichello	1'21"012	13. Frentzen	1'22"156
3. Herbert	1'21"059	14. Trulli	1'22"228
4. Häkkinen	1'21"244	15. Takagi	1'22"323
5. Fisichella	1'21"530	16. de la Rosa	1'22"469
6. Irvine	1'21"534	17. Alesi	1'22"472
7. M. Schumacher	1'21"560	18. Zanardi	1'22"535
8. Hill	1'21"709	19. Badoer	1'22"691
9. R. Schumacher	1'21"845	20. Villeneuve	1'22"898
10. Wurz	1'21"950	21. Zonta	1'23"256
11. Diniz	1'21"984	22. Gené	1'26"279

Corsa				
1. Irvine	1'20"382	12. Takagi	1'22"792
2. M. Schumacher	1'20"709	13. Gené	1'22"888
3. Coulthard	1'20"961	14. de la Rosa	1'23"380
4. Häkkinen	1'21"047	15. Badoer	1'23"394
5. Frentzen	1'21"284	16. Zanardi	1'23"442
6. Fisichella	1'21"345	17. Barrichello	1'23"785
7. Diniz	1'21"864	18. Hill	1'23"953
8. R. Schumacher	1'22"002	19. Zonta	2'03"039
9. Herbert	1'22"078		
10. Panis	1'22"100		
11. Villeneuve	1'22"283		

Tutte le soste ai box

Giro	Durata	Giro	Durata
1 Barrichello	178"079	36 Panis	25"716
24 Herbert	26"526	36 Gené	39"525
28 Takagi	26"514	37 Zanardi	28"150
36 Fisichella	26"762	38 Coulthard	27"916
36 Frentzen	25"746	41 Coulthard	30"812
36 Diniz	28"924	46 Badoer [2]	27"260
36 R. Schumacher	28"450	48 Zanardi [2]	26"890
36 Herbert	32"728	49 Coulthard [2]	28"305
36 Badoer	29"452	49 Panis [2]	27"530
37 Häkkinen	26"079		
37 Irvine	29"317		

La corsa giro per giro

Partenza: M. Schumacher si infila davanti ad Häkkinen nella prima curva. Trulli viene spinto sull'erba accanto alla pista, non può frenare e rientra in pista urtando Alesi e Barrichello. Trulli ed Alesi ko. Il brasiliano prosegue la corsa per 15 giri con l'auto riparata alla meglio. Giro 1: a causa dell'incidente iniziale conduce la Safety-Car. Giro 2: riprende la corsa, M. Schumacher distacca gli inseguitori Häkkinen, Irvine, Fisichella e Coulthard. Giro 3: Coulthard supera Fisichella. Zonta va a sbattere con la sua BAR contro il muro all'uscita dell'ultima schicane. Interviene la Safety-Car. Giro 8: M. Schumacher dopo la ripresa della corsa distacca nuovamente i suoi inseguitori. Giro 15: Hill tocca il famigerato muro e abbandona la sua Jordan al limite di un prato. Giro 29: ora tocca a Schumacher. Frena troppo tardi, entra male nella schicane e demolisce la sua Ferrari contro il muro.

Häkkinen eredita il primo posto. Giro 35: Villeneuve non vuole essere da meno e va a finire contro la solita barriera in cemento. Nuovo intervento della Safety-Car. Tutti ne approfittano per le soste ai box. Giro 41: riprende la corsa ed Häkkinen si stacca dagli inseguitori. Dietro di lui Coulthard tenta di sottrarre ad Irvine il secondo posto. L'azione fallisce. Irvine si gira e Coulthard deve rientrare ai box per un nuovo musetto. Ora Fisichella è secondo davanti a Frentzen. Giro 43: Frentzen si impone su 'Fisico'. Giro 55: Irvine avanza con molta risolutezza. Nella sua manovra più spettacolare si affianca ad Herbert nella schicane e riesce a superarlo. A tre giri dalla fine è la volta di R. Schumacher. Giro 66: Frentzen, al secondo posto, va a sbattere contro una barriera di gomme per l'esplosione di un disco freni. Giro 69: ancora la Safety-Car. La corsa termina con il giallo.

Classifica

Mondiale piloti/Punti			
1. Mika Häkkinen	34	Panis	1
2. Michael Schumacher	30	Alesi	1
3. Eddie Irvine	25	Wurz	1
4. Heinz-Harald Frentzen	13	Trulli	1
Giancarlo Fisichella	13	Diniz	1
6. David Coulthard	12		
Ralf Schumacher	12		
8. Rubens Barrichello	6		
9. Damon Hill	3		
10. Johnny Herbert	2		
11. de la Rosa	1		

Mondiale costruttori	Punti
1. Ferrari	55
2. McLaren-Mercedes	46
3. Jordan-Mugen-Honda	16
4. Benetton-Playlife	14
5. Williams-Supertec	12
6. Stewart-Ford	8
7. Prost-Peugeot	2
Sauber-Petronas	2
9. TWR-Arrows	1

1) Tempo giro (Topspeed in Qualifying); 2) Punizione 10 secondi Stop and go

Per lei Pedro è sempre in pole position: Casia, la ragazza di Diniz.

Scacco matto

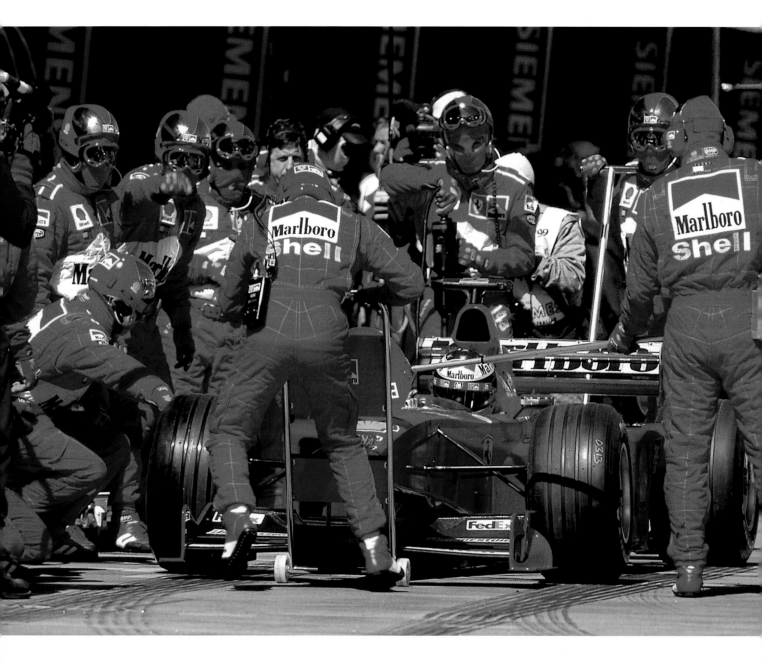

Pensatore ed esecutore: l'ex fisico atomico Ross Brawn (a sinistra) reagisce con prontezza a situazioni impreviste. Michael Schumacher poi realizza il suo pensiero.

La responsabilità è sua: il capo corse della Ferrari, Jean Todt, è spesso chiamato a sostenere le decisioni alquanto coraggiose del suo capo costruttore.

on 800 cv.

Il pilota guida e la scuderia pensa. Nella F 1 non sono importanti solo il pilota più veloce e l'auto più competitiva, ma anche la strategia del team e la sua reazione giusta al momento giusto. Nello sport più veloce del mondo solo una tattica giusta porta alla vittoria.

Il cervello dei successi Williams: anche durante la corsa il conproprietario e capo costruttore Patrick Head verifica la validità della strategia adottata.

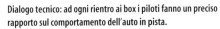

Dialogo tecnico: ad ogni rientro ai box i piloti fanno un preciso rapporto sul comportamento dell'auto in pista.

Le corse di F 1 vengono vinte mentalmente e almeno per quanto riguarda la strategia è proprio così. Una, due o tre soste ai box, poco o molto carburante a bordo, cambio gomme adesso o più tardi, mescole morbide o dure. Insomma non è solo il talento del pilota a decidere la corsa. Solo se i cervelli ai box sanno reagire nel modo giusto a situazioni previste o impreviste le loro decisioni si dimostrano valide. La F 1 è una partita a scacchi ad alta velocità con figure di 800 cv. di potenza.

Le premesse per il grande gioco strategico vengono fissate il venerdì che precede la corsa. Nelle prove libere del venerdì scuderie e piloti cercano gli assetti ottimali della macchina per la gara della domenica. In quelle del sabato ci si concentra sulle qualifiche perché determinanti per la griglia di partenza. In questo contesto le modifiche alla macchina sono notevoli. I rapporti della trasmissione vengono regolati per un giro veloce in volata. La superficie del radiatore e le dimensioni delle bocche d'aria vengono ridotte in modo drastico: meno resistenza all'aria ha la macchina e maggiore è la velocità sui rettilinei. Per un unico giro tirato al limite anche un raffreddamento limitato è sufficiente. Le scuderie più illustri impiegano addirittura motori da qualifica. Si tratta di 10 cilindri esasperati con qualche cavallo in più e che in questa forma non supererebbero mai l'intera distanza di un Gran Premio. Perfino l'assetto del telaio si fa più aggressivo. Per un giro veloce l'usura dei pneumatici non ha alcuna importanza.

L'eterno interrogativo: cosa fa la concorrenza?

I risultati delle qualifiche forniscono ampie basi di discussione per il cosidetto 'Briefing', per un incontro ristretto cioè, durante il quale piloti, ingegneri e direttore tecnico mettono a punto una loro strategia inserendovi quasi sempre delle varianti nel caso che l'andamento della corsa andasse in uno e non nell'altro modo. L'interrogativo principe comunque è sempre lo stesso: che cosa fa la concorrenza?

In primo luogo però si parla ovviamente della propria auto. Quale fra le due mescole a disposizione verrà scelta in gara per i pneumatici, lo hanno già deciso piloti e team prima delle quali-

Schumacher deglutisce **ed esegue**

fiche. Ora ci si chiede invece per quanti giri resisteranno. Se per esempio una mescola morbida ha consentito un piazzamento migliore nelle qualifiche non è detto che la stessa mescola vada bene anche in gara in quanto la sua minore resistenza potrebbe render necessario un cambio gomme in più. Questo dipende però anche dal tipo di telaio della macchina in questione, dallo stile di guida e dalla precisione del suo pilota. Chi surriscalda le gomme anche per breve tempo sbagliando in frenata o ponendosi di traverso, ne avvertirà presto gli effetti negativi. Ma anche la temperatura esterna e quella dell'asfalto - che ovviamente si sanno solo nel giorno della corsa - influenzano l'usura delle gomme e di conseguenza il numero delle soste ai box.

Gli stessi calcoli - più o meno - valgono anche per la benzina. Se un automobilista normale ragiona in litri, in formula 1 conta solo il peso del carburante. Un serbatoio pieno è pesante e fa perdere tempo. In genere sulla maggior parte dei circuiti fino a 0,2 secondi al giro. Chi parte invece con meno benzina è più veloce degli altri, ma

deve rientrare prima ai box e, in caso di strategia di un'unica sosta, fermarsi più a lungo per consentire l'inbarco di molto carburante. Chi parte a serbatoio pieno risulta veloce e leggero quando gli altri iniziano la loro corsa ai box per il rifornimento. La prima variante è consigliabile ai piloti in testa allo schieramento di partenza dal momento che molto probabilmente non verranno trattenuti da macchine più lente. La seconda invece è più adatta per i piloti nelle retrovie in quanto - in questo modo - possono avanzare di qualche posto, naturalmente solo se la concorrenza punta su un'altra strategia.

Imprevisti spettacolari aumentano l'attrattiva

Già: le soste ai box. Conta non solo la durata del rifornimento, ma anche il tempo per entrare nell'apposita corsia e per uscirne. Se la corsia è stretta e a curve come a Monaco la sosta dura a lungo, se invece è larga e veloce come sul circuito di Ungheria, dura molto meno. Il processo di rifornimento e cambio gomme segna il pas-

saggio definitivo della formula 1 da sport del singolo a sport di squadra. Ad eccezione della partenza non esiste altra situazione della corsa così soggetta a sbagli e imprevisti. Non ci si deve meravigliare quindi se le squadre si esercitano sulle operazioni ai box quasi in modo parossistico. 150 volte alla vigilia della stagione, 20 volte ogni giovedì prima della corsa e altre 20 volte la domenica mattina. Il fatto poi che ci siano imprevisti spettacolari non fa che aumentare l'attrattiva. Quando una macchina improvvisamente poggia solo su tre ruote probabilmente è una Ferrari. Ma di questo parleremo più tardi...

Spesso un imprevisto in gara richiede una decisione rapida, ma anche di natura complessa. Durante la fase di una Safety-Car, per esempio, è vantaggioso anticipare l'entrata ai box. La durata della sosta è la stessa, ma il resto dello schieramento nel frattempo compie un tratto più breve. Oppure un pilota prima della sua sosta programmata viene trattenuto da concorrenti più lenti. A questo punto rischiose manovre di sorpasso servono a poco perchè dopo la sosta si ripresente-

Avvio per un ulteriore giro di prova: prima della corsa, piloti e scuderie cercano la regolazione ottimale della macchina per il tipo di tracciato in questione.

rebbe la stessa situazione. Anche in questo caso è preferibile anticipare l'entrata ai box.

Nel caso contrario può pagare il fatto di rimandare o addirittura di eliminare la sosta ai box. Per esempio se il concorrente che precede ha appena preso la via dei box si possono tentare 3 o 4 giri velocissimi con il serbatoio quasi vuoto e avanzare così di un posto senza dover superare. Migliore ancora lo stratagemma adottato quest'anno da Heinz-Harald Frentzen a Magny-Cours. Grazie alla maggiore capienza del serbatoio della sua Jordan e al suo tipo di guida rinuncia alla seconda sosta e vince la corsa. Anche precedentemente Eddie Jordan aveva beffato la concorrenza. Un collaboratore era andato incontro per chilometri ai banchi di nuvole per poi comunicare con esattezza ai box l'inizio preciso della pioggia.

Ross Brawn punta tutto sul jolly...

L'uomo dalla tattica più brillante e raffinata rimane però sempre il britannico Ross Brawn, ex fisico atomico e oggi direttore tecnico alla Ferrari. Insieme a Michael Schumacher ha trasformato molte soste ai box in veri e propri capolavori di calcolo. Il grande vantaggio della coppia anglo-tedesca consiste nella precisione con la quale Schumacher realizza le idee di Brawn.

Un esempio? Gran Premio di Ungheria 1998. Fino alla prima sosta ai box una corsa noiosa. Mika Hakkinen e David Coulthard marciano sicuri verso una doppia vittoria, la Ferrari di Schumacher - in terza posizione - sembra ormai battuta. Al 25mo giro (77 quelli complessivi) il fuoriclasse tedesco va a rifornirsi per primo, poco dopo lo seguono anche le due frecce d'argento. Sembra che Ferrari e McLaren abbiano scelto l'identica strategia delle due soste, ma non è così...

Con una serie di giri molto veloci la Ferrari di Schumacher si avvicina alle due McLaren e al 43mo giro ecco che Brawn punta sul jolly. Schumi anticipa il suo secondo rifornimento, imbarca però solo metà benzina e risparmia 3 secondi di sosta. Inoltre ha la strada libera perchè con la seconda sosta delle due McLaren si trova ora in testa. A questo punto Brawn gli comunica via radio di avere esattamente 19 giri a disposizione per guadagnare 25 secondi. Schumacher deglutisce ed esegue.

Quello che avviene dopo è spettacolare. Il tedesco guida come nelle qualifiche ed è l'unico pilota a rimanere giro per giro sotto il limite magico di 1 minuto e 20. Alla fine quando al 62mo giro si ferma per il terzo rifornimento, mantiene la prima posizione con 5 secondi di vantaggio. La vittoria è assicurata grazie ad una strategia coraggiosa. Ross Brawn aveva calcolato esattamente la performance non solo del proprio pilota ma anche quella dei più diretti concorrenti.

Strateghi delle piste: per le frecce d'argento le decisioni vengono prese dal capo McLaren, Ron Dennis (in alto a sinistra) e dal capo sportivo della Mercedes, Norbert Haug (sotto). Alla Jordan è lo stesso titolare a decidere il tipo di tattica. Al Gran Premio di Francia, a Magny-Cours, Eddie Jordan (sopra) ha mandato un collaboratore incontro ai banchi di nuvole per sapere esattamente via cellulare quando avrebbe iniziato a piovere.

Sorvegliare la concorrenza : il pilota della Benetton, Alexander Wurz, mentre guarda attentamente il monitor dei tempi per sapere chi e in quale tratto è più veloce.

7. corsa del Campionato Mondiale di F 1 1999, Circuito di Nevers, Magny-Cours, 27 giugno 1999

Ride ben...

...chi ride ultimo: il nome di Heinz-Harald Frentzen non figurava certo sulla lista dei possibili vincitori del Gran Premio di Francia o al massimo vi figurava agli ultimi posti. Eppure a due settimane dal grave incidente subito in Canada è proprio il pilota della Jordan ad aggiudicarsi una delle gare più turbolente nella storia della formula 1.

La pioggia porta buono: Heinz-Harald Frentzen conferma la sua fama di ottimo specialista sul bagnato.

Un podio di tipo insolito: (da sinistra) Mika Hakkinen, Heinz-Harald Frentzen e Rubens Barrichello.

GP di Francia

La prima Stewart: per ben tre volte Rubens Barrichello è in testa. Alla fine però non sarà sufficiente per la sua prima vittoria.

opo l'avvincente Gran Premio del Canada il mondo della formula 1 si attendeva per la corsa successiva esattamente il contrario. Il 'Circuit de Nevers', 200 km a sud di Parigi, è considerato un circuito anonimo, di scarsa fantasia e che solo raramente accoglie grandi appuntamenti sportivi. Questa almeno la teoria; la realtà invece ha portato con sé grandi sorprese. Il Gran Premio di Francia è passato alle cronache della formula 1 come uno fra i più entusiasmanti e imprevedibili.

Le premesse per quella che sarebbe stata una gara accesissima erano già state poste nelle prove di qualifica. Mentre il giorno prima Magny Cours era letteralmente immerso in un sole e un caldo estivi, nella giornata decisiva di sabato i 4,25 km di pista erano inumiditi e a tratti bagnati da una leggera pioggia. McLaren-Mercedes e Fer-

rari, i grandi avversari della stagione, attendono un miglioramento delle condizioni del tempo. Rubens Barrichello, Jean Alesi e Olivier Panis, invece, scendono direttamente in pista pensando esattamente il contrario. Ed è proprio ciò che

La griglia di partenza sembra una parodia.

succede: piove sempre più forte e quando le altre scuderie si accorgono dell'errore, è già troppo tardi. Una volta, a Spa-Francorchamps, Barrichello si era assicurato la pole all'ultimo minuto su una pista quasi asciutta. Ed ecco che ora sul

circuito di Magny Cours conquista la seconda pole della sua carriera non all'ultimo, ma al primo minuto.

Per il resto l'intera griglia di partenza è tutta una farsa. Mika Hakkinen 14mo, Ralf Schumacher nell'ottava fila, Eddie Irvine addirittura 17mo. Fra i favoriti l'unico a cavarsela era stato David Coulthard, che su una pista quasi allagata era riuscito a conquistare un posto in seconda fila davanti ad Heinz-Harald Frentzen e Michael Schumacher. A questo punto già si intuiva che la corsa all'indomani sarebbe stata elettrizzante.

Domenica alla partenza la pista è asciutta, ma le previsioni del tempo annunciano pioggia. Rubens Barrichello si impone alla partenza su Jean Alesi, ma la sua posizione di leader è di breve durata. Già al secondo giro David Coulthard, visibilmente più veloce di chi lo pre-

Troppo rischioso: Eddie Irvine ha aspettato troppo a lungo e si è qualificato solo 17mo.

Ancora sfortuna: David Coulthard è costretto al ritiro per un difetto all'impianto elettrico.

cede, supera di strettissima misura Jean Alesi e inizia la caccia alla Stewart-Ford che, detto per inciso, non dura a lungo.

Già al sesto giro la freccia d'argento è al comando ed evidenzia subito la sua superiorità. Dopo soli tre giri il vantaggio dello scozzese su Barrichello è già salito a 7 secondi.

Anche la fortuna di Coulthard comunque non dura a lungo. Al nono giro l'impianto elettrico inizia a fare i capricci e nel giro di appena un minuto svaniscono le speranze di vittoria. "Il motore si è spento da solo – commenta Coulthard desolato - un colpo di sfortuna quando tutto sembrava andar bene".

"Ho pensato che anche la Safety-car non ce l'avrebbe fatta".

Ora è Barrichello nuovamente in testa alla corsa. Dietro di lui intanto si assiste a scene sorprendenti. Al momento del ritiro di Coulthard, Mika Hakkinen ricompare fra i primi cinque dopo che in una manciata di giri era riuscito ad avanzare di ben otto posti. Poco dopo lascia dietro di sé anche la Ferrari di Michael Schumacher. "Nella rimonta non ho quasi mai guidato al limite. Io stesso mi sono meravigliato della facilità nel superare. C'è da dire che avevo una macchina perfettamente bilanciata e che mi consentiva di guidare in modo ottimale". Al 15mo giro anche Frentzen, fino ad allora sempre alle costole di Jean Alesi, è costretto a cedere. Hakkinen lo supera con grande decisione e dopo di lui si impone anche su Alesi. Al 20mo giro è secondo e insegue Rubens Barrichello.

A questo punto inizia a piovere, anzi a diluviare. Tutti montano le gomme da pioggia che comunque in quelle condizioni servono a poco. Heinz-Harald Frentzen chiede via radio l'uscita immediata della Safety-car in quanto la pista è totalmente allagata ed estremamente pericolosa.

Ne fa subito le spese Jean Alesi che scivolando su una pozzanghera termina la sua corsa nel prato. Ora la direzione della corsa decide finalmente di fare uscire la macchina di sicurezza.

Ai bordi della pista intanto Jean Alesi ha un vero e proprio attacco di nervi.

Anche Damon Hill a quel punto si era già ritirato. Dopo una collisione con Pedro de la Rosa nella corsia dei box, rientra in pista in ultima posizione ed è costretto poco dopo a fermarsi per un guasto all'elettronica. Un ennesimo, desolante risultato per l'ex campione del mondo che nella conferenza stampa di fine corsa annuncerà poi il suo ritiro definitivo dalle corse di formula 1 senza peraltro specificare quando.

La Safety-car guida per undici giri la corsa, ma non può impedire l'aquaplaning di Jacques Villeneuve, Alexander Wurz, Marc Gene e Alex Zanardi. Eddie Irvine sbanda, gira su se stesso e retrocede in ultima fila. Barrichello in testa alla corsa quasi non crede alla sua fortuna. Grazie ad un pit stop particolarmente rapido ha conquistato per la terza volta il primo posto e conduce davanti a Mika Hakkinen. Barrichello, testualmente: "Le condizioni della pista erano indescrivibili. Ad un certo momento ho pensato che anche la Safety-car non ce l'avrebbe fatta".

Al 35mo giro il Mercedes coupè di Oliver Gavin rientra nella corsia dei box e la gara riprende. Al 38mo giro Mika Hakkinen tenta di superare Barrichello, ma la manovra fallisce e il pilota finlandese dopo un testacoda si ritrova al settimo posto. Hakkinen giustificherà poi il suo errore (che in ultima analisi doveva costargli la vittoria) con una pista ancora troppo bagnata al di fuori della linea ideale.

Ora è la volta di Michael Schumacher. Il fuoriclasse tedesco, che aveva scelto l'assetto da pioggia già alla vigilia della gara, si getta all'inseguimento del pilota della Stewart-Ford. Al 42mo giro riesce a superarlo, ma Barrichello tiene duro e in uscita di curva riprende il comando. Due giri più tardi però Schumacher ha la meglio. Siamo al quinto cambio della guardia in testa ad una corsa che normalmente sul circuito francese è sempre povera di colpi di scena.

Ottima prestazione: Ralf Schumacher più forte del fratello.

A 11 giri dal termine ancora in testa alla corsa: Mika Hakkinen.

L'unica Mercedes con divieto di sorpasso: la Safety-car.

Nient'altro che rabbia: Michael Schumacher non riesce a piazzarsi oltre la quinta posizione.

Dalla prima fila a un attacco di nervi. Jean Alesi è la prima vittima dell'aquaplaning. Subito dopo esce la Safety-car.

GP di Francia

Contromano nella pioggia: in Francia Damon Hill pensava di ritirarsi.

Pilota con un grande futuro: a Magny Cours Rubens Barrichello è stato eccezionale.

Ma le carte vanno ancora rimescolate. La Ferrari di Schumacher riesce nei successivi sette giri a portare il suo vantaggio a ben 9 secondi, ma poi il destino si abbatte anche sulla rossa. "Improvvisamente non potevo più cambiare e avevo a disposizione solo le prime due marce". In un pit stop anticipato, oltre al rifornimento e alle nuove gomme, gli viene cambiato il volante elettronico. Il pilota tedesco terminerà poi la gara in sesta posizione.

Nel frattempo Rubens Barrichello invocava certamente i suoi angeli protettori. Era per l'ennesima volta in testa alla corsa, ma dietro di lui si avvicinava sempre più Mika Hakkinen. Al 60mo giro gli scongiuri si rivelano inefficaci ed Hakkinen passa a condurre. Ma era destino che anche

il pilota finlandese non vincesse la corsa. Anche lui, come Barrichello, doveva rientrare ai box per fare benzina. Ed ecco che ne approfitta Heinz-Harald Frentzen. La sua guida oculata e il serbatoio di 110 litri della sua Jordan-Mungen-Honda (20 litri in più rispetto alla concorrenza) gli consentono di proseguire la gara senza fermarsi. "Avevamo studiato diverse strategie, - dirà più tardi il pilota di Mönchengladbach - sapevamo che avrebbe piovuto, ma quando il mio pit stop è durato molto per imbarcare molta benzina, mi sono innervosito. La macchina a serbatoio pieno era lenta. Non capivo ancora che alla fine il non doversi fermare un'altra volta avrebbe significato la vittoria".

Mentre durante gli ultimi sette giri in testa

alla corsa non cambia più nulla e un felicissimo Heinz-Harald Frentzen, nonostante due rotule rotte, si aggiudica il secondo Gran Premio della sua carriera, dietro di lui si accende una lotta per il quarto posto. Michael Schumacher dopo i guai al cambio deve combattere con la pressione delle gomme che non gli consente più una guida pulita. Da dietro però sopraggiungono a grande velocità il fratello Ralf ed Eddie Irvine.

Mentre Schumacher jr. poi lo supera in modo deciso, il numero 2 della Ferrari si mantiene rispettosamente dietro. Così vuole il contratto, ma questa è un'altra storia.

Nervi d'acciaio: nonostante una frattura al ginocchio, Frentzen vince il Gran Premio di Francia - Eddie Jordan esulta con lui.

Statistica

GP di Francia

7. corsa Campionato Mondiale F 1 1999, Circuito di Nevers, Magny-Cours (F), 27 giugno 1999

Lunghezza percorso:	4,25 km
Numero giri:	72 (= 306 km)
Partenza:	14.00 GMT
Condizioni del tempo:	nuvoloso, poi pioggia, durante la gara per breve tempo asciutto
Spettatori:	107 000
Scorsa stagione:	1. Michael Schumacher (D, Ferrari F300), 1 h 34'35"026
	2. Eddie Irvine (GB, Ferrari F300), – 19"575 s
	3. Mika Hakkinen (FIN, McLaren-Mercedes MP4/13), – 19"747 s
Pole Position 1998:	Mika Hakkinen (McLaren-Mercedes MP4/13), 1'14"929 m
Giro più veloce 1998:	David Coulthard (GB, McLaren-Mercedes MP4/13), 1'17"523 m
Sosta box più breve 1998:	Alexander Wurz (A, Benetton-Playlife B198), 24"101 s

Relativamente noiosa ma con buone possibilità di superare

„Il percorso di Magny-Cours è relativamente noioso e non figura fra i miei preferiti. In pratica il Circuit de Nevers presenta una sola curva difficile e cioè la combinazione destra-sinistra dopo la linea di partenza. In compenso prima del tornante Adelaide si possono seguire linee diverse e spuntarla così sugli avversari".

Heinz-Harald Frentzen

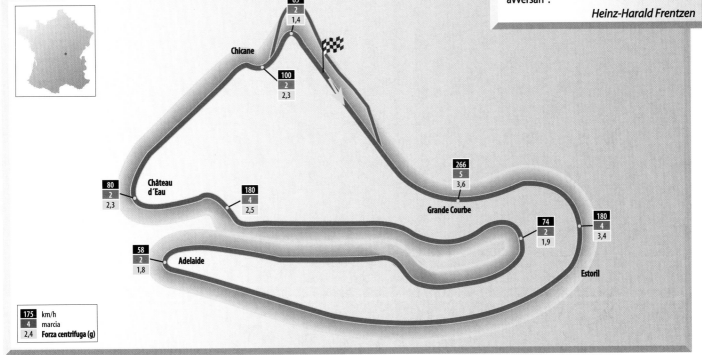

175 km/h
4 marcia
2,4 Forza centrifuga (g)

Risultati

Pilota	Team	Soste ai box	Giri	Tempo(h)	Media(km/h)	Distacco	Sul precedente
1. Heinz-Harald Frentzen	Jordan-Mugen-Honda	1	72	1 h 58'24"343	154,965	–	–
2. Mika Hakkinen	McLaren-Mercedes	2	72	1 h 58'35"435	154,724	11"092 s	–
3. Rubens Barrichello	Stewart-Ford	2	72	1 h 59'07"775	154,024	43"432 s	32"340 s
4. Ralf Schumacher	Williams-Supertec	2	72	1 h 59'09"818	153,980	45"475 s	2"043 s
5. Michael Schumacher	Ferrari	2	72	1 h 59'12"224	153,928	47"881 s	2"406 s
6. Eddie Irvine	Ferrari	2	72	1 h 59'13"244	153,906	48"901 s	1"020 s
7. Jarno Trulli	Prost-Peugeot	2	72	1 h 59'22"114	153,715	57"771 s	8"870 s
8. Olivier Panis	Prost-Peugeot	2	72	1 h 59'22"874	153,699	58"531 s	0"760 s
9. Ricardo Zonta	BAR-Supertec	2	72	1 h 59'53"107	153,053	1'28"764 m	30"233 s
10. Luca Badoer	Minardi-Ford	2	71	1 h 59'05"221	151,937	1 Giro	1 Giro
11. Pedro de la Rosa	TWR-Arrows	2	71	1 h 59'48"956	151,013	1 Giro	43"735 s

Pilota	Team	Soste ai box	Nel giro	Motivo ritiro	Pos. prima del ritiro		
Giancarlo Fisichella	Benetton-Playlife	1	43	Testacoda	9		
Damon Hill	Jordan-Mugen-Honda	2	32	Accessione difettosa	14		
Alessandro Zanardi	Williams-Supertec	1	27	Testacoda	11		
Jacques Villeneuve	BAR-Supertec	2	26	Testacoda	9		
Alexander Wurz	Benetton-Playlife	1	26	Testacoda	15		
Marc Gené	Minardi-Ford	1	26	Testacoda	15		
Jean Alesi	Sauber-Petronas	1	25	Testacoda	3		
David Coulthard	McLaren-Mercedes	0	10	Testacoda	1		
Pedro Diniz	Sauber-Petronas	0	7	Impianto elettrico	11		
Johnny Herbert	Stewart-Ford	0	5	Trasmissione di potenz	22		
Toranosuke Takagi	TWR-Arrows [1]	2		Squalificato	11		

1) Takagi 11mo al traguardo, ma squalificato per infrazione.

GP di Francia

Griglia di partenza

16 Rubens Barrichello (BR) [1]
Stewart-Ford SF3/4
1'38"441 m (267,9 km/h)

11 Jean Alesi (F)
Sauber-Petronas C18/3
1'38"881 m (268,6 km/h)

18 Olivier Panis (F)
Prost-Peugeot AP02/5
1'40"400 m (264,2 km/h)

2 David Coulthard (GB)
McLaren-Mercedes MP4/14-4
1'40"403 m (274,3 km/h)

8 Heinz-Harald Frentzen (D)
Jordan-Mugen-Honda 199/5
1'40"690 m (266,4 km/h)

3 Michael Schumacher (D)
Ferrari F399/193
1'41"127 m (272,2 km/h)

9 Giancarlo Fisichella (I)
Benetton-Playlife B199/3
1'41"825 m (262,9 km/h)

19 Jarno Trulli (I)
Prost-Peugeot AP02/7
1'42"096 m (254,8 km/h)

17 Johnny Herbert (GB)
Stewart-Ford SF3/5
1'42"199 m (264,0 km/h)

23 Ricardo Zonta (BR)
BAR-Supertec 01/6
1'42"228 m (272,0 km/h)

12 Pedro Diniz (BR)
Sauber-Petronas C18/5
1'42"942 m (268,5 km/h)

22 Jacques Villeneuve (CDN)
BAR-Supertec 01/7
1'43"748 m (269,0 km/h)

Alexander Wurz (A)
Benetton-Playlife B199/5
1'44"319 m (256,5 km/h)

1 Mika Häkkinen (FIN)
McLaren-Mercedes MP4/14-2
1'44"368 m (262,5 km/h)

5 Alessandro Zanardi (I)
Williams-Supertec FW21/5
1'44"912 m (269,7 km/h)

6 Ralf Schumacher (D)
Williams-Supertec FW21/4
1'45"189 m (260,3 km/h)

4 Eddie Irvine (GB)
Ferrari F399/191
1'45"218 m (256,7 km/h)

7 Damon Hill (GB) [2]
Jordan-Mugen-Honda 199/4
1'45"334 m (264,5 km/h)

21 Marc Gené (E) [2]
Minardi-Ford-Zetec-R M01/4
1'46"324 m (264,1 km/h)

20 Luca Badoer (I) [2]
Minardi-Ford-Zetec-R M01/1
1'46"784 m (262,3 km/h)

14 Pedro de la Rosa (E) [2]
TWR-Arrows A20/4
1'48"215 m (262,9 km/h)

15 Toranosuke Takagi (J) [2]
TWR-Arrows A20/2
1'48"322 m (264,1 km/h)

107-%-limite: 1'45"331 m

Giri più veloci

Prove libere			
1. M. Schumacher	1'17"912	12. Hill	1'19"591
2. Irvine	1'18"199	13. Fisichella	1'19"651
3. Häkkinen	1'18"251	14. Villeneuve	1'20"002
4. Coulthard	1'18"468	15. Trulli	1'20"121
5. Zanardi	1'18"746	16. Panis	1'20"285
6. Frentzen	1'18"779	17. Diniz	1'20"528
7. Alesi	1'18"908	18. de la Rosa	1'20"655
8. Barrichello	1'18"950	19. Zonta	1'20"681
9. R. Schumacher	1'19"069	20. Takagi	1'21"418
10. Herbert	1'19"266	21. Badoer	1'21"506
11. Wurz	1'19"491	22. Gené	1'21"928

Corsa			
1. Coulthard	1'19"227	12. Wurz	1'21"409
2. Häkkinen	1'19"758	13. Fisichella	1'21"423
3. R. Schumacher	1'20"313	14. Villeneuve	1'21"461
4. Irvine	1'20"328	15. Zanardi	1'21"983
5. Alesi	1'20"848	16. Hill	1'22"021
6. Barrichello	1'20"878	17. de la Rosa	1'22"535
7. Zonta	1'20"881	18. Diniz	1'22"629
8. Frentzen	1'20"994	19. Takagi	1'22"664
9. M. Schumacher	1'21"014	20. Gené	1'22"844
10. Trulli	1'21"330	21. Badoer	1'22"900
11. Panis	1'21"403	22. Herbert	1'25"608

Tutte le soste ai box

Giro	Durata	Giro	Durata	Giro	Durata
21 Panis	27"102	22 Alesi	30"292	50 Irvine	25"461
21 Irvine	63"796	22 Frentzen	32"800	52 R. Schumacher	25"953
21 Fisichella	33"768	22 M. Schumacher	27"946	54 M. Schumacher	31"627
21 Wurz	55"787	22 R. Schumacher	32"593	57 Panis	24"974
21 Villeneuve	31"957	22 Trulli	27"465	59 Trulli	24"315
21 Hill	46"939	22 Zonta	32"892	60 de la Rosa	32"798
21 de la Rosa	32"181	22 Zanardi	34"142	61 Zonta	30"411
21 Takagi	60"845	22 Badoer	30"794	65 Häkkinen	25"480
21 Gené	31"260	22 Hill	49"740	64 Barrichello	25"993
22 Barrichello	31"067	25 Villeneuve	28"289	67 Badoer	23"462
22 Häkkinen	28"769	28 Takagi	36"014		

La corsa giro per giro

Partenza: Barrichello ed Alesi mantengono le loro posizioni. Coulthard si infila al terzo posto. Giro 1: Häkkinen ha già rimontato 5 posti. Giro 2: Coulthard supera Alesi. Al quarto posto seguono Frentzen, poi M. Schumacher. Giro 6: Coulthard si impone su Barrichello e passa a condurre, Hakkinen è sesto. Giro 9: il finlandese attacca M. Schumacher prima del tornante. Il tedesco resiste ma nel giro successivo Hakkinen gli prende il quinto posto. Giro 10: Coulthard è messo fuori gioco da un difetto alla trasmissione. Giro 15: dopo vari tentativi Hakkinen la spunta su Frentzen. In testa Barrichello davanti ad Alesi. Giro 19: Alesi sbaglia in frenata ed Hakkinen ne approfitta subito, ora è secondo. Dopo mezz'ora di gara inizia a piovere. Giro 21: quasi tutti montano ora le gomme da pioggia. La sosta di Frentzen è lunga. Giro 25: Alesi scivola fuori pista e il motore si spegne. Giro 26: esce la Safety car, troppo tardi per Alesi. Il percorso è letteralmente allagato tanto che dietro la macchina di sicurezza si girano Zonta, Villeneuve, Wurz e Zanardi. Giro 36: riprende la corsa. Giro 38: Hakkinen attacca Barrichello però si gira e retrocede in settima posizione. Giro 39: M. Schumacher supera Frentzen ed è secondo. Giro 44: dopo due tentativi falliti Schumacher supera Barrichello. Giro 54: cambio del volante per M.Schumacher. Il tedesco è solo sesto. Rimangono i problemi all'elettronica. Giro 57: Hakkinen scavalca Frentzen ed è secondo. Giro 60: Barrichello deve cedere il comando ad Hakkinen. Giro 65: Barrichello ed Hakkinen devono rifornirsi di benzina. Frentzen passa al primo posto. Giro 70: R. Schumacher porta via il quarto posto al fratello. Irvine rimane dietro. Giro 72: Frentzen difende il comando fino all'arrivo.

Classifica

Mondiale piloti/Punti			
1. Mika Häkkinen	40	Panis	1
2. Michael Schumacher	32	Alesi	1
3. Eddie Irvine	26	Wurz	1
4. Heinz-Harald Frentzen	23	Trulli	1
5. Ralf Schumacher	15	Diniz	1
6. Giancarlo Fisichella	13		
7. David Coulthard	12		
8. Rubens Barrichello	10		
9. Damon Hill	3		
10. Johnny Herbert	2		
11. de la Rosa	1		

Mondiale costruttori	Punti
1. Ferrari	58
2. McLaren-Mercedes	52
3. Jordan-Mugen-Honda	26
4. Williams-Supertec	15
5. Benetton-Playlife	14
6. Stewart-Ford	12
7. Prost-Peugeot	2
Sauber-Petronas	2
9. TWR-Arrows	1

1) Tempo giro (Topspeed in Qualifying); 2) Ammesso in gara nonostante il superamento del limite di tempo del 107%.

Improvvisamente al centro dell'interesse: aspirante al mondiale H.-H. Frentzen.

A pieni voti: alla Jordan-Mugen-Honda Frentzen si sente a proprio agio.

Un uomo felice

Lo si considerava un pilota di un certo talento anche se nessuno credeva che Heinz-Harald Frentzen avrebbe potuto un giorno levarsi

di dosso l'ombra di Michael Schumacher. Eppure Frentzen con una macchina non certo fra le migliori, la Jordan Mugen-Honda, riu-

sciva a conquistare le simpatie del grande pubblico e a ritornare in classifica nel gruppo di testa.

P er Damon Hill, Frentzen dev'essere una figura traumatica. Nel 1997 fu Frentzen ad umiliare l'allora campione del mondo alla Williams-Renault. Due anni dopo i due piloti si ritrovano alla Jordan e la superiorità di Frentzen si rivela così schiacciante da indurre Hill ad annunciare per la fine della stagione il suo ritiro dalle corse. In effetti possiamo parlare di una svolta sorprendente.

Heinz-Harald Frentzen era già stato cancellato dalla lista dei piloti di razza. Troppo educato, troppo morbido, troppo comodo e inoltre notoriamente sfortunato. Così si esprimeva la stampa inglese specializzata, affermando con una certa soddisfazione che nei due anni trascorsi alla Williams egli non aveva certo fatto molte cose. Inutile dire che la stampa al completo era per Damon Hill, altrimenti essa avrebbe evidenziato il fatto che Frentzen nel suo primo Gran Premio per la Williams aveva mancato la vittoria solo per un difetto tecnico, che poco più tardi ad Imola il successo lo aveva avuto, che Frank Williams e Patrik Head a Monaco lo avevano mandato in pista come il più veloce nelle qualifiche con le gomme d'asciutto sul bagnato, che infine si era aggiudicato il titolo di vice campione del mondo dietro Villeneuve. Tutto ciò non veniva evidenziato perchè non armonizzava con l'immagine inglese di un Frentzen decisamente mediocre.

Oggi i giudizi sul 32nne Frentzen sono di tutt'altra natura. Ad un anno dall'ingresso nella scuderia di Eddie Jordan, il tedesco che ha ritrovato il suo sorriso è ritornato di prepotenza nella rosa dei migliori. Nel suo team si sente apprezzato e rispettato. "Molte persone pensano che io sia cambiato, ma per quanto ne so io sono semplicemente contento di essere alla Jordan. Forse è già questo un grande cambiamento".

In effetti Frentzen è risorto dalla cenere un po' come l'Araba Fenice. Ha vinto sotto la pioggia la corsa di Magny Cours e anche il Gran Premio d'Italia a Monza. Al Nürburgring solo per un difetto tecnico non ha conquistato la terza vittoria che lo avrebbe portato ad un solo punto di distanza dal leader Hakkinen. Le molte domande che riguardavano il suo futuro le ha per così dire rispedite al mittente. Oggi a Grove, al quartier generale della Williams, ci si chiede perchè non si è mai riusciti ad utilizzare al meglio tutto il potenziale del pilota tedesco.

Anche se ha alle spalle due anni difficili, il figlio di un impresario di pompe funebri di Mönchengladbach, è contento dell'esperienza raccolta alla Williams.

"Le persone che hanno lavorato con me in questa stagione lo hanno fatto con un altro Frentzen, un Frentzen diverso da quello di 3 o 5 anni

Questione di fiducia: alla Jordan l'opinione di Frentzen è sempre bene accetta e i suoi suggerimenti vengono apprezzati e realizzati.

Ritratto: Heinz-Harald Frentzen

fa. E forse per questo ho saputo armonizzare subito con il team e con la macchina".

Che fra team e pilota ci si capisce bene lo si nota subito. Il capodesigner Mike Gascoyne: "Ha un senso dell'umorismo molto spiccato e gli piace prender in giro gli altri e se stesso. Da noi ha svolto un lavoro brillante. Ha saputo coinvolgere tutti e i suoi meccanici per lui farebbero l'impossibile".

Ma com'è stato possibile questo comeback? I fattori positivi che lo hanno consentito sono molti. Alla Jordan si sente compreso e considerato, le sue proposte vengono accettate e trasformate in migliorie della macchina. Ancora Gascoyne: "Heinz è contento di veder realizzati i suoi suggerimenti. Forse alla Williams era sfiduciato perchè non lo si ascoltava con la dovuta attenzione".

La Ford avrebbe offerto 30 milioni di dollari...

Le nuove regole per la prossima stagione sembrano fatte apposta per Frentzen. Il quarto solco nei pneumatici anteriori richiede una guida molto sensibile e Frentzen è considerato a buona ragione il pilota con il piede più morbido in accelerazione. Heinz-Harald Frentzen: "Con i nuovi bolidi di F 1 si dovrà lottare di più. L'aderenza risulterà minore e la macchina tenderà a mettersi di traverso. Sono richiesti quindi un grande controllo della macchina e la capacità del pilota di potere guidare sempre al massimo".

Ulteriore vantaggio: alla Jordan Frentzen ha ritrovato quel Mike Gascoyne che già nel 93 e nel 94 aveva progettato la Sauber e cioè la macchina con la quale il tedesco si era messo in luce per la prima volta. Inoltre con il Mugen-Honda la Jordan dispone di uno dei migliori 10 cilindri della F 1. La casa giapponese, che il prossimo anno ritornerà ufficialmente in formula 1, ha investito e investe tutt'ora nello sviluppo. Ottime prospettive quindi per la stagione 2000.

Nel frattempo si parla di offerte da sogno come quella della Ford che pagherebbe ben 30 milioni di dollari per ingaggiare Frentzen nel 2001 alla Jaguar. Il tedesco in ogni caso non intende abbandonare la Jordan, almeno per la prossima stagione. "Le cose vanno per il meglio e io faccio il mio lavoro con grande impegno. Se poi arrivano anche i successi tutto diventa più facile". Frentzen per la cronaca sarà presto padre, perchè la fidanzata Tanja Nigge aspetta un bambino.

Il suo traguardo stagionale non l'ha potuto raggiungere e i sogni improvvisi ed imprevisti del titolo mondiale sono naufragati al Nürburgring e in Malesia. Il pilota tedesco giudica il risultato con realismo: "Non abbiamo perso il campionato piloti, anzi abbiamo vinto il terzo posto nel mondiale costruttori contro la Williams e la Stewart e abbiamo quindi raggiunto più di ciò che ci eravamo prefissi." E Gascoyne: "Heinz è la Superstar dell'anno!"

Anche senza Michael Schumacher le doppie vittorie tedesche in F 1 sono possibili: Heinz-Harald Frentzen e Ralf Schumacher lo hanno dimostrato al Gran Premio d'Italia.

Forte performance: anche nella Eifel Frentzen guida la corsa fino a quando un misterioso difetto non lo costringe al ritiro.

Concentrato fino alla punta dei piedi: al Nürburgring H.-H. Frentzen conquista la sua seconda pole position.

Innamorato, fidanzato... la fidanzata di Heinz-Harald, Tanja Nigge, aspetta un bambino. Il pilota tedesco sarà presto padre.

Back to the Rhythm: il capo scuderia e batterista per diletto, Eddie Jordan, ha saputo ridare il giusto ritmo alla carriera di Heinz-Harald Frentzen in F 1.

8.corsa del Campionato Mondiale di F 1 1999, Silverstone,
Circuito Grand Prix, 11 luglio 1999

Un errore fatale

Il mondo della formula 1 trattiene il

respiro: Michael Schumacher, aspirante

al titolo mondiale, subisce un grave inci-

dente a Silverstone. Un incidente che

segna una svolta nella lotta per il cam-

pionato iridato.

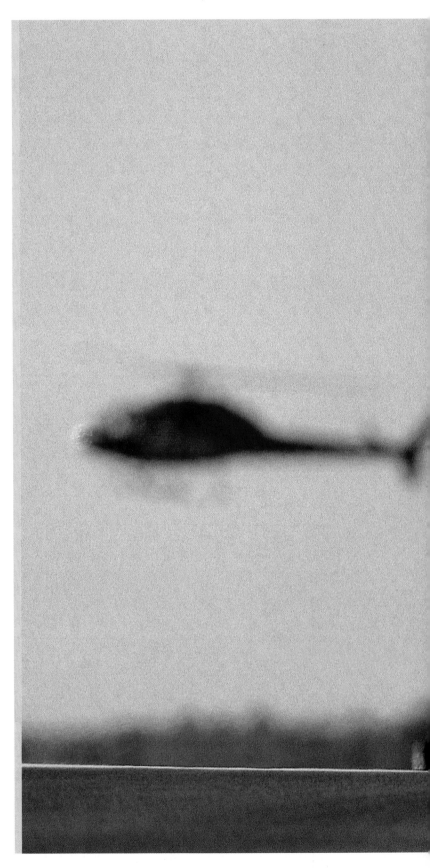

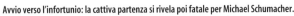
Avvio verso l'infortunio: la cattiva partenza si rivela poi fatale per Michael Schumacher.

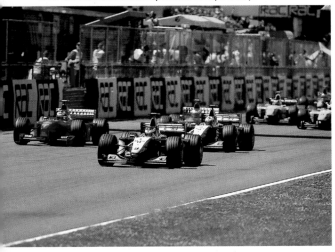

A destra: per lui la caccia al titolo mondiale finisce prematuramente - Lo sfortunato Michael Schumacher. Sotto: il pilota della McLaren, David Coulthard, verso la sua prima vittoria della stagione.

GP d' Inghilterra

Una concausa del crash di Michael Schumacher: alla prima partenza Villeneuve e Zanardi rimangono fermi.

Era ora? David Coulthard festeggia la sua prima vittoria della stagior

Schumacher si infortuna quando il Gran Premio di Silverstone era già stato interrotto. Dopo una cattiva partenza e nel tentativo di superare Eddie Irvine, Schumacher alla fine della 'Hangar Straight' (dove vengono raggiunte velocità di 300 km orari) schizza diritto in avanti, taglia la curva e senza la minima traccia di frenata va a sbattere con estrema violenza contro una pila di pneumatici. Secondi terribili come quelli vissuti dal mondo della formula 1 nel maggio del 1994 ad Imola. Ma mentre allora il grande Ayrton Senna perde la vita, ora milioni di persone davanti ai teleschermi e a Silverstone tirano un sospiro di sollievo: dopo appena pochi secondi il pilota tedesco tenta di uscire dal solo dal cockpit, e anche se non ci riesce, già il vederlo muoversi è di sollievo per tutti.

Una doppia frattura alla gamba e una ferita al calcagno: il pilota della Ferrari, considerata la gravità dell'incidente, deve ritenersi fortunato. Finisce comunque una specie di mito. Esattamente come nel caso di Ayrton Senna, l'eccezionale bravura di un pilota viene automaticamente associata all'infallibilità e, con il tempo, anche all'invulnerabilità. Un modello corrente con il quale si tende sempre a spiegare molti

incidenti è quello dell'errore. Chi ha subito un incidente, cioè, non era bravo come questo o quell'altro pilota.

Ma c'è un altro nesso fra gli incidenti di Senna e di Schumacher. Un difetto tecnico li ha degradati a semplici passeggeri impotenti in una macchina impazzita. Mentre i tribunali italiani indagano ancora oggi sui veri motivi che hanno provocato la morte del brasiliano, la Ferrari ha

Hakkinen conferma la sua ottima forma.

individuato la causa dell'incidente occorso a Schumacher in una valvola di sfogo di un freno dell'asse posteriore. Le immagini della telecamera di bordo – messe poco dopo al sicuro in qualche cassaforte - fanno pensare ad altro: nonostante Schumacher tenta di sterzare nell'uno o nell'altro senso le ruote anteriori non seguono il volante. Come nel caso di Senna, insomma, è lecito immaginare la rottura di un tirante dello sterzo...

Ma ritorniamo al Gran Premio di Inghilterra.

Nelle qualifiche il detentore del titolo mondiale, Mika Hakkinen, aveva subito evidenziato l'eccellente condizione della macchina. Già al primo tentativo aveva fatto segnare il tempo di 1.24,943 che nessun altro pilota riuscirà poi a battere. Siamo alla sesta pole position nell'ottavo Gran Premio: una prestazione di tutto rispetto. Michael Schumacher, che come Eddie Irvine deve fron-

Risultato pulito: il secondo punto per Pedro Diniz.

Costantemente bravo come sempre: anche dall'Inghilterra Heinz-Harald Frentzen si porta a casa altri punti.

Una ciambella senza buco: dopo il primo pit stop Irvine è dietro Coult

Una ciambella col buco: Irvine è ancora secondo davanti a Coulthard.

Tattica giusta: Ralf Schumacher verso il secondo pit stop.

Orania : le Grindgirls del 'Royal Automobile Club' sarebbero andate bene anche nel Gran Premio di Olanda.

teggiare un'usura troppo rapida dei pneumatici anteriori, non è in grado di competere con Hakkinen, ma riesce a conquistare la prima fila accanto al rivale. Dietro di loro David Coulthard ed Eddie Irvine e ambedue i piloti della Jorden-Mugen-Honda, Heinz-Harald Frentzen e Damon Hill. Il pilota della Williams, Ralf Schumacher è in quarta fila accanto alla Stewart-Ford di Rubens Barrichello.

La prima partenza viene annullata. Schumacher ha un avvio molto lento tanto che sia Coulthard che Irvine lo passano. Jacques Villeneuve e Alessandro Zanardi rimangono addirittura fermi. Il primo per un guasto al cambio e il secondo con il motore ingolfato. La direzione della corsa fa esporre la bandiera rossa e mentre i piloti della McLaren vengono avvertiti via radio dai box, la Ferrari non comunica la notizia per tempo a Schumacher. Un ritardo con conseguenze tragiche.

Quando i piloti riprendono la formazione iniziale per la seconda partenza nessuno è più nervoso di Ralf Schumacher. "Dopo l'incidente di mio fratello non è una sensazione piacevole dover

risalire in macchina. Sono però un professionista e devo fare il mio lavoro. Sapevo che Michael si era ferito, ma sapevo anche che non era in pericolo di vita. E proprio questa certezza mi ha aiutato. Dai box poi mi comunicavano via radio notizie sulle sue condizioni".

La seconda partenza sembra una copia della prima. Hakkinen in forte accellerazione è subito primo. Dietro di lui Irvine supera Coulthard e nella prima parte della corsa non ha nessuna difficoltà a mantenere il suo posto fra le due frecce d'argento. Lo scozzese dirà più tardi che Irvine nelle curve strette era più incisivo, almeno in un primo tempo. Il pilota più veloce comunque è sempre Hakkinen che incamera almeno quattro

ramma in due parti: prima un pit stop da dimenticare, poi l'attuale campione del mondo perde anche una ruota.

decimi al giro sui diretti inseguitori Irvine, Coulthard, Frentzen, Ralf Schumacher e Damon Hill. Per il finlandese la corsa sembra tutta in discesa almeno fino al primo pit stop. Dopo le cose per lui non sono andate per il verso giusto. Anche se il pit stop della McLaren di Hakkinen era durato 9,2 secondi e quindi non era stato particolarmente rapido ma neppure decisamente lento, nulla lasciava presagire il problema che si sarebbe presentato poco dopo. E infatti una volta rientrato in pista rallenta, fa passare il suo compagno di scuderia e si dirige nuovamente ai box, dove si ferma per ben 27 secondi. Sembra che la

Mika arranca su tre ruote verso i box.

ruota sinistra posteriore non sia ben fissata. Hakkinen riprende la corsa in undicesima posizione e fa segnare subito il miglior tempo. La sfortuna però non lo abbandona e poco dopo la ruota posteriore sinistra si stacca e schizza impazzita a destra e a manca senza ferire nessuno per fortuna.

A questo punto Hakkinen arranca sulle tre ruote verso i box, fa montare quella mancante e riprende la corsa. Pochi minuti dopo però Ron Dennis lo richiama ai box e lo ritira definitivamente dalla competizione. Per ragioni di sicurezza in quanto il guasto non si poteva localizzare.

Ora a guidare la corsa è David Coulthard che riesce a superare Irvine proprio grazie all'incidente del suo compagno di scuderia. Quando

Irvine infatti rientra per il pit stop, viene leggermente ostacolato dai meccanici della McLaren, tutti attorno alla macchina di Hakkinen. Questo fa sí che la sua fermata non dura 7, ma ben 12 secondi: il tempo necessario per far passare Coulthard davanti.

Fino al secondo pit stop verso il quarantesimo giro la cronaca di questo Gran Premio non registra nulla di particolare. Alla fine a decidere l'ordine d'arrivo sono le durate delle fermate ai box. Quella di Coulthard dura 6,3 secondi, quella di Irvine 7,1 secondi. Alla fine Coulthard per un soffio esce per primo sulla pista per andare incontro al quinto successo della sua carriera in formula 1. "È stata la mia vittoria più importante – dirà dopo Coulthard - ho sempre sognato di vincere in Inghilterra".

Nel frattempo Heinz-Harland Frentzen e Ralf Schumacher lottano per il terzo posto. Frentzen tallona Ralf Schumacher da vicino e tenta in tutti i modi di superarlo. Ma non c'è niente da fare e Ralf Schumacher alla fine salirà sul podio con un ringraziamento particolare alla Williams. Per il fratello del grande Michael il nuovo 'pacchetto aereodinamico' della Williams consente ora alla macchina di competere con la Jordan se non addirittura - sue parole testuali - con la McLaren e la Ferrari.

Frentzen ovviamente si dichiara meno soddisfatto del suo quarto posto.

"Insieme ad Hill ci siamo aggiudicati cinque punti per il campionato costruttori e quindi difendiamo bene il terzo posto. Per me personalmente però mi sarei aspettato di più".

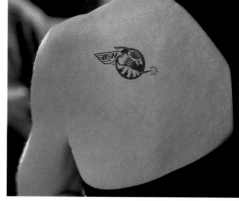

L'amore non ha confini: fan britannico della Jordan.

Vince davanti al proprio pubblico: lo scozzese David Coulthard.

Già fatto la doccia oggi? Sul podio, la battaglia dello champagne si risolve a favore di Ralf Schumacher.

Statistica

Lunghezza percorso:	5,14 km
Numero giri:	60 (= 308,296 km)
Partenza:	14.00 GMT
Condizioni del tempo:	bello e caldo
Spettatori:	90 000
Scorsa stagione:	1. Michael Schumacher (D, Ferrari F300) , 1 h 47'02"450
	2. Mika Hakkinen (FIN, McLaren-Mercedes MP4/13), – 22"465 s
	3. Eddie Irvine (GB, Ferrari F300), – 29"199 m
Pole Position 1998:	Mika Hakkinen (McLaren-Mercedes MP4/13), 1'23"271 m
Giro più veloce 1998:	Michael Schumacher (Ferrari F300), 1'35"704 m
Sosta box più breve 1998:	Eddie Irvine (Ferrari F300), 26"509 s

Nelle curve ad alta velocità una buona aereodinamica è decisiva

"Silverstone è una sfida continua per il pilota. Si avverte subito quando si è fatto un giro veloce. È una sensazione che appaga molto. Sul circuito dell'ex campo di aviazione l'aereodinamica conta, specialmente nelle curve veloci Copse o Becketts. Alla fine dello stretto rettilineo invece è richiesta una buona trazione".

David Coulthard

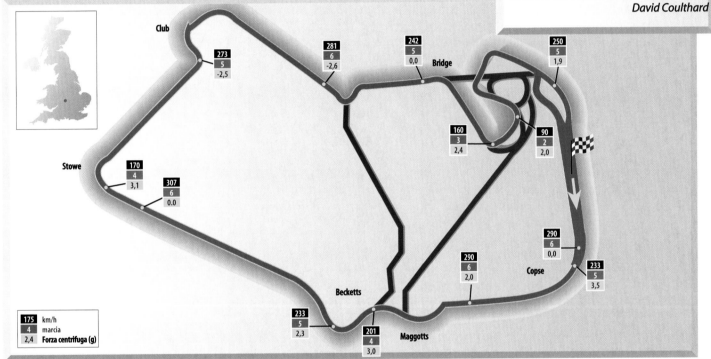

Risultati

Pilota	Team	Soste ai box	Giri	Tempo(h)	Media(km/h)	Distacco	Sul precedente
1. David Coulthard	McLaren-Mercedes	2	60	1 h 32'30"144	199,970	–	–
2. Eddie Irvine	Ferrari	2	60	1 h 32'31"973	199,904	1"829 s	–
3. Ralf Schumacher	Williams-Supertec	2	60	1 h 32'57"555	198,987	27"411 s	25"582 s
4. Heinz-Harald Frentzen	Jordan-Mugen-Honda	2	60	1 h 32'57"933	198,974	27"789 s	0"378 s
5. Damon Hill	Jordan-Mugen-Honda	2	60	1 h 33'08"750	198,589	38"606 s	10"817 s
6. Pedro Diniz	Sauber-Petronas	2	60	1 h 33'23"787	198,056	53"643 s	15"037 s
7. Giancarlo Fisichella	Benetton-Playlife	2	60	1 h 33'24"758	198,022	54"614 s	0"971 s
8. Rubens Barrichello	Stewart-Ford	3	60	1 h 33'38"734	197,529	1'08"590 m	13"976 s
9. Jarno Trulli	Prost-Peugeot	2	60	1 h 33'42"189	197,408	1'12"045 m	3"455 s
10. Alexander Wurz	Benetton-Playlife	2	60	1 h 33'42"267	197,405	1'12"123 m	0"078 s
11. Alessandro Zanardi	Williams-Supertec	2	60	1 h 33'47"268	197,229	1'17"124 m	5"001 s
12. Johnny Herbert	Stewart-Ford	3	60	1 h 33'47"853	197,209	1'17"709 m	0"585 s
13. Olivier Panis	Prost-Peugeot	2	60	1 h 33'50"636	197,111	1'20"492 m	2"783 s
14. Jean Alesi	Sauber-Petronas	3	59	1 h 33'12"794	195,137	1 Giro	1 Giro
15. Marc Gené	Minardi-Ford	2	58	1 h 33'41"812	192,897	2 Giri	1 Giro
16. Toranosuke Takagi	TWR-Arrows	2	58	1 h 33'15"047	191,751	2 Giri	33"235 s

Pilota	Team	Soste ai box	Nel giro	Motivo ritiro	Pos. prima del ritiro
Ricardo Zonta	BAR-Supertec	2	42	Sospensione ruote	14
Mika Hakkinen	McLaren-Mercedes	3	36	Sospensione ruote	16
Jacques Villeneuve	BAR-Supertec	1	30	Trasmissione	10
Luca Badoer	Minardi-Ford	1	7	Cambio	20
Pedro de la Rosa	TWR-Arrows	0	1	Cambio	19
Michael Schumacher	Ferrari	0	0	Nessun restart	

GP d' Inghilterra

 8. corsa Campionato Mondiale F 1 1999, Circuito Silverstone Grand Prix (GB), 11 luglio 1999

Griglia di partenza

1 Mika Häkkinen (FIN) [1]
McLaren-Mercedes MP4/14-2
1'24"804 m (308,4 km/h)

3 Michael Schumacher (D)
Ferrari F399/193
1'25"223 m (305,6 km/h)

2 David Coulthard (GB)
McLaren-Mercedes MP4/14-4
1'25"594 m (309,2 km/h)

4 Eddie Irvine (GB)
Ferrari F399/191
1'25"677 m (306,8 km/h)

8 Heinz-Harald Frentzen (D)
Jordan-Mugen-Honda 199/5
1'25"991 m (309,0 km/h)

7 Damon Hill (GB)
Jordan-Mugen-Honda 199/4
1'26"099 m (305,6 km/h)

16 Rubens Barrichello (BR)
Stewart-Ford SF3/4
1'26"194 m (305,8 km/h)

6 Ralf Schumacher (D)
Williams-Supertec FW21/4
1'26"438 m (304,7 km/h)

22 Jacques Villeneuve (CDN)
BAR-Supertec 01/7
1'26"719 m (301,9 km/h)

11 Jean Alesi (F)
Sauber-Petronas C18/6
1'26"761 m (302,6 km/h)

17 Johnny Herbert (GB)
Stewart-Ford SF3/5
1'26"873 m (305,5 km/h)

12 Pedro Diniz (BR)
Sauber-Petronas C18/5
1'27"196 m (303,2 km/h)

5 Alessandro Zanardi (I)
Williams-Supertec FW21/5
1'27"223 m (305,8 km/h)

19 Jarno Trulli (I)
Prost-Peugeot AP02/7
1'27"227 m (301,1 km/h)

18 Olivier Panis (F)
Prost-Peugeot AP02/5
1'27"543 m (302,3 km/h)

23 Ricardo Zonta (BR)
BAR-Supertec 01/6
1'27"669 m (304,3 km/h)

9 Giancarlo Fisichella (I)
Benetton-Playlife B199/7
1'27"857 m (305,9 km/h)

10 Alexander Wurz (A)
Benetton-Playlife B199/5
1'28"010 m (303,7 km/h)

15 Toranosuke Takagi (J)
TWR-Arrows A20/2
1'28"037 m (304,8 km/h)

14 Pedro de la Rosa (E)
TWR-Arrows A20/4
1'28"148 m (301,1 km/h)

20 Luca Badoer (I)
Minardi-Ford-Zetec-R M01/1
1'28"695 m (301,5 km/h)

21 Marc Gené (E)
Minardi-Ford-Zetec-R M01/4
1'28"772 m (301,6km/h)

107-%-limite: 1'30"740 m

1) Tempo giro (Topspeed in Qualifying)

Giri più veloci

Prove libere			
1. Häkkinen	1'26"981	12. Alesi	1'28"472
2. R. Schumacher	1'27"004	13. Fisichella	1'28"546
3. Irvine	1'27"061	14. Frentzen	1'28"595
4. Coulthard	1'27"155	15. Wurz	1'28"740
5. Barrichello	1'27"158	16. Trulli	1'28"883
6. M. Schumacher	1'27"327	17. Badoer	1'29"130
7. Hill	1'27"381	18. Herbert	1'29"201
8. Diniz	1'27"931	19. Gené	1'29"416
9. Villeneuve	1'27"981	20. de la Rosa	1'29"439
10. Zanardi	1'28"162	21. Takagi	1'29"630
11. Zonta	1'28"238	22. Panis	1'30"372

Corsa			
1. Häkkinen	1'28"309	12. Zanardi	1'30"522
2. Irvine	1'28"782	13. Zonta	1'30"611
3. Coulthard	1'28"846	14. Wurz	1'30"625
4. Hill	1'29"252	15. Panis	1'30"793
5. Frentzen	1'29"330	16. Trulli	1'30"964
6. R. Schumacher	1'29"414	17. Villeneuve	1'31"342
7. Barrichello	1'29"493	18. Gené	1'31"612
8. Diniz	1'29"819	19. Badoer	1'32"409
9. Herbert	1'30"103	20. Takagi	1'32"442
10. Fisichella	1'30"296		
11. Alesi	1'30"334		

Tutte le soste ai box

Giro		Durata		Giro		Durata	
6 Badoer	76"216	24 R. Schumacher	26"294	31 Trulli	27"606	41 Wurz	27"017
19 Gené	27"733	24 Diniz	27"098	31 Zonta	29"855	41 Zonta	28"716
20 Fisichella	26"888	24 Trulli	26"098	33 Alesi	32"397	41 Takagi	31"186
20 Takagi	27"446	25 Häkkinen	28"118	34 Alesi	43"003	42 Coulthard	25"275
21 Alesi	27"134	25 Barrichello	28"178	38 Panis	27"253	42 Barrichello	27"399
21 Wurz	27"306	25 Zonta	26"603	39 Zanardi	28"324	42 Fisichella	27"202
22 Zanardi	26"277	26 Irvine	30"644	40 R. Schumacher	28"977	45 Frentzen	25"333
23 Hill	27"912	26 Häkkinen	47"874	40 Herbert	27"271	46 Hill	25"162
23 Herbert	25"790	26 Panis	26"391	40 Gené	26"854	47 Barrichello	28"595
24 Coulthard	26"351	29 Villeneuve	30"877	41 Irvine	26"084	49 Herbert	31"021
24 Frentzen	28"993	29 Häkkinen	58"018	41 Diniz	28"095		

La corsa giro per giro

Partenza : Hakkinen ha la partenza migliore, Coulthard ha ragione di Schumacher, anche Irvine supera il tedesco. Villeneuve e Zanardi rimangono fermi ai loro posti. La gara viene interrotta. Mentre i due piloti McLaren apprendono la notizia via radio e rallentano, le due Ferrari sono lanciatissime. Nel superare Irvine M. Schumacher taglia la curva e va a sbattere con grande violenza contro una barriera di pneumatici. Nuova partenza. Dopo 40 minuti Hakkinen in testa, seguito da Irvine, Coulthard, Frentzen ed R.Schumacher. Questa volta rimane fermo de la Rosa. Interviene la Safety-Car per un solo giro. Giro 11: Il terzetto di testa Hakkinen, Irvine, Coulthard ha 15 secondi di vantaggio su Frentzen. Giro 24: pit stop di Coulthard e Frentzen. Lo scozzese rimane terzo, Heinz-Harald Frentzen retrocede dietro a R. Schumacher. Giro 25: Hakkinen ai box per la prima volta. Irvine ai box nel giro successivo. Giro 26 : Hakkinen rallenta, Coulthard passa a condurre. Irvine rientra in pista come secondo, Hakkinen fa controllare le gomme. Giro 28: giro più veloce di Hakkinen. Giro 29: il finlandese perde il penumatico posteriore destro, può arrivare però fino ai box. Esce la Safety-Car perché il penumatico è in pista. Giro 31: riprende la corsa. Giro 35: per motivi di sicurezza Hakkinen abbandona definitivamente la macchina. Coulthard ed Irvine in testa seguiti da R. Schumacher, Frentzen, Barrichello ed Hill. Giro 41: seconda sosta per Irvine. Giro 42: la sosta di Coulthard è breve quindi vantaggio aumentato. Giro 47: Barrichello fa sostituire una gomma anteriore ed esce dalla zona punti. Giro 49: Frentzen e Schumacher lottano per il terzo posto. Giro 60: David Coulthard ottiene la sua prima vittoria della stagione.

Classifica

Mondiale piloti/Punti			
1. Mika Häkkinen	40	13. de la Rosa	1
2. Michael Schumacher	32	Panis	1
4. Eddie Irvine	32	Alesi	1
5. Heinz-Harald Frentzen	26	Wurz	1
6. David Coulthard	22	Trulli	1
7. Ralf Schumacher	19		
8. Giancarlo Fisichella	13		
9. Rubens Barrichello	10		
10. Damon Hill	5		
11. Johnny Herbert	2		
Pedro Diniz	2		

Mondiale costruttori	Punti
1. Ferrari	64
2. McLaren-Mercedes	62
3. Jordan-Mugen-Honda	31
4. Williams-Supertec	19
5. Benetton-Playlife	14
6. Stewart-Ford	12
7. Sauber-Petronas	3
8. Prost-Peugeot	2
9. TWR-Arrows	1

Un concerto di commiato? Anche nel suo ultimo Gran Premio di Inghilterra Damon Hill mette ancora mano alla chitarra.

Safety Fast

Il fine settimana nero della formula 1 ricorre in questa stagione per la quinta volta: nel 1994 nel corso del Gran Premio di San Marino a Imola morivano l'indimenticabile Ayrton Senna e l'austriaco Roland Ratzenberger. Nel dolore e nella costernazione si fece strada la convinzione che si doveva fare il massimo sforzo per aumentare la sicurezza dei piloti e degli spettatori.

Illeso: a Hockenheim il forte impatto di Hakkinen contro una barriera di pneumatici non ha gravi coseguenze grazie a speciali nastri di gomma che assorbono parte dell'urto.

Diventano polvere: strutture crash nel musetto assorbono energia e riducono l'accellerazione negativa.

Tragico: Ayrton Senna - qui nel punto dove mori Roland Ratzenberger - si è sempre battuto per una maggiore sicurezza in pista.

C he cos'hanno in comune Michael Schumacher, Jacques Villeneuve, Pedro Diniz, Heinz-Harald Frentzen e Ricardo Zonta? Tutti e cinque i piloti devono ringraziare la Federazione Automobilistica Internazionale, la FIA, per essere usciti indenni o comunque con danni fisici relativi, da tipi di incidenti che fino a dieci anni fa avrebbero significato la fine della loro carriera, se non anche peggio. Al più tardi dopo i fatali incidenti di Ayrton Senna e Roland Ratzenberger a Imola nel 1994, Max Mosley, presidente della FIA, ha posto la sicurezza dei piloti al centro dell'interesse. Alcuni accorgimenti introdotti in seguito hanno forse salvato la vita a Schumacher a Silverstone, a Zonta in Brasile, a Frentzen in Canada, a Villeneuve a Spa e a Diniz al Nürburgring.

Una delle più importanti caratteristiche di ogni chassis di formula 1 è quella di aver superato prove di crash frontali, laterali e posteriori prima di essre stato omologato. Ciò non significa solo che la monoscocca in fibra di carbonio deve diventare sempre più rigida perchè ormai è stato superato il punto oltre al quale gli organi interni di un pilota non possono superare indenni un impatto ad una determinata velocità anche se l'abitacolo rimane intatto. Quindi la FIA impone da tempo strutture crash in grado di assorbire l'energia di un impatto. Il musetto in fibra di carbonio, per esempio, assorbe l'energia dell'urto trasformandosi praticamente in polvere. Grazie a ciò la macchina perde notevolmente velocità in millesimi di secondo e l'urto finale risulta poi meno violento.

In seguito, appunto, ai terribili incidenti di Imola, anche l'abitacolo è stato ottimizzato. Nel cockpit le parti alte e imbottite di schiuma assorbente impediscono uno stiramento del collo o anche lesioni letali alla colonna vertebrale in seguito ad un impatto laterale. Anche queste innovazioni hanno evitato ad alcuni piloti brutte ferite: ad Heinz-Harald Frentzen, per esempio, che in un crash frontale in Canada se l'è cavata solo con un trauma al ginocchio nonostante l'alta velocità.

Anche la novità introdotta dalle autorità sportive all'inizio dell'anno ha superato brillantemente la prima prova: un sedile di sicurezza per il recupero di piloti feriti e per estrarli più agevolmente dall'abitacolo. Praticamente un pilota ferito con sospetta frattura della spina dorsale può essere estratto, trasportato e addirittura sottoposto a radiografia sempre agganciato al proprio sedile. In questo modo il rischio di peggiorare lo stato delle cose durante l'estrazione diminuisce visibilmente. Purtroppo l'impiego di questo speciale sedile non ha richiesto una lunga attesa. È servito per stabilizzare Pedro Diniz dopo il suo spettacolare incidente al Nürburgring e per aiutare Michael Schumacher ad uscire dal cockpit malconcio della sua Ferrari

Countdown impietoso: un pilota di formula 1 deve poter abbandonare l'angusto cockpit della macchina nello spazio di 5 secondi. Anche Michael Schumacher in Malesia ha dovuto superare questo test.

Un vero salvavita: il nuovo sedile di sicurezza - obbligatorio da quest'anno - è determinante per estrarre il pilota dall'abitacolo.

Inefficienti: corde d'acciaio dovrebbero evitare che in seguito ad un incidente le ruote si stacchino e vaghino lungo il tracciato.

a Silverstone.

Il pericolo comunque accompagna costantemente i piloti. Ayrton Senna, per esempio, avrebbe potuto sopravvivere al terribile impatto della sua Williams-Renault contro il muro in cemento della curva parabolica a Imola se non fosse stato colpito in fronte da una scheggia di metallo della sospensione anteriore. Dal 1997 la Federazione Automobilistica Internazionale prescrive per questi componenti un sistema costruttivo a cosidetta rottura programmata. La rottura, cioè, può avvenire solo in una determinata zona che per il pilota non risulta pericolosa. Anche dopo l'analisi dell'impressionante serie di tamponamenti alla partenza del Gran

Premio del Belgio nel 1998 la FIA è corsa subito ai ripari. Per evitare che ruote divelte possano schizzare come proiettili anche verso gli spettatori, a partire da quest'anno devono essere fissate al cockpit con corde in acciaio/carbonio.

Questo accorgimento, tuttavia, si è rivelato inefficace, almeno nel caso di Mika Hakkinen a Silverstone. Una ruota posteriore montata male si era staccata e, nella sua corsa, avrebbe potuto causare un incidente.

Ma non solo i bolidi di formula 1 diventano più sicuri. Anche i gestori di circuiti devono intervenire di frequente per migliorare o modificare la pista e per garantire la sicurezza di piloti, personale e spettatori. L'incidente occorso

Fortuna: nonostante al Nürburgring cede il rollbar della Sauber di Pedro Diniz, il brasiliano se la cava...

...la sua fortuna è dovuta alle nuove pareti rialzate ed imbottite del cockpit (nella foto in giallo) che proteggono testa e spina dorsale da gravi ferite.

Grazie a Karl Wendlinger Alex Wurz beneficia a Monaco delle nuove misure di sicurezza.

L'incidente che ha avviato la campagna di sicurezza: Ayrton Senna muore ad Imola nel 1994.

a Michael Schumacher, per esempio, avrebbe potuto avere conseguenze meno gravi se davanti alla barriera di pneumatici a Silverstone fosse stata tesa una cinghia di gomma elastica. La Ferrari di Schumacher, invece, dopo aver attraversato la barriera di pneumatici perdendo poca velocità, è stata bloccata dal muro in cemento che si trovava dietro. A Hockenheim le cinghie di gomma elastica sono in uso da tempo. Se sul circuito tedesco l'impatto di Hakkinen contro una barriera di pneumatici è stato relativamente morbido, lo si è dovuto appunto alle cinghie elastiche.

Anche se dai test della FIA le pile di pneumatici risultano essere il compromesso migliore tra costi ed efficacia, non si può affatto dire che salvaguardano sempre l'indennità dei piloti. In un impatto quasi frontale la macchina penetra fra le gomme e si blocca di colpo, come nel caso, per esempio, di Olivier Panis nel 1997 al Gran Premio del Canada. Se al posto della barriera di gomme vi fosse stato un muro in cemento la macchina sarebbe rimbalzata all'indietro e girando più volte su se stessa avrebbe scaricato gran parte dell'energia d'urto. Così invece Panis si ruppe ambedue le gambe in seguito allo scoppio nella monoscocca. Gli organizzatori del Gran Premio di Monaco sono ricorsi ad una soluzione più moderna, ma anche drasticamente più cara. Dal 1995 i serbatoi d'acqua cedevoli fanno parte dell'inventario di sicurezza e attualmente si discute anche l'impiego degli 'Air-Fences', i cuscini d'aria usati nelle gare di motocicletta.

L'evoluzione della sicurezza

1997: zone deformabili dietro al cambio

1998: scanalature pneumatici

1995: minor cilindrata
1998: Blackbox per analizzare l'incidente

1996: pareti alte del cockpit, ingrandimento dei poggiatesta
1999: sedile estraibile

1997: punti a rottura programmata nelle sospensioni
1999: corde di trattenimento ruote

1994: riduzione dell'aerodinamica
1997: zone deformabili davanti e dietro

1999: quarta scalatura sui pneumatici anteriori

Provvedimenti futuristici: airbags, vie di fuga in salita con fondi diversi a seconda delle previsioni incidenti, materiali deformabili lungo il percorso, diodi e spie luminose nel cockpit, raggio laser al posto delle luci posteriori, carenatura delle ruote.

Anche in questo caso, però, c'è voluto un grave incidente per correre ai ripari. Un anno prima il pilota austriaco della Sauber, Karl Wendlinger, era andato a sbattere contro una barriera rigida all'uscita del tunnel e aveva riportato delle ferite che in ultima analisi provocarono la fine della sua carriera in formula 1.

Dopo l'incidente di Schumacher a Silverstone si è accesa la discussione sulle vie di fuga accanto alla pista: asfalto o ghiaia, qual'è il fondo ottimale? Ambedue hanno vantaggi e svantaggi. Una macchina che gira su se stessa, per esempio, scarica energia sull'asfalto in modo ottimale. Se la monoposto però ha perso le ruote il discorso è diverso. Solo la ghiaia può frenarla in modo affidabile.

Meno spettacolari perchè semplici dettagli, ma anche dettagli che avrebbero forse potuto evitare il crash di Schumacher in Inghilterra: diodi luminosi nel cockpit, sostitutivi della bandiera gialla o rossa per segnalare punti pericolosi o interruzioni della corsa.

Ancora in fase di collaudo: spie luminose lungo il percorso e nel cockpit come segnali di avvertimento in sostituzione delle relative bandiere.

Crashtest involontario: le zone di deformazione assorbono energia d'urto anche nel retrotreno di una macchina di F 1.

9. corsa del Campionato Mondiale di F 1 1999, A1-Ring, Spielberg, 25 luglio 1999

Diversan

Rivedute le voci critiche: Eddie Irvine è a suo agio nel nuovo ruolo.

...da come si pensava. Eddie Irvine dimostra ai suoi avversari cosa è in grado di fare come leader. E mentre i piloti McLaren si intralciano a vicenda sul circuito austriaco, l'irlandese può festeggiare il suo più grande successo in Formula 1.

Un incidente evitabile: poco dopo la partenza David Coulthard provoca un testa-coda di Mika Hakkinen.

ente...

GP d'Austria

Farla a Bernie: solo pochi fans riescono ad assistere ad una corsa di formula 1 senza pagare il biglietto.

L'uomo di cui si era parlato per l'intero fine settimana non era neppure presente anche se i controlli elettronici della zona piloti riportavano il suo nome. Ovviamente l'uomo in questione è Michael Schumacher. E con la stessa intensità con la quale due settimane prima si era discusso sulle possibili cause dell'incidente, ora ci si interroga sulla data del suo ritorno e sulle ripercussioni della sua assenza per la Ferrari. Sono tutte speculazioni, ma anche quella più azzardata viene presa in considerazione. Come quella fatta circolare per esempio da Heinz-Harald Frentzen e secondo la quale Schumacher grazie ad un dispositivo di accelerazione a mano sarebbe potuto rientrare già la settimana successiva ad Hockenheim. Un'ipotesi assurda, ma immediatamente analizzata sia dai giornali popolari che da serie riviste specializzate.

L'unico fatto veramente certo alla vigilia del Gran Premio d'Austria è la situazione totalmente nuova che si è venuta a creare in formula 1 per l'assenza di Schumacher. Eddie Irvine che con le sue spavalde dichiarazioni e la sua vittoria in Australia voleva infrangere gli stretti vincoli del contratto di n.2, vede improvvisamente esauditi i suoi desideri: la Ferrari lo nomina nuovo leader e aspirante ufficiale al titolo delle rosse. Da un giorno all'altro l'irlandese viene investito della responsabilità che gravava sulle spalle di Schumacher. Ora i tempi delle dichiarazioni altosonanti sono definitivamente trascorsi. Adesso deve dimostrare di cosa è capace.

Il nuovo n. 2 della Ferrari non è uno sconosciuto nel mondo della formula 1. Mika Juhani Salo, finlandese di 32 anni, con 71 Gran Premi alle spalle, aveva già sostenuto tre corse in questa stagione come sostituto di Riccardo Zonta e si era aggiudicato per la scuderia BAR un settimo e un ottavo posto. Mentre Schumacher andava a sbattere contro la barriera di gomme, all'aereoporto Heath-

A destra: con grande impegno - Eddie Irvine non si fa impressionare dal possibile distacco dello spoiler. Sotto: quando i sogni diventano realtà – primo Gran Premio di Mika Salo come pilota Ferrari.

Una rimonta eccellente : Mika Hakkinen risale fino al terzo posto.

Buoni voti: Frentzen si distingue ancora per una corsa perfetta.

Molto fumo senza arrosto: Olivier Panis si è esercitato nelle partenze - senza successo.

row di Londra il finlandese saliva sull'aereo che lo avrebbe portato ad Helsinki. E appena arrivato a casa ecco che squilla già il telefono. È il suo manager Mike Greasley, grande amico del capo corse della Ferrari, Jean Todt.

Greasley gli comunica l'accaduto, lo informa dell'ingaggio Ferrari e lo invita a ritornare subito all'aereoporto. Il volo per Bologna decolla fra un ora, il biglietto è già depositato allo sportello. Per Salo si avvera un grande sogno.

Per la cronaca non era questa la prima volta che Mika visitava la leggendaria Maranello. La prima volta non vi era stato in veste di pilota, ma in quella di semplice cliente andato a ritirare una 355 spyder nuova fiammante. Insomma non solo una bella storia da raccontare, ma anche una storia vera.

"Fin dal primo momento mi sono sentito accolto bene"- dirà più tardi il primo pilota scandinavo della Ferrari dopo lo svedese Stefan Johannsson (che, in verità, non ebbe molto successo -1985 fino al 1986, 32 Gran Premi, nessuna vittoria). Di Ross Brawn dirà che è un uomo molto simpatico con il quale ha discusso molto a lungo e definirà del tutto particolari le qualità della F 399 che inizia già a provare il giorno dopo sul circuito

Salo non si è preoccupato del viaggio di nozze.

di Fiorano. Solo tre giorni dopo, però, deve interrompere brevemente i test per volare ad Helsinki e sposare la sua compagna di lunga data, la giapponese Noriko Endo. Un ulteriore momento importante nella sua vita. Salo - secondo le sue testuali parole - lo vivrà con molto nervosismo.

Appena sposato, Salo non deve pensare dove andare in viaggio di nozze perchè la destinazione

è già fissata. E'Spielberg in Austria dove il debutto del nuovo pilota Ferrari riesce meglio del previsto. Con il tempo di 1.12,514 e solo a mezzo secondo da Irvine, Salo si qualifica in settima posizione per il suo Primo Gran Premio con la rossa. Lo schieramento di partenza è però quello di sempre: le due frecce d'argento in prima fila. Dietro Irvine, Heinz-Harald Frentzen con la Jordan, Rubens Barrichello e Johnny Herbert con la Stewart-Ford.

Alla vigilia del Gran Premio d'Austria tutti gli esperti sono concordi nel ritenere che la marcia trionfale di Hakkinen non incontrerà più ostacoli. E invece proprio in Austria tutto va per un altro verso. Tutto va diversamente da come si pensava. Al via, la scena di sempre. Mika Hakkinen schizza in avanti e prende subito il comando. Tutte e 22 le macchine passano la curva Castrol, in fondo al rettilineo, senza particolari difficoltà. Nella prossima curva però – la Remus Kurve- al termine di un rettilineo dove si raggiungono velocità di 290 km.- David Coulthard fa un grande regalo alla Ferrari. Frena in ritardo e tocca Hakkinen che lo precede. Nessun danno alle macchine, ma un danno gigantesco per l'esito del Gran Premio.Il finlandese infatti gira su se stesso e deve attendere il passaggio dell'intero schieramento prima di riportare la macchina nella giusta direzione. Nella confusione inoltre c'è anche un crash tra Salo e Jonny Herbert con rottura degli alettoni anteriori e posteriori.

A sinistra: al dodicesimo giro Jean Alesi supera la Benetton di Alexander Wurz (a destra) ma poco dopo non sente un richiamo ai box. Sotto: interpretazione di Tora Takagi sul tema linea ideale.

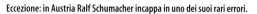

Eccezione: in Austria Ralf Schumacher incappa in uno dei suoi rari errori.

GP d'Austria

Per Coulthard un errore da incubo. Buttar fuori corsa il proprio compagno di scuderia è il peggio che possa capitare ad un pilota. Lui certo non lo voleva ma ora è Coulthard in prima posizione seguito di stretta misura da Barricchello e da Irvine.

Un gruppetto si fa strada.

Un terzetto che in breve tempo si stacca visibilmente da un gruppetto di inseguitori con in testa Frentzen, Villeneuve, Ralf Schumacher e un sorprendente Pedro Diniz. Con una partenza fulminante Diniz era riuscito a risalire dal 16mo al nono posto e, fino al suo primo pit stop, addirittura al quinto.

Ancora più distaccato un secondo gruppo guidato dal pilota della Sauber Jean Alesi – partito 17mo dopo disastrose prove di qualifica - e Mika Hakkinen. Dopo 20 giri i due piloti sono già sesto e settimo. Al 30mo giro, Mika Hakkinen è quinto e colleziona un giro veloce dietro l'altro.

Al 39mo giro David Coulthard - trattenuto più del necessario nei doppiaggi - fa il suo primo rifornimento in 10,5 secondi. La sosta di Barrichello è più lunga: 12,5 secondi. Hakkinen al 40mo giro, 9,6 secondi. Irvine invece prosegue la sua corsa. Ross Brawn, ex fisico nucleare e ora cervello della Ferrari, punta anche in Austria sulla giusta tattica. A sperimentarla, questa volta, non è Schu-

macher, ma Eddie Irvine. L'irlandese ce la mette tutta e al 44mo giro quando si ferma per il rifornimento, il suo vantaggio sugli inseguitori è salito a ben 22,6 secondi. E a questo punto il capolavoro riesce. Una sosta brevissima ai box ed Irvine non solo mantiene la prima posizione, ma riesce anche e mettere fra sé e le McLaren una distanza rassicurante. A chi lo criticava, Irvine ha mostrato di che pasta è fatto.

L'ordine di arrivo dei primissimi è ormai scontato. Rubens Barrichello, dopo aver ceduto il terzo

Ready, Eddie: Irvine non lascia a Coulthard alcuna chance.

Direttori sportivi fra loro: Haug (Mercedes, a sinistra), Berger (BMW).

Le frecce d'argento sono battute.

posto ad Hakkinen, è costretto a cedere anche il quarto per un guasto al motore. Sfortuna per il brasiliano e fortuna invece per Frentzen che guadagna così ulteriori tre punti. Dietro di lui si piazzano Alexander Wurz e Pedro Diniz.

Alla fine il grande assente del circuito d'Austria fa sentire la sua voce. Attraverso il portavoce stampa, Heiner Buchinger, fa sapere di rallegrarsi molto della vittoria di Irvine e di ritenerla meritata in quanto la Ferrari aveva scelto la strategia giusta. Chiarito poi il mistero del controllo elettronico piloti che riportava erroneamente il nome di Michael Schumacher. Il suo cartellino era appeso al collo del fratello Ralf.

Fare volare i tappi: Eddie Irvine prima vuota addosso agli altri la bottiglia di champagne, poi chiede una birra.

Statistica

Lunghezza percorso:	4,319 km
Numero giri:	71 (= 306,649 km)
Partenza:	14.00 GMT
Condizioni del tempo:	cielo coperto, freddo
Spettatori:	55 000
Scorsa stagione:	1. Mika Hakkinen (FIN, McLaren-Mercedes MP4/13), 1 h 30'44"086
	2. David Coulthard (GB, McLaren-Mercedes MP4/13), – 5"289 s
	3. Michael Schumacher (D, Ferrari F300), – 39"093 s
Pole Position 1998:	Giancarlo Fisichella (I, Benetton-Playlife B198), 1'29"598 m
Giro più veloce 1998:	David Coulthard (McLaren-Mercedes MP4/13), 1'12"878 m
Sosta box più breve 1998:	Esteban Tuero (RA, Minardi-Ford M198), 15"285 s

Un circuito veloce con alcuni buoni punti per superare

"Salite e discese ed una buona velocità media fanno del Ring A1 un circuito interessante. L'alternarsi di curve lente e veloci offre varietà di guida. I primi due rettilinei, però, sono troppo stretti e mancano curve veramente ad alta velocità. In compenso ci sono alcune buone possibilità di superare".

Eddie Irvine

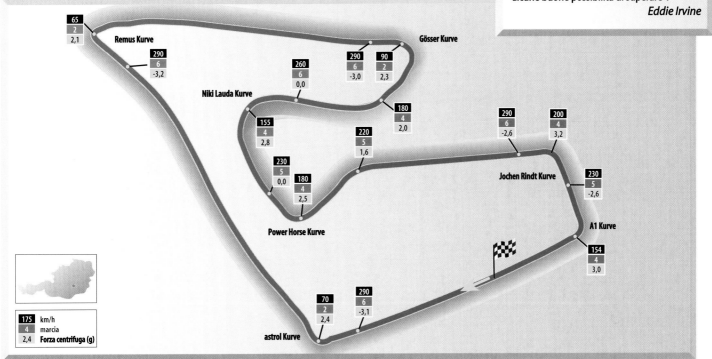

175	km/h
4	marcia
2,4	Forza centrifuga (g)

Risultati

	Pilota	Team	Soste ai box	Giri	Tempo(h)	Media(km/h)	Distacco	Sul precedente
1.	Eddie Irvine	Ferrari	1	71	1 h 28'12"438	208,587	–	–
2.	David Coulthard	McLaren-Mercedes	1	71	1 h 28'12"751	208,575	0"313 s	–
3.	Mika Hakkinen	McLaren-Mercedes	1	71	1 h 28'34"720	207,712	22"282 s	21"969 s
4.	Heinz-Harald Frentzen	Jordan-Mugen-Honda	1	71	1 h 29'05"241	206,526	52"803 s	30"521 s
5.	Alexander Wurz	Benetton-Playlife	1	71	1 h 29'18"796	206,004	1'06"358 m	13"555 s
6.	Pedro Diniz	Sauber-Petronas	2	71	1 h 29'23"371	205,828	1'10"933 m	4"575 s
7.	Jarno Trulli	Prost-Peugeot	1	70	1 h 28'28"541	205,025	1 Giro	1 Giro
8.	Damon Hill	Jordan-Mugen-Honda	1	70	1 h 28'29"690	204,981	1 Giro	1"149 s
9.	Mika Salo	Ferrari	2	70	1 h 28'35"747	204,747	1 Giro	6"057 s
10.	Olivier Panis	Prost-Peugeot	1	70	1 h 28'40"035	204,582	1 Giro	4"288 s
11.	Marc Gené	Minardi-Ford	1	70	1 h 29'25"126	202,863	1 Giro	45"091 s
12.	Giancarlo Fisichella [1]	Benetton-Playlife	1	68	1 h 25'51"478	205,240	Ritiro	Ritiro
13.	Luca Badoer	Minardi-Ford	3	68	1 h 28'58"188	198,061	3 Giri	3'06"710 m
14.	Johnny Herbert	Stewart-Ford	2	67	1 h 29'20"589	194,333	4 Giri	1 Giro
15.	Ricardo Zonta [1]	BAR-Supertec	1	63	1 h 19'59"481	204,094	Ritiro	Ritiro

Pilota	Team	Soste ai box	Nel giro	Motivo ritiro	Pos. prima del ritiro
Rubens Barrichello	Stewart-Ford	1	56	Motore	4
Jean Alesi	Sauber-Petronas	1	50	Mancanza di benzina	6
Pedro de la Rosa	TWR-Arrows	1	39	Testacoda	16
Alessandro Zanardi	Williams-Supertec	0	36	Mancanza di benzina	13
Jacques Villeneuve	BAR-Supertec	0	35	Trasmissione	12
Toranosuke Takagi	TWR-Arrows	0	26	Motore	15
Ralf Schumacher	Williams-Supertec	0	9	Testacoda	6

1) Non più in gara alla fine, ma valido secondo la distanza percorsa.

GP d' Austria

9. corsa del Campionato Mondiale F 1 1999,
A1-Ring, Spielberg (A), 25 luglio 1999

Griglia di partenza

1 Mika Häkkinen (FIN) [1]
McLaren-Mercedes MP4/14-5
1'10"954 m (294,7 km/h)

2 David Coulthard (GB)
McLaren-Mercedes MP4/14-7
1'11"153 m (298,3 km/h)

4 Eddie Irvine (GB)
Ferrari F399/191
1'11"973 m (293,1 km/h)

8 Heinz-Harald Frentzen (D)
Jordan-Mugen-Honda 199/5
1'12"266 m (299,7 km/h)

16 Rubens Barrichello (BR)
Stewart-Ford SF3/4
1'12"342 m (297,8 km/h)

17 Johnny Herbert (GB)
Stewart-Ford SF3/5
1'12"488 m (297,2 km/h)

3 Mika Salo (FIN)
Ferrari F399/195
1'12"514 m (292,3 km/h)

6 Ralf Schumacher (D)
Williams-Supertec FW21/6
1'12"515 m (292,6 km/h)

22 Jacques Villeneuve (CDN)
BAR-Supertec 01/7
1'12"833 m (292,2 km/h)

10 Alexander Wurz (A)
Benetton-Playlife B199/4
1'12"850 m (305,5 km/h)

7 Damon Hill (GB)
Jordan-Mugen-Honda 199/4
1'12"901 m (293,0 km/h)

9 Giancarlo Fisichella (I)
Benetton-Playlife B199/7
1'12"924 m (302,9 km/h)

19 Jarno Trulli (I)
Prost-Peugeot AP02/7
1'12"999 m (289,5 km/h)

5 Alessandro Zanardi (I)
Williams-Supertec FW21/5
1'13"101 m (294,4 km/h)

23 Ricardo Zonta (BR)
BAR-Supertec 01/5
1'13"172 m (290,4 km/h)

12 Pedro Diniz (BR)
Sauber-Petronas C18/5
1'13"223 m (291,8 km/h)

11 Jean Alesi (F)
Sauber-Petronas C18/6
1'13"226 m (291,3 km/h)

18 Olivier Panis (F)
Prost-Peugeot AP02/5
1'13"457 m (297,6 km/h)

20 Luca Badoer (I)
Minardi-Ford-Zetec-R M01/1
1'13"606 m (290,4 km/h)

15 Toranosuke Takagi (J)
TWR-Arrows A20/2
1'13"641 m (294,2 km/h)

14 Pedro de la Rosa (E)
TWR-Arrows A20/4
1'14"139 m (290,4 km/h)

21 Marc Gené (E)
Minardi-Ford-Zetec-R M01/4
1'14"363 m (292,2 km/h)

107-%-limite: 1'15"921 m

Giri più veloci

Prove libere				
1. Hill	1'13"303	12. Zanardi	!'14"049
2. Häkkinen	1'13"325	13. Badoer	!'14"203
3. Coulthard	1'13"376	14. Gené	1'14"333
4. Zonta	1'13"685	15. Frentzen	1'14"558
5. Alesi	1'13"696	16. Salo	1'14"608
6. R. Schumacher	1'13"711	17. Trulli	1'14"724
7. Diniz	1'13"740	18. Fisichella	1'14"785
8. Villeneuve	1'13"840	19. Panis	1'15"028
9. Irvine	1'13"883	20. Wurz	!'15"107
10. Barrichello	1'13"923	21. de la Rosa	1'15"651
11. Herbert	!'14"008	22. Takagi	1'16"067

Corsa				
1. Häkkinen	1'12"107	12. Wurz	1'13"654
2. Herbert	1'12"641	13. Hill	1'13"960
3. Irvine	1'12"787	14. Villeneuve	1'13"977
4. Coulthard	1'12"855	15. Zonta	1'14"063
5. Diniz	1'13"093	16. Trulli	1'14"112
6. Frentzen	1'13"176	17. Zanardi	1'14"381
7. Alesi	1'13"228	18. Gené	1'14"517
8. Barrichello	1'13"278	19. Badoer	1'14"622
9. Panis	1'13"465	20. de la Rosa	1'14"914
10. Salo	1'13"481	21 Takagi	1'15"361
11. Fisichella	1'13"579	22. R. Schumacher	1'16"173

Tutte le soste ai box

Giro	Durata	Giro	Durata		
1 Herbert	308"686	39 Coulthard	28"174	52 Diniz	24"802
2 Badoer	41"011	39 Herbert	28"512		
3 Salo	37"716	40 Häkkinen	27"429		
20 Badoer	28"890	41 Salo	26"754		
24 Diniz	27"706	43 Fisichella	28"413		
25 Alesi	26"127	44 Irvine	26"545		
30 de la Rosa	31"683	44 Frentzen	26"611		
35 Gené	30"547	44 Wurz	27"225		
36 Badoer	34"606	45 Trulli	26"150		
38 Barrichello	30"620	45 Hill	27"389		
38 Zonta	29"764	46 Panis	25"921		

La corsa giro per giro

Partenza: ambedue i piloti McLaren con un'ottima partenza. Prima della curva Remus Coulthard vuole passare Hakkinen, si sbaglia, urta il finlandese che si ritrova con la macchina di traverso e riprende poi la corsa come ultimo. Salo tampona Herbert che ai box deve poi montare un nuovo alettone. Coulthart conduce davanti a Barrichello, Irvine e Frentzen. Diniz avanza dal 16mo al nono posto. Giro 4: Salo dopo tre giri con il musetto rotto lo fa sostituire. Giro 8: Hakkinen supera Hill e nella sua rimonta è già al 13mo posto. In testa tutto invariato. Giro 9: R. Schumacher nel duello con Diniz si catapulta fuori. Giro 11: Hakkinen passa Trulli ed è undicesimo. Coulthard è già a dieci secondi da Barrichello, subito dietro Irvine. Giro 19: negli ultimi 4 giri Alesi ed Hakkinen hanno superato quasi appaiati Wurz, Zonta, Fisichella e Villeneuve. Giro 34: il campione iridato non cede e sottrae a Frentzen il quarto posto. Giro 36: Zanardi senza benzina esce lentamente fuori pista. Giro 37: prima delle soste chi conduce è Coulthard, la successione è Barrichello, Irvine, Hakkinen e Frentzen. Giro 39: lo scozzese entra nella corsia box. Irvine rimane fuori più a lungo e con il serbatoio quasi vuoto fa segnare tempi record. Giro 45: quando il ferrarista dopo la sua sosta torna in pista è primo. Giro 50: Hakkinen sottrae a Barrichello la terza posizione. Giro 51: Alesi dimentica il rifornimento e rimane all'asciutto. Giro 56: Barrichello esce per guasto al motore. Frentzen prende il quarto posto. In testa, Irvine mantiene Coulthard a distanza. Giro 71: imponendosi su un Coulthard molto pressante Irvine si aggiudica la vittoria e diventa la nuova speranza Ferrari per il titolo. Hakkinen deve accontentarsi del terzo posto. Frentzen va nuovamente ai punti.

Classifica

Mondiale piloti/Punti					
1. Mika Häkkinen	44	12. Johnny Herbert	2
2. Eddie Irvine	42	13. Jean Alesi	1
3. Michael Schumacher	32	Pedro de la Rosa	1
4. Heinz-Harald Frentzen	29	Olivier Panis	1
5. David Coulthard	28	Jarno Trulli	1
6. Ralf Schumacher	19		
7. Giancarlo Fisichella	13		
8. Rubens Barrichello	10		
9. Damon Hill	5		
10. Alexander Wurz	3		
Pedro Diniz	3		

Mondiale costruttori	Punti
1. Ferrari	74
2. McLaren-Mercedes	72
3. Jordan-Mugen-Honda	34
4. Williams-Supertec	19
5. Benetton-Playlife	16
6. Stewart-Ford	12
7. Sauber-Petronas	4
8. Prost-Peugeot	2
9. TWR-Arrows	1

1) Tempo giro (Topspeed in Qualifying)

La grande abbuffata

La F1 cambia sembianze. Alle scuderie autonome e di lunga tradizione sportiva come McLaren o Williams si affiancheranno presto multinazionali dell'automobile. Global Players che non misureranno il successo in trofei e vittorie, ma solo e semplicemente nel fatturato e nelle vendite.

Niente di nuovo sotto il sole. Gli anni 50 sono stati dominati da nomi altisonanti come Mercedes, Ferrari, Maserati o Alfa Romeo. Poi l'ascesa di piccole e geniali officine come Lotus, Brabham o Cooper provoca almeno in parte il ritiro delle grandi case. Ora invece ritornano e da semplici fornitori di propulsori si trasformano in partner veri e propri. Per il nuovo millennio l'impegno delle grandi case in F1 sarà così massiccio da ritenere che prima o poi si presentino con una scuderia propria. La Mercedes, per esempio, ha acquistato una buona fetta di partecipazioni alla McLaren e la Ford a metà stagione ha incamerato la Williams. I vertici della Ford sognano di nobilitarsi con la Jaguar esattamente come si nobilita la Fiat con la Ferrari fin dagli anni 60. Accanto alla tecnologia e alla rinomanza che queste grandi case portano in F1 non va certo sottovalutata la loro potenza finanziaria. La perdita dei miliardi derivanti dall'industria del tabacco si può forse rimandare di qualche anno, ma al più tardi nel 2006, con il divieto delle pubblicità delle sigarette in tutti i Paesi dell'Unione Europea, al più tardi allora sarà irrevocabile.

L'impegno di allora e quello di oggi si differenziano per due importanti aspetti: una volta erano le marche sportive già affermate a voler sottolineare con la F1 il loro dominio tecnologico. Oggi invece sono normali case automobilistiche che attraverso la F1 vogliono conferire al loro prodotto una certa immagine sportiva. Il secondo aspetto riguarda il luogo di produzione. Allora le macchine da corsa - anche se non paragonabili a quelle 'in serie' di oggi - venivano ideate e prodotte nelle officine stesse.

E anche in questo caso il passato ritorna. Se la BMW - a partire dalla prossima stagione partner della Williams per i motori - dovesse conquistare il podio sarebbe molto più proficuo commercializzarne il successo a Monaco e non in Inghilterra. I bavaresi intendono affiancare la scuderia di Frank Williams come partner di uguali diritti. La probabile dicitura, 'BMW-Williams' evidenzia che non è più possibile un rapporto come quello degli anni 80 quando la BMW forniva alla Brabham i propulsori turbo, ma doveva poi lottare per ogni piccolo autoadesivo sulla macchina. La BMW però - almeno così sembra - non intende comperare partecipazioni della Williams.

Con ciò i bavaresi si differenziano sostanzialmente dai loro avversari di sempre: la Mercedes punta molto sulla formula 1 e – come dice il suo capo sportivo Norbert Haug – lavora solo con partner adatti al sistema Mercedes Benz. Si tratta di forme di collaborazione con basi solide e assicurate nel tempo attraverso l'acquisto di partecipazioni. La Daimler-Chrysler può far sentire la sua voce sia alla Ilmor (25% nello sviluppo motori) e sia alla TAG-McLaren (40%).Con la scuderia di F1 come veicolo tecnologico, gli uomini della Mercedes intendono puntare su progetti comuni anche all'infuori dei circuiti. Primo risultato di questa collaborazione è la supermacchina sportiva Mercedes SLR.

Mai la F1 è stata così popolare...

Anche se il patron della F1, Bernie Ecclestone, necessita dei grandi nomi per le sue operazioni pubblicitarie, non va taciuta una certa esagerazione nel valutarne l'importanza. L'esempio migliore lo forniscono le notizie altisonanti su un cosidetto ritorno della Jaguar in F1. È vero che la Jaguar è un nome di grande tradizione, ma è anche vero che non ha mai partecipato a corse di F1. Il suo proprietario al contrario, e cioè la Ford, detiene sempre il record del più grande numero di vittorie come fornitore di motori alla F1 (175).

Ha acquistato la maggioranza McLaren: Mercedes Benz.

Sostiene finanziariamente la scuderia Ferrari : Fiat.

Renault: il campione costruttori degli anni 90 ritorna in pista nel 2001?

Honda: nessuna scuderia propria, ma Jordan e BAR a partire dal 2000.

Si prepara il ritiro? La Peugeot è delusa.

La Ford va, la Jaguar viene. Per la stagione del 2000 il complesso americano cambia il nome alla sua scuderia Stewart.

Prepara il suo deal più grande: il patron della F 1 Bernie Ecclestone, che ha sostituito gli sponsor del tabacco con quelli dell'automobile, progetta l'ingresso in borsa.

La mossa della Ford si rifà unicamente a motivi di marketing. "Abbiamo comperato il team Stewart e il produttore di motori Cosworth per realizzare la nostra strategia a lungo termine a partire da ora e senza intermediari"- così il capo della Ford, Jac Nasser, ha giustificato i grandi investimenti della sua azienda. Il capo progettazioni Neil Ressler è ancora più esplicito: "Lo sport automobilistico deve sostenere il nostro prodotto".

Per la Jaguar l'ingresso in F 1 con un'immagine giovane e sportiva offre l'occasione di fronteggiare la concorrenza di Mercedes e Ferrari anche sulle strade. E che anche la BMW sia uno degli obiettivi della Jaguar è evidente, sempre però se la casa inglese riuscirà ad avere in pista i successi sperati.

Il calcolo di Ecclestone e della sua società non è affatto sbagliato. Mai la F 1 è stata così popolare come ora. Le spese gigantesche di un impegno in formula 1 appaiono modeste se confrontate al ritorno pubblicitario di una presenza televisiva. Altro fattore importante: le molte piccole officine ad alta tecnologia raggruppate in Inghilterra hanno fatto passi enormi nella loro evoluzione. Lo sanno anche le grandi case automobilistiche che comprano queste officine e che

si assicurano così una tecnologia così flessibile in F 1 da fare impallidire quelle della grande casa di Stoccarda (Daimler-Chrysler) o di Dearborn (Ford).

Da questo punto di vista la Honda, accettando di fornire i motori alla British American Racing, ha preso una decisione contro tendenza.

I giapponesi hanno abbandonato il progetto iniziale di costruire per il loro motore anche un loro telaio e hanno messo in vendita la loro filiale inglese di F 1. A partire dalla prossima stagione BAR e Jordan potranno approfittare dell'intensa attività di sviluppo per un propulsore Honda.

Le esperienze che raccoglierà la Honda come concorrente mondiale interessano particolarmente la Toyota. Il debutto sui circuiti è ormai deciso, ma se la terza casa automobilistica del mondo parteciperà o no alla F 1 con una propria macchina (costruita nella propria centrale di Colonia in Germania) dipenderà non per ultimo dai risultati sportivi e pubblicitari della casa concorrente.

Supertec è l'ultimo rappresentante del motore per tutti, di un tipo di motore, cioè, già confezionato. E anche questa ditta evidentemente mantiene solo il posto caldo per la Renault, il cui ritorno sulle piste internazionali è previsto per il

2001. La tendenza dei tardi anni 70 di rivoluzionare la F 1 con la potenza di un turbo e un proprio telaio viene sempre collegata a Prost. Alain Prost, quattro volte campione del mondo e capo dell'omonima scuderia, si è trasferito da tempo nelle vicinanze del grande 'Technocentre' della Renault, alla quale venderebbe volentieri partecipazioni al proprio team.

L'ingresso delle grandi case automobilistiche in F 1 comporta comunque dei pericoli. Mentre i team generalmente rimangono fedeli alla F 1, le grandi case vengono e vanno a seconda della loro strategia di mercato. E dal momento che i posti sul podio sono limitati, i perdenti potrebbero presto perdere la voglia. Anche perché le sconfitte in formula 1 non sono affatto più a buon mercato delle vittorie.

Partner motori e sponsor: la BMW non vuole comprare la Williams.

Via la Ford: il produttore di motori di maggiore successo se ne va...

...e lascia la F 1 alla propria marca Jaguar.

Deciso il ritorno: la Toyota parteciperà al più tardi nel 2003.

Una brutta giorn

a per il finlandese

Tre corse, tre vittorie regalate. Ad Hockeheim, nella difesa del proprio titolo, Mika Hakkinen non avanza neppure di un punto in classifica. Ma anche il vincitore Eddie Irvine non ha molto di che rallegrarsi.

A sinistra: la freccia d'argento brucia - anche ad Hockenheim Mika Hakkinen rincorre invano la vittoria. Sotto: un buon sostituto: il ferrarista Jeam Todt si congratula con Mika Salo.

119

Sempre lanciato al massimo: Jacques Villeneuve esce già alla prima curva. la parata dei piloti dura più a lungo, Barrichello fuori molto presto.

Il Gran Premio di Germania lo ha confermato ancora una volta: il duello Mika Hakkinen-Eddie Irvine ubbidisce ad una propria dinamica che non sembra rispettare gli equilibri di forza. Il pilota della freccia d'argento infatti ce la mette tutta, ha una macchina più potente, guida in modo perfetto, ma alla fine chi vede per primo il traguardo è proprio l'uomo della Ferrari. Fissaggio difettoso di una ruota a Silverstone, tamponamento del compagno di scuderia in Austria, rifornimento disastroso e scoppio di un pneumatico ad Hockenheim.
C'è quasi da spararsi. Hakkinen è avvantaggiato dall'assenza di Schumacher, ma non riesce a trarne beneficio. Nei primi tre Gran Premi senza il fuoriclasse tedesco, Hakkinen riesce a mettere insieme solo 4 miseri punti. Invece di marciare a testa alta verso il titolo mondiale la freccia

La parata dei piloti dura più a lungo; Barrichello fuori presto.

Ottima prova: nella qualifiche Heinz-Harald Frentzen fa registrare il secondo giro più veloce.

d'argento del n.1 sembra arrancare su un percorso ad ostacoli. Lo stesso vincitore del Gran Premio di Germania, Eddie Irvine, commenta laconico: "La McLaren si è data da sola la zappa sui piedi".

Ma procediamo per ordine. Il grande circuito di

"Una sensazione unica", si rallegra Heinz-Harald.

Hockenheim con le sue caratteristiche speciali separa ogni anno i bolidi diciamo buoni da quelli cattivi. I tre rettilinei superveloci infatti esigono alettoni quasi piatti perchè minore è l'aereodinamica che si frappone al vento e maggiore è la velocità finale (anche se determinante rimane sempre la prestazione del motore). Ma il circuito non è fatto di soli rettilinei e nelle curve il pilota praticamente non ha spoiler. A questo punto si può essere veloci anche in curva solo se la macchina è valida, se possiede cioè molto 'grip meccanico', uno chassis, in altre parole, in grado di sviluppare molta aderenza al terreno anche senza venir schiacciato dall'alto.

La misurazione delle velocità massime prima della schicane Jim Clark rivelano che con punte di 355,7 km orari Ferrari e Mercedes, ma anche la Sauber-Petronas con motore Ferrari V10, hanno i propulsori più potenti. Nei tratti con molte curve i più forti risultano essere le frecce d'argento, la Jordan-Mugen-Honda di Heinz-Harald Frentzen e la Williams di Ralf Schumacher, quest'ultima nonostante un motore Supertec di prestazioni decisamente inferiori a quelli citati. Le Ferrari invece sempre nei tratti con molte curve risultano perdenti, perdono cioè quel vantaggio che si erano assicurate sui rettilinei. Così la grande sorpresa delle prove di qualifica

è senz'altro Heinz-Harald Frentzen, anche se Mika Hakkinen gli strappa la pole all'ultimo minuto per soli 5 centesimi di secondo. Decine di migliaia di spettatori esultano. Un fuoriclasse tedesco è assente, ma subito c'è un altro tedesco che ha la stoffa per diventare un 'grande'. Frentzen, dal canto suo, è più che soddisfatto. Il figlio del titolare di una ditta di pompe funebri di Mönchengladbach è orgoglioso della sua prestazione.

Meno orgoglioso invece lo sarà l'indomani alla partenza. Nel tentativo di conquistare la prima posizione accellera troppo. Le ruote girano per un attimo a vuoto e ancora prima della variante viene superato dalla McLaren di David Coulthard e dalla Ferrari di Mika Salo. Anche Irvine non ha una giornata buona: si fa sorprendere da Rubens Barrichello e sbarrare la strada da Frentzen. Era quinto dopo le prove di qualifica, ora è retrocesso di una posizione, al sesto posto. Irvine:

Balza sul podio a Hockenheim: Heinz-Harald Frentzen.

Imbattibile nelle qualifiche: anche nel Baden Mika Hakkinen conquista la pole

Prova opaca: Eddie Irvine fa segnare un tempo maggiore rispetto a quello del nuovo compagno di scuderia.

Il grande assente: Michael Schumacher via satellite.

Da pilota a pedone: R. Zonta è nuovamente costretto al ritiro.

Chi l'ha visto?: un'idea divertente dei fan di Schumacher

Quando i finlandesi festeggiano: fan di Mika Hakkinen ad Hockenheim.

"Alla partenza una spia segnalava una temperatura troppo alta dell'olio. Ho deciso quindi di non forzare troppo e di evitare per quanto possibile di guidare nella scia di chi mi precedeva". E chi lo precedeva a un certo momento era Heinz-Harald Frentzen. La Jordan del tedesco era stata programmata per un solo pit stop ed era quindi pesante. Per Rubens Barrichello invece erano state progettate due soste e la sua macchina quindi risultava più leggera e veloce. Ed è proprio grazie a questo vantaggio che al terzo giro supera Frentzen con una certa facilità. La gioia del brasiliano però non dura a lungo e al sesto giro l'impianto idraulico collassa. "Non potevo più né accelerare, né cambiare. Dovremmo smetterla di regalare punti ai nostri concorrenti senza colpo ferire".
Suppergiù in quel momento anche il leader della BAR, Jacques Villeneuve, doveva pensarla a quel modo. Anche nella decima prova di formula 1 il canadese non riuscirà a veder sventolare la bandiera a scacchi. Questa volta però la colpa del ritiro non va imputata alla macchina. Il

campione del mondo 1997 era arrivato troppo veloce alla prima schicane ed era incappato in un testa coda che, tra l'altro, aveva causato anche l'uscita di pista del pilota Sauber, Pedro Diniz. Giancarlo Fisichella intanto è particolarmente amareggiato per un altro risultato nullo. Nonostante una buona partenza il suo compagno di

Fisichella non riceve da Wurz un vero aiuto.

scuderia Alexander Wurz era scattato in modo ancora più fulminante, lo aveva superato e in poco tempo era avanzato di ben 5 posti. Alla fine però intralciava il suo stesso compagno di squadra che chiedeva strada. Fisichella era decisamente più veloce di Wurz, ma non riusciva a passare. Quando poi poco prima del rettilineo d'arrivo tenta di superarlo, Wurz non lo aiuta

affatto. Le due macchine si toccano e Fisichella finisce sulla ghiaia con il musetto distrutto e con la sospensione anteriore a pezzi. Siamo al settimo giro e l'idolo delle donne italiane è costretto al ritiro.
Nel frattempo Mika Hakkinen difende la sua posizione in testa alla corsa anche se con una certa fatica. A due secondi infatti è tallonato dal ferrarista Salo il quale, a sua volta, deve tenere a bada David Coulthard. Lo scozzese pensa di avere buon gioco del 'novellino' Salo e al decimo giro tenta l'affondo. Nella shicane della curva est si porta improvvisamente accanto al finlandese, ma l'attacco fallisce e Coulthard si ritrova alla fine con un'ala anteriore storta. Più tardi Coulthard dirà che non si era trattato di una manovra di sorpasso, ma che Salo aveva frenato troppo presto e che lui per evitarlo aveva appunto danneggiato la macchina. All'improvvista sosta ai box si va poi ad aggiungere una penalità Stop-and-go per avere tagliato una shicane e alla fine si dovrà accontentare del quinto posto.
Per il compagno di scuderia Mika Hakkinen tutto

Inutili segnali di fumo: per Luca Badoer e al sua Minardi ancora nessun punto.

Non si è fatto innervosire: nonostante un motore che fa capricci R. Schumacher ottiene il 4. posto.

sembra andare per il meglio almeno fino alla sosta ai box. Lì infatti la valvola per la fuoriuscita rapida della benzina è inceppata e dopo alcuni tentativi per farla sbloccare, i meccanici si servono dell'impianto riservato a Coulthard. Alla fine il rifornimento ha richiesto ben 24,3 secondi. Ora Hakkinen è retrocesso in quarta posizione, ma dal tipo di guida si intuisce subito la sua rabbia e la determinazione di rimontare il distacco. Poco dopo infatti con una manovra irresistibile supera Frentzen nel tratto boschivo, ma mentre in terza posizione sta per immettersi nell'autodromo, succede l'irreparabile. A oltre 300 km orari scoppia un pneumatico posteriore e la macchina impazzita inizia una serie di giravolte che si bloccherà alla fine contro una barriera di gomme. Nell'impatto pezzi della macchina volano tutto attorno e Frentzen che segue a poca distanza è costretto a frenare bruscamente non riuscendo a vedere, per il fumo sprigionato dalle gomme, dove è successo l'incidente. "Ero molto preoccupato per Mika - dichiarerà più tardi Frentzen - ma quando sullo schermo gigante l'ho visto uscire dall'abitacolo mi sono tranquillizzato".

Con ciò il risultato del Gran Premio di Germania è ormai cosa fatta. Mika Salo, per la prima volta nella sua carriera in testa a una corsa di formula 1, fa passare davanti Irvine, mentre da dietro sopraggiunge un Frentzen molto risoluto e combattivo. Attraverso i box Salo prega Irvine di aumentare la velocità non sapendo che l'irlandese ha sempre a che fare con una temperatura dell'olio troppo alta.

E per il resto? Ralf Schumacher si distingue nuovamente per una guida perfetta. Nonostante una macchina non competitiva, il pilota della Wil-

Una grande sorpresa: già nella sua seconda corsa per la Ferrari, Mika Salo si impone alla grande attenzione di tutti. Per poco, anzi, avrebbe potuto anche vincere il Gran Premio di Germania.

Grande spavento per Mika Hakkinen e tutti i fan di F 1: all'ingresso del motodromo scoppia una gomma della McLaren Mercedes. Il finlandese evita per un soffio la barriera laterale (sopra) per poi volare sulla ghiaia contro una pila di pneumatici. Questa volta, contrariamente al 1994, in Australia rimane illeso.

Il genio e l'irlandese: Ross Brawn (a destra) scherza con Eddie Irvine.

Super partenza ma nessun posto: ad Hockenheim nessuna chance per Alexander Wurz.

uscire dall'abitacolo mi sono tranquillizzato". Con ciò il risultato del Gran Premio di Germania è ormai cosa fatta. Mika Salo, per la prima volta nella sua carriera in testa a una corsa di formula

"Ho dato a Mika Salo la coppa - è stata la sua vittoria".

1, fa passare davanti Irvine, mentre da dietro sopraggiunge un Frentzen molto risoluto e combattivo. Attraverso i box Salo prega Irvine di aumentare la velocità non sapendo che l'irlandese ha sempre a che fare con una temperatura dell'olio troppo alta.

E per il resto? Ralf Schumacher si distingue nuovamente per una guida perfetta. Nonostante una macchina non competitiva, il pilota della Williams avanza in pochi giri dall'undicesimo al sesto posto e conclude poi la corsa al quarto. Il capo scuderia Frank Williams loderà poi Ralf Schumacher dicendo che dal primo all'ultimo giro ha sempre corso con grande impegno. Il secondo pilota Williams, invece, Alessandro Zanardi, è costretto al ritiro per un guasto al differenziale del retrotreno.
Eddie Irvine alla fine si dice contento dei punti conquistati, ma non molto della vittoria. "Ho regalato la coppa a Salo perchè in realtà la vittoria è stata sua".

Giornata di lavoro molto breve: il pilota della Sauber Pedro Diniz viene buttato fuori alla partenza da Villeneuve.

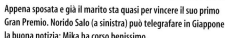

Appena sposata e già il marito sta quasi per vincere il suo primo Gran Premio. Norido Salo (a sinistra) può telegrafare in Giappone la buona notizia: Mika ha corso benissimo.

Statistica

Lunghezza percorso:	6,823 km
Numero giri:	45 (= 307,035 km)
Partenza:	14.00 GMT
Condizioni del tempo:	bello e caldo
Spettatori:	100 000
Scorsa stagione:	1. Mika Hakkinen (FIN, McLaren-Mercedes MP4/13), 1 h 20'47"984
	2. David Coulthard (GB, McLaren-Mercedes MP4/13), – 0"427 s
	3. Jacques Villeneuve (CDN, Williams-Mecachrome FW20), – 2"578 s
Pole Position 1998:	Mika Hakkinen (McLaren-Mercedes MP4/13), 1'41"838 m
Giro più veloce 1998:	Mika Hakkinen (McLaren-Mercedes MP4/13), 1'44"946 m
Sosta box più breve 1998:	Ralf Schumacher (D, Jordan-Mugen-Honda 198), 27"554 s

Difficile trovare un compromesso ottimale nel Set-up

"La combinazione di lunghi rettilinei attraverso la parte boschiva (dove si raggiungono le più alte velocità della stagione) con un insieme di curve nel motodromo è unica nel calendario dei Gran Premi. Nell'assetto si deve trovare un compromesso fra la minima resistenza all'aria e la maggior aderenza possibile nelle curve strette".

Eddie Irvine

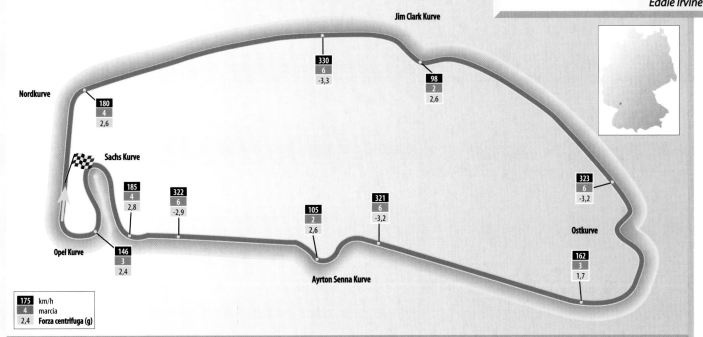

Risultati

Pilota	Team	Soste ai box	Giri	Tempo(h)	Media(km/h)	Distacco	Sul precedente
1. Eddie Irvine	Ferrari	1	45	1 h 21'58"594	224,723	–	–
2. Mika Salo	Ferrari	1	45	1 h 21'59"601	224,677	1"007 s	–
3. Heinz-Harald Frentzen	Jordan-Mugen-Honda	1	45	1 h 22'03"789	224,468	5"195 s	25"582 s
4. Ralf Schumacher	Williams-Supertec	1	45	1 h 22'11"403	224,140	12"809 s	0"378 s
5. David Coulthard	McLaren-Mercedes	3	45	1 h 22'15"417	223,957	16"823 s	10"817 s
6. Olivier Panis	Prost-Peugeot	2	45	1 h 22'28"473	223,367	29"879 s	15"037 s
7. Alexander Wurz	Benetton-Playlife	1	45	1 h 22'31"927	223,211	33"333 s	0"971 s
8. Jean Alesi	Sauber-Petronas	3	45	1 h 23'09"885	221,513	1'11"291 m	13"976 s
9. Marc Gené	Minardi-Ford	1	45	1 h 23'46"912	219,881	1'48"318 m	3"455 s
10. Luca Badoer	Minardi-Ford	1	44	1 h 22'14"172	219,036	1 Giro	0"078 s
11. Johnny Herbert [1]	Stewart-Ford	1	41	1 h 13'24"080	223,091	Ritiro	Ritiro

Pilota	Team	Soste ai box	Nel giro	Motivo ritiro	Pos. prima del ritiro		
Pedro de la Rosa	TWR-Arrows	1	38	Incidente	11		
Mika Hakkinen	McLaren-Mercedes	1	26	Incidente	1		
Alessandro Zanardi	Williams-Supertec	0	22	Differenziale	13		
Ricardo Zonta	BAR-Supertec	1	21	Motore	16		
Toranosuke Takagi	TWR-Arrows	0	16	Motore	16		
Damon Hill	Jordan-Mugen-Honda	0	14	Rinuncia	11		
Jarno Trulli	Prost-Peugeot	0	11	Motore	11		
Giancarlo Fisichella	Benetton-Playlife	1	8	Sospensione ruote	19		
Rubens Barrichello	Stewart-Ford	0	7	Idraulica	19		
Jacques Villeneuve	BAR-Supertec	0	1	Collisione	12		
Pedro Diniz	Sauber-Petronas	0	1	Collisione	16		

1) Non più in gara alla fine, ma valido secondo la distanza percorsa.

GP di Germania

10. corsa del Campionato Mondiale F 1 1999, Hockenheimring (D), 1 agosto 1999

Griglia di partenza

1 Mika Häkkinen (FIN) [1]
McLaren-Mercedes MP4/14-2
1'42"950 m (352,0 km/h)

8 Heinz-Harald Frentzen (D)
Jordan-Mugen-Honda 199/5
1'43"000 m (349,7 km/h)

2 David Coulthard (GB)
McLaren-Mercedes MP4/14-4
1'43"288 m (351,6 km/h)

3 Mika Salo (FIN)
Ferrari F399/193
1'43"577 m (353,8 km/h)

4 Eddie Irvine (GB)
Ferrari F399/191
1'43"769 m (355,7 km/h)

16 Rubens Barrichello (BR)
Stewart-Ford SF3/4
1'43"938 m (343,4 km/h)

18 Olivier Panis (F)
Prost-Peugeot AP02/5
1'43"979 m (349,7 km/h)

7 Damon Hill (GB)
Jordan-Mugen-Honda 199/4
1'44"001 m (347,6 km/h)

19 Jarno Trulli (I)
Prost-Peugeot AP02/7
1'44"209 m (344,4 km/h)

9 Giancarlo Fisichella (I)
Benetton-Playlife B199/7
1'44"338 m (349,4 km/h)

6 Ralf Schumacher (D)
Williams-Supertec FW21/4
1'44"468 m (341,6 km/h)

22 Jacques Villeneuve (CDN)
BAR-Supertec 01/7
1'44"508 m (344,7 km/h)

10 Alexander Wurz (A)
Benetton-Playlife B199/4
1'44"522 m (348,8 km/h)

5 Alessandro Zanardi (I)
Williams-Supertec FW21/5
1'45"034 m (346,3 km/h)

21 Marc Gené (E)
Minardi-Ford-Zetec-R M01/4
1'45"331 m (342,5 km/h)

12 Pedro Diniz (BR)
Sauber-Petronas C18/5
1'45"335 m (349,2 km/h)

17 Johnny Herbert (GB)
Stewart-Ford SF3/5
1'45"454 m (350,1 km/h)

23 Ricardo Zonta (BR)
BAR-Supertec 01/5
1'45"460 m (346,5 km/h)

20 Luca Badoer (I)
Minardi-Ford-Zetec-R M01/1
1'45"917 m (344,8 km/h)

14 Pedro de la Rosa (E)
TWR-Arrows A20/4
1'45"935 m (339,6 km/h)

11 Jean Alesi (F)
Sauber-Petronas C18/6
1'45"962 m (352,4 km/h)

15 Toranosuke Takagi (J)
TWR-Arrows A20/2
1'46"209 m (340,1 km/h)

107-%-limite: 1'50"156 m

Giri più veloci

Prove libere			
1. Trulli	1'45"677	12. Zanardi	1'47"043
2. Irvine	1'46"225	13. R. Schumacher	1'47"334
3. Fisichella	1'46"243	14. Diniz	1'47"513
4. Coulthard	1'46"411	15. Villeneuve	1'47"513
5. Barrichello	1'46"418	16. Alesi	1'47"551
6. Panis	1'46"516	17. Frentzen	1'47"802
7. Salo	1'46"542	18. Herbert	1'47"985
8. Hill	1'46"851	19. Badoer	1'48"953
9. Wurz	1'46"859	20. Zonta	1'48"978
10. Häkkinen	1'46"866	21. Takagi	1'49"059
11. Gené	1'46"913	22. de la Rosa	1'49"207

Corsa			
1. Coulthard	1'45"270	12. Wurz	1'48"455
2. Panis	1'46"823	13. Hill	1'48"925
3. Häkkinen	1'47"433	14. Zonta	1'49"179
4. Frentzen	1'47"619	15. Trulli	1'49"285
5. Irvine	1'47"687	16. Zanardi	1'49"835
6. Fisichella	1'47"785	17. Gené	1'49"894
7. Barrichello	1'47"788	18. Badoer	1'49"942
8. Salo	1'47"945	19. Takagi	1'50"286
9. R. Schumacher	1'48"083	20. de la Rosa	1'50"534
10. Alesi	1'48"334		
11. Herbert	1'48"408		

Tutte le soste ai box

Giro	Durata	Giro	Durata	Giro
1 Alesi	29"324	23 Salo	28"013	
3 Fisichella	36"599	23 Herbert	29"557	
10 Coulthard	32"399	23 Wurz	27"123	
15 Zonta	41"028	24 Häkkinen	42"414	
16 Alesi	25"796	24 R. Schumacher	27"704	
18 Panis	26"089	26 Coulthard [2]	28"022	
20 Gené	30"279	28 Alesi	26"636	
21 Frentzen	28"919	30 Panis	26"567	
21 de la Rosa	31"350	39 Coulthard	25"168	
22 Irvine	27"362			
22 Badoer	29"538			

La corsa giro per giro

Partenza: Salo scatta in avanti e si infila nella curva nord direttamente dietro Hakkinen, Coulthard supera Frentzen, Barrichello passa Irvine. Nell'ingresso alla prima curva Gené tocca Villeneuve che esce e trascina con sé Diniz. Giro 3: Barrichello soffia il terzo posto a Frentzen, Coulthard tallona Salo, ma non riesce a passare. Giro 6: nel duello con Wurz, Hill esce dal tracciato. Giro 10: lo scatenato Coulthard tocca il retrotreno di Salo, sulla McLaren dello scozzese si rompe il musetto. Dopo una sosta ai box è decimo. Giro 13: Hill arriva lungo nella curva est ed esce. Poco dopo è costretto a cedere per problemi ai freni. Giro 16: Coulthard supera Panis (ottava posizione) nella schicane della curva est accanto alla pista e deve sottostare ad una penalità di 10 secondi. Giro 19: l'ottima prestazione di Barrichello si conclude con un guasto all'impianto idraulico. Giro 22: sosta ai box di Irvine. L'irlandese rientra in pista prima di Frentzen ed è terzo. Conduce Hakkinen davanti a Salo. Giro 23: rifornimento per Salo che rimane secondo. Giro 24: problemi di rifornimento per Hakkinen. Mentre si ricorre all'impianto di Coulthard passano Salo, Irvine e Frentzen. Giro 26: Hakkinen ha ragione di Frentzen, ma poi nello stesso giro scoppia una gomma della sua McLaren. Il finlandese gira più volte su se stesso e va infine a sbattere contro una barriera di pneumatici. Salo fa passare Irvine. Giro 40: Coulthard ai box per sosta regolare, rientrato in pista supera Panis. Giro 41: Herbert cede il quinto posto per un difetto alla trasmissione. Giro 45: Frentzen non può minacciare il duo di testa. Irvine vince davanti a Salo. R. Schumacher conclude una corsa solitaria al quarto posto.

Classifica

Mondiale piloti/Punti			
1. Eddie Irvine	52	11. Pedro Diniz	3
2. Mika Häkkinen	44	13. Johnny Herbert	2
3. Heinz-Harald Frentzen	33	Olivier Panis	2
4. Michael Schumacher	32	15. Pedro de la Rosa	1
5. David Coulthard	30	Jean Alesi	1
6. Ralf Schumacher	22	Jarno Trulli	1
7. Giancarlo Fisichella	13		
8. Rubens Barrichello	10		
9. Mika Salo	6		
10. Damon Hill	5		
11. Alexander Wurz	3		

Mondiale costruttori	Punti
1. Ferrari	90
2. McLaren-Mercedes	74
3. Jordan-Mugen-Honda	38
4. Williams-Supertec	22
5. Benetton-Playlife	16
6. Stewart-Ford	12
7. Sauber-Petronas	4
8. Prost-Peugeot	3
9. TWR-Arrows	1

1) Tempo giro (Topspeed in Qualifying); 2) Penalizzazione 10 secondi stop and go.

Una folla di spettatori anche senza Schumacher: Hockenheim '99.

Lo scozzese incostante

Semplice pilota o pilota di razza? Sulle effettive capacità di David Coulthard i giudizi sono diversi. Lo scozzese ha offerto in questa stagione argomenti contraddittori che rendono difficile una valutazione precisa. Una cosa è certa: nonostante sia sempre stato in lotta per i mondiali le sue prestazioni non sono risultate costanti.

È il sogno di tutte le suocere e anche della maggior parte delle loro figlie: sempre vestito a puntino, con i capelli a posto e con un fare gentile, David Coulthard si distingue dalla maggior parte dei suoi colleghi, decisamente più trasandati. La donna al suo fianco - la fotomodella americana Heidi Wichlinski - non è meno interessante. Per finire David Coulthard guadagna anche miliardi come pilota di una delle scuderie di maggior successo della F 1.

Insomma una vita invidiabile se non fosse per un particolare fastidioso. Nella sua carriera manca un titolo mondiale.

Certo, un quasi campione del mondo può anche diventare una leggenda come, a suo tempo, Stirling Moss. Mentre però l'inglese era il sinonimo dell'eroe sfortunato, del pilota, cioè, che aveva avuto un destino avverso o a causa di particolari situazioni o per la bravura di Fangio, nel caso di David Coulthard vale esattamente il contrario. Di possibilità ne ha avute molte, ma non le ha mai saputo sfruttare.

Il 1999 è stato forse l'anno più duro della sua carriera. Partito come uno dei favoriti per il titolo iridato, vince due gran premi ma è costretto a subire una batosta dietro l'altra. O per colpa sua o per difetti tecnici David perde decine di punti considerati ormai sicuri. E lo si deve solo al fatto che anche i suoi più diretti concorrenti hanno accumulato errori su errori se fino a due corse dalla conclusione del campionato ha sempre figurato tra gli aspiranti al titolo.

Lo scozzese l'ha detto e l'ha ripetuto. Più delle chance andate perse lo hanno addolorato le critiche di cui è stato oggetto ogni qual volta la sua prestazione non aveva convinto. "Ho più paura di me stesso che di essere battuto da altri".

Eppure era stato proprio lui a regalare la prima vittoria alle frecce d'argento. Già all'inizio della stagione 1997 a Melbourne segnalò la competitività delle Mercedes in modo molto risoluto. "Fu un grande momento e un atto di liberazione per tutto il team". Un anno dopo, sempre a Melbourne, fa passare avanti il suo compagno di scuderia che si era attardato ai box e gli regala la vittoria. Un gesto sportivo – commentano gli uni – una prova di debolezza – commentano gli altri – in uno sport che non può e non si deve concedere gesti del genere.

David ha sempre dichiarato di disprezzare qualsiasi forma di furbizia e di voler sconfiggere i propri avversari in maniera aperta e leale. In questa stagione, però, ha fatto valere il contrario. Parlano contro di lui l'attacco insensato contro il suo compagno di scuderia in Austria, un autogol derivato da un frettoloso attacco a Mika Salo e un altro autogol come conseguenza di una manovra di sorpasso, condotta da dilettante, ad Hockenheim. Come se poi non bastasse, regala anche una vittoria sicura al suo connazionale Johnny Herbert. Sul bagnato del Gran Premio del Nürburgring si butta fuori da solo pur non essendo pressato da inseguitori.

In questa stagione Coulthard ha sicuramente dovuto affrontare due problemi.

Primo, un Mika Hakkinen divenuto così sicuro dopo il primo titolo mondiale da diventare automaticamente il n.1 e da beneficiare quindi di un trattamento privilegiato ai box. Secondo, l'attuale McLaren non è una macchina facile come può sembrare.

"Mi concentro sul futuro".

Forse la chiave della mancata, grande affermazione di Coulthard va ricercata nella sua personalità coerente, leale e costante. Sicuramente un merito della sua famiglia e del suo paese d'origine, il piccolo villaggio di Twynhol nella bassa pianura scozzese. Lo stesso Coulthard: "Un posto che trasmette un senso di pace e di bellezza e dove si ritorna per forza con i piedi per terra".

Lui comunque non ne ha certo bisogno perchè non è mai stato un sognatore. Prima ha imparato a condurre l'azienda di spedizioni del padre e poi si è affacciato timidamente al mondo dei motori pensando che se fosse andata male avrebbe sempre avuto alle spalle un mestiere sicuro.

Leale verso la famiglia e leale verso il datore di lavoro. Coulthard ha sempre saputo onorare gli impegni presi anche quelli più noiosi e fastidiosi come, per esempio, gli incontri di pubbliche

La modella al suo fianco: l'americana Heidi Vichlinski.

relazioni. Leale, anzi forse troppo leale nell'ammettere i propri errori e quelli della sua scuderia. Per questo lo ha amareggiato molto l'accusa rivoltagli a suo tempo da Michael Schumacher di aver provocato il famoso speronamento a Spa-Francorchamps. Anche lo stesso Schumacher, comunque, ha poi ammesso di non ritenere David capace di attirare un collega in una trappola pericolosa per la sua incolumità.

E a proposito di incolumità non va dimenticata quella dello stesso Coulthard, anzi quella dei suoi capelli. Per ben due volte hanno subito un intervento massiccio da parte del suo stesso proprietario. Nel 1997 li ha tinti di colore argento per salutare la prima vittoria di una McLaren-Mercedes e precedentemente li aveva rasati a zero per festeggiare il trionfo del suo amico Jacques Villeneuve che si era aggiudicato il titolo mondiale. Per il prossimo anno intende nuovamente rasarli a zero, ma solo per festeggiare il proprio titolo.

Spera di poter fare ancora grandi cose: il pilota della McLaren-Mercedes, David Coulthard (28).

La luce alla fine d

Mika Hakkinen non può più vin-

cere? Dopo le batoste degli scorsi

Gran Premi il pilota finlandese

della McLaren-Mercedes cerca in

Ungheria una risposta a questa

domanda, e la trova.

Per un certo periodo sembrava che Hakinnen non ce la facesse più. In Ungheria il difensore del titolo ha ritrovato fiducia e la sua forma abituale.

tunnel

Completato il successo McLaren sul circuito ungherese. Nonostante una brutta partenza Coulthard conquista il secondo posto.

Non poteva fare di più: dopo le qualifiche Salo è solo 18mo.

Non ha sopportato la tensione: Irvine ha dovuto far passare Coulthard.

E venne Mika: già al 22mo giro Hakkinen doppia il suo connazionale Salo. La vittoria ormai è tutta in discesa.

P er molti fan il Gran Premio di Ungheria inizia anzitempo con una delusione. No, Michael Schumacher non festeggerà a Budapest il suo comeback come avevano scritto vari giornali più o meno seri. Per i ferraristi, però, una buona notizia non manca: il circuito stretto e ricco di curve è senz'altro adatto alle rosse di Maranello. Non ci sono curve veloci e non ci sono neppure quei cordoli alti che potrebbero compromettere la sensibile aereodinamica della F 399 salendoci sopra troppo spesso. Inoltre non c'è due senza tre e Irvine in Ungheria potrebbe fare la sua tripletta. Già, potrebbe farla se le cose non andassero diversamente...

Già nelle prove di qualifica si capisce subito che le previsioni della vigilia lasciano il tempo che trovano. Con estrema risolutezza Mika Hakkinen conquista la sua nona pole position nell'11mo

La partenza di Coulthard è stata catastrofica.

Gran Premio e quindi complessivamente la sua 19ma. Ciò che poi rende la sua prestazione molto convincente è il fatto che la pole se l'aggiudica già nel primo giro veloce. Dopo, per quanto Irvine tenti e ritenti non riesce a spuntarla, anche se alla fine lo separano dal finlandese solo 0,107 secondi.

Anche il compagno di Hakkinen, David

Coulthard, non riesce a salire sul trono del rivale e con una differenza di 0,228 deve partire per la decima volta alla sue spalle. Una nota a margine: la carriera di Coulthard è senza dubbio compromessa dal grande Mika. Certo, involontariamente, ma è così. I confronti si fanno e sono quasi sempre favorevoli al finlandese.

Ma veniamo al Gran Premio. La partenza di Coulthard è così lenta che alla fine del primo giro è già retrocesso al quinto posto. E per chi punta al podio il quinto posto sul circuito ungherese è un po' una catastrofe se si pensa che una volta Thierry Boutsen riuscì a mantenere dietro di sé un Ayrton Senna per ben 77 giri.

"Terribile - dirà più tardi Coulthard - e pensare che ritenevo di essere partito bene". Sono Giancarlo Fisichella e Heinz-Harald Frentzen a superarlo e forse ci riescono anche grazie alle Bridgestone morbide che almeno all'inizio conferiscono sempre un vantaggio nella trazione. In testa alla corsa il quadro di sempre. Il colore argento davanti al rosso. Hakinnen non corre rischi e dalla pole si catapulta per primo in curva tallonato da Irvine. Poi giro dopo giro rosicchia decimi di secondo fino a quando il distacco da Irvine si fa notevole. Irvine nel frattempo ha seri problemi ai pneumatici. Già dopo un paio di giri mostrano evidenti segni di usura.

Colpa della Bridgestone? Non precisamente. Irvine come tutti gli altri piloti aveva avuto sufficiente tempo a disposizione per trovare un assetto che utilizzasse i pneumatici in modo ottimale. Non è un segreto infatti che il circuito ungherese con un misto di curve lente e relati-

Ottima rimonta ma nessun punto: Ralf Schumacher avanza dal sedicesimo fino al nono posto.

Strategia sbagliata ma quarto posto: Heinz-Harald Frentzen approfitta di un guasto alla Benetton di Fisichella.

vamente veloci mette i pneumatici a dura prova. Chi quindi regola il proprio set-up in modo troppo aggressivo non si deve poi meravigliare dei risultati. "La macchina scappava davanti e anche dietro - lamenterà più tardi Irvine - è molto strano essere veloce nelle qualifiche e avere poi in gara una prestazione inferiore...".

Per Alex Zanardi la situazione è ancora peggiore. Nelle prove di qualifica vince il duello con il suo compagno di squadra Ralf Schumacher, ma i posti 15 e 16 non promettono certo ai piloti della Williams una gara di successo. Ai piazzamenti nelle retrovie va poi ad aggiungersi la sfortuna. Nel warm-up Zanardi è costretto a fermarsi già al primo giro per un sensore difettoso dell'albero a gomito. Anche in gara poi tocca proprio a Zanardi inaugurare la lista dei ritiri. Come già ad Interlagos, Barcellona e

Hockenheim è ancora il differenziale elettronico a tradirlo. Insomma la luce alla fine del tunnel che Zanardi sembrava scorgere dopo le prove di qualifica era evidentemente un miraggio.
E visto che parliamo di ritiri non possiamo passare sotto silenzio il record di Jacques Villeneuve che ha fatto segnare l'undicesimo ritiro nell'undicesima corsa. Dopo 60 dei 77 giri della corsa brucia la frizione della sua BAR-Supertec.
Anche se il canadese non era mai arrivato così lontano, in questa stagione l'ennesimo ritiro non ha certamente avuto un effetto incoraggiante. Almeno Ricardo Zonta, però, al traguardo ci arriva: il compagno di squadra si piazza tredicesimo, ma con un ritardo di due giri.
La formazione di testa intanto rimane identica

Gran Premio di Finlandia: moltissimi i fans di Mika in Ungheria.

Villeneuve non era mai arrivato così lontano.

anche durante le prime soste ai box. In Ungheria finalmente il primo pit stop di Hakkinen non comporta problemi e i meccanici se la cavano in 7,4 secondi. Mentre il terzo e quarto piazzato Fisichella e Frentzen fanno il cambio gomme rispettivamente al 28mo e al 30mo giro, David Coulthard, immediatamente dietro, ritarda il suo rientro ai box e lo fa fruttare.
Con tutta una serie di giri veloci il pilota McLaren si guadagna quel vantaggio che grazie poi ad una sosta ai box di appena 7,3 secondi gli consente di arrivare al terzo posto. La stagione della caccia ad Eddie Irvine è aperta.
Heinz Harald Frentzen, dal canto suo, non si dice per nulla soddisfatto dell'esito della prima sosta

Non bella ma efficace: la brutta ala di centro della Jordan.

Visitatori ai box: l'interprete di Rocky, Sylvester Stallone, sogna sempre un suo film sulla F 1.

Molto fumo senza arrosto: contro le MacLaren nessuna chance per le Ferrari. Un momentaneo calo di forma?

ai box. "Mi hanno fatto rientrare troppo presto e poi ho perso molto tempo dietro Fisichella. La nostra strategia avrebbe potuto essere migliore". Per il tedesco in ogni caso la fortuna arriverà poco dopo sotto forma di un calo di pressione della benzina che nel 52mo giro costringe Giancarlo ad abbandonare la sua Benetton-Supertec. Ne approfitterà anche Rubens Barrichello che dopo una corsa impeccabile e con la scelta di un unico pit stop si porterà al quinto posto. Il compagno di Frentzen, Damon Hill, può contare come sesto sull'ultimo punto a disposizione.

I posti sul podio in ogni caso non sono ancora stati assegnati. Mentre Hakkinen compie i suoi giri solitario in testa alla corsa e rimane al primo posto anche dopo la seconda sosta ai box, la lotta per il secondo posto tra Coulthard ed Irvine si fa sempre più accesa. Al 58mo giro entrano ambedue nella corsia box e, nonostante la sosta del ferrarista duri mezzo secondo in più, riesce a mantenere la seconda posizione. Nel corso della conferenza stampa l'irlandese dirà che Coulthard era più veloce di lui, che comunque non riusciva a superarlo e che decisivo sarebbe stato appunto il pit stop. Non ci si poteva permettere neppure il più piccolo errore.

Si sente sempre a suo agio sul circuito ungherese: Damon Hill insolitamente competitivo.

Il finlandese torna alla carica – la giornata del riscatto

È destino però che Irvine non si piazzi al secondo posto per i suoi problemi alle gomme. Anche il terzo treno di pneumatici si logora dopo pochi giri e la guida della macchina si fa molto difficile. Ne approfitta subito Coulthard che lo passa in curva dopo averlo tallonato a lungo da vicino e averlo forse innervosito oltre misura. "Non credo che sarei riuscito a farcela altrimenti", ammette più tardi realisticamente la freccia d'argento. "Mi restava solo la possibilità di spingerlo a commettere un errore. Ed ha funzionato!".

Mika Hakkinen si aggiudica dunque il Gran Premio di Ungheria e fa tacere tutte quelle voci critiche che parlavano di una sua forte crisi.

Balsamo per i capelli arruffati: David Coulthard somministra al vincitore Hakkinen una lozione particolare.

L'Ungheria non attrae solo per la formula 1.

Anche i personaggi dei fumetti non sono in grado di conferire potenza alle Williams.

Statistica

11. corsa del Campionato Mondiale F 1 1999, Hungaroring, Budapest (H), 15 agosto 1999

Lunghezza percorso:	3,972 km
Numero giri:	77 (= 305,844 km)
Partenza:	14.00 GMT
Condizioni del tempo:	poco nuvoloso, caldo
Spettatori:	110 000
Scorsa stagione:	1. Michael Schumacher (D, Ferrari F300), 1 h 45'25"550
	2. David Coulthard (GB, McLaren-Mercedes MP4/13), – 9"433 s
	3. Jacques Villeneuve (CDN, Williams-Mecachrome FW20), – 44"444 s
Pole Position 1998:	Mika Hakkinen (FIN, McLaren-Mercedes MP4/13), 1'16"973 m
Giro più veloce 1998:	David Coulthard (McLaren-Mercedes MP4/13), 1'19"989 m
Sosta box più breve 1998:	Jean Alesi (F, Sauber-Petronas C17) 28"993 s

Nonostante il 'divieto di sorpasso' un circuito interessante

"Sul circuito ungherese le prove di qualifica sono molto importanti perchè il tracciato è stretto e superare in gara è quasi impossibile. Trovare un buon assetto soprattutto per risparmiare le gomme non è cosa facile. In ogni caso si ha bisogno della massima downforce. Il circuito in se stesso mi diverte molto anche perchè in Ungheria vengono sempre molti fan finlandesi".

Mika Hakkinen

175	km/h
4	marcia
2,4	Forza centrifuga (g)

Risultati

Pilota	Team	Soste ai box	Giri	Tempo(h)	Media(km/h)	Distacco	Sul precedente
1. Mika Hakkinen	McLaren-Mercedes	2	77	1 h 46'23"536	172,524	–	–
2. David Coulthard	McLaren-Mercedes	2	77	1 h 46'33"242	172,262	9"706 s	17"522 s
3. Eddie Irvine	Ferrari	2	77	1 h 46'50"764	171,791	27"228 s	17"522 s
4. Heinz-Harald Frentzen	Jordan-Mugen-Honda	2	77	1 h 46'55"351	171,668	31"815 s	4"587 s
5. Rubens Barrichello	Stewart-Ford	1	77	1 h 47'07"344	171,031	43"808 s	11"993 s
6. Damon Hill	Jordan-Mugen-Honda	2	77	1 h 47'19"626	171,310	55"726 s	11"918 s
7. Alexander Wurz	Benetton-Playlife	2	77	1 h 47'24"548	170,891	1'01"012 m	5"286 s
8. Jarno Trulli	Prost-Peugeot	2	76	1 h 46'44"214	169,733	1 Giro	1 Giro
9. Ralf Schumacher	Williams-Supertec	2	76	1 h 46'53"291	169,493	1 Giro	9"077 s
10. Olivier Panis	Prost-Peugeot	1	76	1 h 47'06"627	169,142	1 Giro	13"336 s
11. Johnny Herbert	Stewart-Ford	1	76	1 h 47'29"749	168,535	1 Giro	23"122 s
12. Mika Salo	Ferrari	1	75	1 h 46'28"748	167,906	2 Giri	1 Giro
13. Ricardo Zonta	BAR-Supertec	3	75	1 h 46'29"795	167,878	2 Giri	1"067 s
14. Luca Badoer	Minardi-Ford	2	75	1 h 46'50"082	167,347	2 Giri	20"287 s
15. Pedro de la Rosa	TWR-Arrows	2	75	1 h 46'58"088	167,138	2 Giri	8"006 s
16. Jean Alesi [1]	Sauber-Petronas	3	74	1 h 43'41"491	170,121	Ritiro	Ritiro
17. Marc Gené	Minardi-Ford	1	74	1 h 46'56"006	164,515	3 Giri	3'14"515 m

Pilota	Team	Soste ai box	Nel giro	Motivo ritiro	Pos. prima del ritiro
Jacques Villeneuve	BAR-Supertec	2	61	Frizione	14
Giancarlo Fisichella	Benetton-Playlife	1	53	Pressione benzina	5
Toranosuke Takagi	TWR-Arrows	1	27	Albero motore	20
Pedro Diniz	Sauber-Petronas	0	20	Testacoda	9
Alessandro Zanardi	Williams-Supertec	0	11	Differenziale	22

1) Non più in gara alla fine, ma valido secondo la distanza percorsa.

GP di Ungheria

11. corsa del Campionato Mondiale F 1 1999, Hungaroring, Budapest (H), 15 agosto 1999

Griglia di partenza

1 Mika Häkkinen (FIN)
McLaren-Mercedes MP4/14-4
1'18"156 m (286,7 km/h) [1]

4 Eddie Irvine (GB)
Ferrari F399/191
1'18"263 m (278,9 km/h)

2 David Coulthard (GB)
McLaren-Mercedes MP4/14-6
1'18"384 m (285,7 km/h)

9 Giancarlo Fisichella (I)
Benetton-Playlife B199/7
1'18"515 m (279,6 km/h)

8 Heinz-Harald Frentzen (D)
Jordan-Mugen-Honda 199/5
1'18"664 m (279,4 km/h)

7 Damon Hill (GB)
Jordan-Mugen-Honda 199/4
1'18"667 m (279,3 km/h)

10 Alexander Wurz (A)
Benetton-Playlife B199/4
1'18"733 m (279,5 km/h)

16 Rubens Barrichello (BR)
Stewart-Ford SF3/4
1'19"095 m (278,2 km/h)

22 Jacques Villeneuve (CDN)
BAR-Supertec 01/8
1'19"127 m (280,7 km/h)

17 Johnny Herbert (GB)
Stewart-Ford SF3/5
1'19"389 m (279,3 km/h)

11 Jean Alesi (F)
Sauber-Petronas C18/6
1'19"390 m (279,5 km/h)

12 Pedro Diniz (BR)
Sauber-Petronas C18/7
1'19"782 m (278,4 km/h)

19 Jarno Trulli (I)
Prost-Peugeot AP02/7
1'19"788 m (279,9 km/h)

18 Olivier Panis (F)
Prost-Peugeot AP02/5
1'19"841 m (278,9 km/h)

5 Alessandro Zanardi (I)
Williams-Supertec FW21/5
1'19"924 m (283,4 km/h)

6 Ralf Schumacher (D)
Williams-Supertec FW21/6
1'19"945 m (282,0 km/h)

23 Ricardo Zonta (BR)
BAR-Supertec 01/5
1'20"060 m (278,9 km/h)

3 Mika Salo (FIN)
Ferrari F399/195
1'20"369 m (278,2 km/h)

20 Luca Badoer (I)
Minardi-Ford-Zetec-R M01/1
1'20"961 m (274,6 km/h)

14 Pedro de la Rosa (E)
TWR-Arrows A20/4
1'21"328 m (273,0 km/h)

15 Toranosuke Takagi (J)
TWR-Arrows A20/2
1'21"675 m (271,3 km/h)

21 Marc Gené (E)
Minardi-Ford-Zetec-R M01/4
1'21"867 m (271,8 km/h)

107-%-limite: 1'23"627 m

Giri più veloci

Prove libere

1. Irvine	1'19"476		12. Panis	1'21"525
2. **Häkkinen**	**1'19"722**		13. Badoer	1'21"635
3. Coulthard	1'20"117		14. Fisichella	1'21"673
4. Barrichello	1'20"547		15. Alesi	1'22"009
5. Salo	1'20"989		16. Hill	1'22"182
6. Frentzen	1'21"185		17. Zonta	1'22"290
7. Zanardi	1'21"251		18. Trulli	1'22"360
8. Wurz	1'21"456		19. Gené	1'22"380
9. R. Schumacher	1'21"481		20. Diniz	1'23"096
10. Herbert	1'21"486		21. Takagi	1'23"216
11. Villeneuve	1'21"504		22. de la Rosa	1'24"064

Corsa

1. Coulthard	1'20"699		12. Trulli	1'21"936
2. **Häkkinen**	**1'20"710**		13. Villeneuve	1'21"975
3. Alesi	1'20"830		14. Diniz	1'22"452
4. Frentzen	1'20"991		15. Herbert	1'22"455
5. Irvine	1'21"010		16. Panis	1'22"587
6. Hill	1'21"180		17. Salo	1'22"682
7. Zonta	1'21"343		18. Badoer	1'23"456
8. Fisichella	1'21"469		19. de la Rosa	1'23"520
9. Wurz	1'21"539		20. Zanardi	1'24"297
10. Barrichello	1'21"707		21. Gené	1'24"807
11. R. Schumacher	1'21"745		22. Takagi	1'25"483

Tutte le soste ai box

Giro		Durata		Giro		Durata	
23 Villeneuve	31"005	30 Frentzen	29"146	50 Frentzen	30"123	60 Zonta	31"554
25 Takagi	30"757	31 **Häkkinen**	**30"002**	50 Trulli	29"957	69 Alesi	33"622
28 Fisichella	30"796	32 Alesi	29"850	50 Villeneuve	32"393		
28 R. Schumacher	32"494	33 Coulthard	29"284	51 Wurz	30"613		
28 de la Rosa	31"412	33 Zonta	31"816	51 R. Schumacher	29"889		
29 Irvine	30"786	33 Gené	35"960	51 Badoer	30"681		
29 Hill	33"109	38 Herbert	34"625	52 de la Rosa	31"660		
29 Wurz	30"132	38 Panis	32"556	54 Alesi	46"069		
29 Trulli	29"468	40 Barrichello	33"654	55 Häkkinen	30"692		
29 Zonta	32"999	44 Salo	31"394	58 Irvine	28"868		
29 Badoer	30"310	48 Hill	31"063	58 Coulthard	28"593		

La corsa giro per giro

Partenza: Hakkinen infila la prima curva davanti ad Irvine, Coulthard retrocede dietro Fisichella e Frentzen. Seguono Hill, Barrichello e Wurz. Giro 4: Hakkinen guadagna quasi un secondo al giro su Irvine, l'altro ferrarista Salo, al 20mo posto, è irrimediabilmente condannato nelle retrovie. Giro 9: R. Schumacher supera il compagno Zanardi ed è 15mo. Giro 16: Hakkinen controlla il suo vantaggio su Irvine e inizia già i doppiaggi. Giro 20: il box Sauber invita Diniz a lasciar passare il più veloce Alesi. Diniz esegue, ma poco dopo un testacoda lo costringe al ritiro. Giro 28: nello spazio di pochi giri i primi sei sostano ai box. Giro 33: Coulthard entra nei box come ultimo del gruppetto di testa e riesce a guadagnare un posto. Ora è terzo. Giro 40: Barrichello ai box retrocede all'ottavo posto. Giro 42: Hakkinen è sempre in prima posizione davanti ad Irvine. Coulthard si avvicina sempre più. Dietro lo scozzese: Fisichella, Frentzen, Hill, Alesi. Giro 52: alla seconda sosta il motore di Fisichella si spegne: ritiro. Frentzen avanza al quarto posto, Hill rimane sesto dal momento che Barrichello, dopo una sola sosta, si trova ora davanti al britannico. Giro 55: Hakkinen ai box con un vantaggio che gli consente di non perdere la conduzione della corsa. Giro 58: Irvine e Coulthard ai box e rientro in pista nello stesso ordine. Giro 63: pressato da Coulthard Irvine commette un errore che gli costa il secondo posto. Una piccola sbandata e Coulthard passa avanti. Giro 73: Frentzen attacca Irvine ma non riesce a superarlo. Giro 77: Hakkinen vince il Gran Premio e assicura alla McLaren la seconda doppietta della stagione. Irvine rimane terzo seguito da Frentzen, Barrichello ed Hill.

Classifica

Mondiale piloti/Punti

1. Eddie Irvine	56		Pedro Diniz	3
2. Mika Häkkinen	54		13. Johnny Herbert	2
3. David Coulthard	36		Olivier Panis	2
Heinz-Harald Frentzen	36		15. Pedro de la Rosa	1
5. Michael Schumacher	32		Jean Alesi,	1
6. Ralf Schumacher	22		Jarno Trulli	1
7. Giancarlo Fisichella	13			
8. Rubens Barrichello	12			
9. Mika Salo	6			
Damon Hill	6			
11. Alexander Wurz	3			

Mondiale costruttori

	Punti
1. Ferrari	94
2. McLaren-Mercedes	90
3. Jordan-Mugen-Honda	42
4. Williams-Supertec	22
5. Benetton-Playlife	16
6. Stewart-Ford	14
7. Sauber-Petronas	4
8. Prost-Peugeot	3
9. TWR-Arrows	1

1) Tempo giro (Topspeed in Qualifying)

Mini-comeback: in Ungheria
Mika Hakkinen ha festeggiato
la sua quarta vittoria della stagione.

In nessun caso

Grandi sparate, ma nessun risultato: il team di Craig Pollock è rimasto molto indietro alle aspettative.

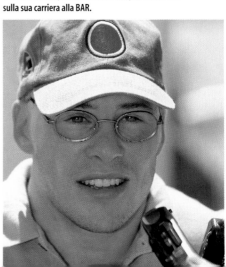

Deluso: l'ex campione del mondo Jacques Villeneuve sulla sua carriera alla BAR.

miracolosa

È stato il flop dell'anno. Mai in passato una scuderia di formula 1 aveva speso una cifra tale senza il minimo risultato. Dopo tante dichiarazioni spavalde la British American Racing e il suo capo Craig Pollock hanno sempre operato al limite del ricolo nella loro prima stagione del Gran Premio.

I traguardi dichiarati si sono rivelati subito troppo ambiziosi. Craig Pollock e il costruttore Adrian Reynard avevano annunciato alla stampa come cosa ormai decisa che avrebbero iniziato a vincere già dalla prima corsa. Il bilancio della prima stagione invece, dopo 15 delle 16 corse in programma, è così mediocre da far sorridere. Invece dei primi posti gli uomini della BAR sono sempre alla caccia del loro primo punto. Al posto dello splendente trofeo del mondiale devono accontentarsi di un semplice fanalino, quello di coda naturalmente. Il pilota n.1 della BAR, Jacques Villeneuve- pur sempre campione del mondo 1997 - ha avuto bisogno di ben 12 corse per riuscire a vedere una volta il traguardo. Nel frattempo gli incontri di Craig Pollock con la stampa sono diventati ormai una rarità e ciò per un ovvio motivo. Nonostante un colossale budget di 200 miliardi di lire, la nuova scuderia si è messa in luce solo per le brutte figure e per le molte controversie interne. Attualmente sembra che il suo deficit di bilancio si aggiri sui 30 milioni di dollari.

L'idea di entrare in formula 1 con un proprio team e ovviamente di fare dei soldi era nata nel 1994 dopo che Villeneuve ad Elkhart Lake aveva vinto la sua prima corsa della serie americana Champ-Car. Neppure due anni dopo il canadese passa come campione in carica nel mondo della F 1 e già nella seconda stagione diventa campione del mondo al volante della sua Williams-Renault. Il Crash-Kid dai capelli di colore sempre diverso avanza a Superstar.

500 milioni di dollari per 5 anni

Nel frattempo Pollock - ex insegnante di ginnastica del leggendario Gilles Villeneuve in un collegio svizzero – si butta anima e corpo nel suo progetto di una propria scuderia di formula 1. Già nella serie americana Champ-Car e con il gigante delle sigarette Players alle spalle aveva fondato il team Forsythe-Green. La Players fa parte del complesso British American Tobacco (BAT) e Pollock trova un alleato nel suo capo marketing, Tom Moser. Per conferire alla Lucky Strike e alla 555 (due marche che fino ad allora avevano sponsorizzato la Subaru nei mondiali di rally) un maggior grado di conoscenza, Moser mette a disposizione di Pollock un gigantesco budget: mezzo miliardo di dollari ripartiti in 5 anni. "Dal punto di vista finanziario - annuncia Craig Pollock con orgoglio - siamo in F 1 fra i primi 4".

La parte finanziaria è appena stata concordata che già Pollock inizia a fare le sue spese. Ciò che ancora gli manca è praticamente tutto: una scuderia di F 1 già esistente come base di partenza, collaboratori validi con il know how richiesto, un motore competitivo e piloti in grado di vincere. Dopo lunghe ed estenuanti trattative e per una cifra complessiva di 40 miliardi di lire,

Retroscena: il disastro BAR

Non si sarebbe dovuto occupare della BAR: il costruttore Adrian Reynard

Non ha mai potuto evidenziare il suo talento: Ricardo Zonta.

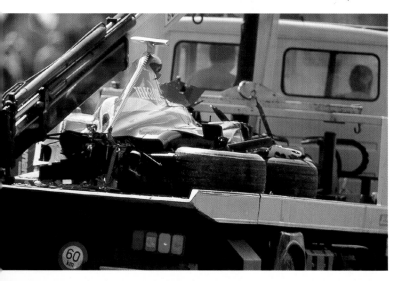

Pretenzioso: il gigantesco Motorhome della BAR si distingue per l'evidente spreco di denaro.

Posto perdente - ex campione del mondo Jacques Villeneuve.

Molti rottami: in tutta una serie di incidenti Ricardo Zonta e Jacques Villeneuve hanno demolito molti telai. Due, per esempio, a Spa-Francorchamps nella Eau rouge.

Una macchina dalla tecnica delicata. La BAR ricorre a fornitori per un buon 90% delle parti.

ecco compiuto il primo passo: l'acquisto della Ken Tyrrell, una scuderia di grande tradizione.

Il primo investimento comunque si rivela quasi inutile perchè il personale Tyrrell al completo - in guerra con il proprio management - passa dalla parte dei giapponesi per sviluppare una propria macchina di F 1.

La maggior parte dei suoi attuali 250 collaboratori Pollock li acquisisce nei box.

Il capo designer Andy Green lavorava prima per la Jordan, l'esperto di aereodinamica Willem Toet era alla Ferrari, l'ingegnere allo sviluppo John Dickinson alla McLaren, l'ingegnere Jock Clear alla Williams e il manager del team, Greg Field, alla United Colors of Benetton. Solo il costruttore capo, Malcolm Oastler, veniva da Reynard. A questo punto è facile immaginare le molte inimicizie che si va a creare Pollock nell'ambiente delle scuderie.

Ma anche presso le autorità sportive della FIA e per lo stesso Bernie Ecclestone il nome dello scozzese non è affatto ben visto. Il suo progetto di mandare in pista le due BAR con i colori diversi dei due sponsor incontra molte più resistenze del previsto. "Nel calcio gli undici uomini di una squadra non hanno magliette diverse" - obietta Ecclestone. Pollock di rimando: "Devo salvaguardare gli interessi della BAR". Alla fine però è Pollock a cedere anche se fa dipingere le

La BAR si avvia verso la crisi.

macchine con i due colori diversi in un cosidetto look a cerniera lampo. Proprio per questa sua stranezza viene accusato di ledere il prestigio della F 1 e deve giustificarsi in un'udienza del World Council della FIA.

Intanto la scuderia inizia ad assumere forme concrete. A Brackley - al centro dell'Oxfordshire, la Silicon Valley della F 1- su un terreno di 41.000 metri quadri viene innalzato un capannone completo di tutto. Anche la costruzione della macchina fa progressi. I motori provengono da Supertec e sono praticamente i 10 cilindri RS09 con i quali la Renault vinse il mondiale prima di ritirarsi dalle corse. I primi test della BAR 01 dovevano svolgersi a Silverstone già nell'ottobre del '98, una settimana prima del previsto, ma poi non ebbero luogo per la mancata fornitura dei pneumatici Bridgestone e in seguito per l'assenza del collaudatore Jean-Christophe Boullion. Risultato: si perse molto tempo, che sarebbe stato invece prezioso dal momento che la nuova macchina mancava di affidabilità.

Per quanto riguarda i piloti, invece, Pollock ha fortuna e riesce ad ingaggiare Jacques Villeneuve e il campione del mondo GT, Ricardo Zonta, un pupillo della Mercedes. A questo punto tutto è pronto per poter realizzare i sogni di vittoria, ma sappiamo bene che tutto è andato diversamente. La macchina ha fatto registrare innumerevoli guasti che hanno provocato ritiri su ritiri. C'è stata poi la lunga assenza di Zonta per un grave infortunio durante la corsa in Brasile.

E così la British American Racing si avvia inesorabilmente verso la crisi. In 30 Gran Premi la BAR 01 raggiunge il traguardo solo 9 volte senza aggiudicarsi mai un solo punto.

La sedia di Pollock scricchiola

La mancanza di risultati crea ovviamente un clima di tensione all'intero del team. Jacques Villeneuve accusa il costruttore Reynard di disinteresse e scarso impegno. Reynard risponde di avere altre cose a cui pensare oltre alla BAR. Alla moglie, per esempio, e ai suoi cinque figli.

Dopo il Gran Premio di Monaco anche lo stesso Craig Pollock va su tutte le furie. Isola completamente l'intera squadra e sostituisce il manager del team, Greg Field, con Robert Synge, fino ad allora capo della squadra di collaudo. Il capo delle finanze Rick Gorne assume la direzione operativa, il capo designer Malcom Oastler avanza a direttore tecnico, una mansione, questa, svolta fino ad allora da Reynard. Il cambiamento più sorprendente però avviene nella persona di Tom Moser, il capo marketing della BAT che passa ora alla BAR con l'incarico di cercare nuove fonti di denaro.

Dopo un anno di attività la British American Racing si presenta a mani vuote e in formula 1 gli ultimi arrivati hanno poco da stare allegri. La FIA infatti versa un contributo viaggi solo ai primi Top-Ten e questo contributo è di ben 17 miliardi di lire. Anche il contratto di fornitura motori con la Honda non è più sicuro. I giapponesi, dal 1986 al 1991 sei volte campioni del mondo costruttori, volevano far ritorno ufficialmente nel 2000 in F 1 con il team BAR come propria scuderia. Contratti del genere, però, hanno solitamente una clausola di rinuncia che entra in vigore in caso di estrema mancanza di successo di una delle due parti. Se Honda dovesse ora optare per la Jordan i giorni di Craig Pollock in F 1 sarebbero senz'altro contati.

12. corsa del Campionato Mondiale F 1 1999, Circuito di Spa - Francorchamps, 29 agosto 1999

Può essercen

Ferrari nei guai. A Spa-Francorchamps il pilota della freccia d'argento, David Coulthard, si conferma aspirante al titolo mondiale anche se avrebbe preferito che i dieci punti guadagnati fossero andati al compagno Hakkinen. Ma la McLaren Mercedes rinuncia agli accordi di scuderia al contrario dei rivali della Ferrari.

olo uno

A Spa David Coulthard (a destra) evidenzia già nella prima curva di non ritenersi affatto già battuto da Hakkinen (sotto).

Il più grande sostenitore di Heinz-Harald: il capo del team Eddie Jordan.

Ha mantenuto le sue chance per il titolo: il vincitore David Coulthard.

Ha dovuto farsi aiutare: il ferrarista Eddie Irvine.

Sull'esito del Gran Premio del Belgio ci si chiede se la McLaren Mercedes sarà disposta a regalare il campionato piloti per non volere introdurre nel team una disciplina di squadra, con Coulthard cioè che dovrebbe sempre cedere il posto ad Hakkinen.

A rendere la domanda di estrema attualità è il duello nel primo giro nella curva La Source. Coulthard, che nella classifica mondiale ha con 36 punti 18 punti di distacco dal compagno Hakkinen, ha una partenza migliore e con una coraggiosa manovra affianca il finlandese nella stretta curva a destra e lo supera. Hakkinen dal canto suo non vuole cedere e solo per pochi millimetri non avviene la collisione anche se le due macchine ad un certo punto si toccano. Se la collisione ci fosse stata i due piloti McLaren avrebbero fatto una figuraccia. Hakkinen non dimostra la minima comprensione per la mancanza di accordi di squadra anche durante la corsa e per il fatto che Coulthard in ultima analisi possa fare ciò che vuole. Norbert Haug, capo sportivo della Mercedes, si sente obbligato alle regole del 'fair-play'. "Ambedue i piloti hanno lo stesso materiale e devono vincere da soli le loro corse e se possibile il mondiale. Noi siamo una scuderia e per quanto possibile non intendiamo influenzare

Jacques Villeneuve ama la tensione degli scontri.

l'esito della corsa. Non è una cosa normale che ci si scambi i posti. Il laconico commento di Hakkinen: "Non si impara mai abbastanza...".

Spa-Francorchamps, il famoso circuito delle Ardenne nelle vicinanze del confine tedesco. L'ultimo, vero circuito piloti si corre forse per l'ultima volta. Il Belgio ha già introdotto il divieto di pubblicizzare il tabacco in F 1, divieto sottoscritto anche dalla maggior parte degli stati europei, ma a partire dal 2006. Per ora sponsor come la West (McLaren), Marlboro (Ferrari) o Benson & Hedges (Jordan) possono ancora farsi reclame, ma non in Belgio. Almeno per i prossimi anni quindi Spa-Francorchamps dovrebbe venir can-

cellato dagli appuntamenti di F 1. Un provvedimento deplorato da tutti i piloti di razza letteralmente elettrizzati dalle curve superveloci in salita e in discesa e dalla temutissima Eau Rouge. David Coulthard parla spesso del suo circuito preferito e Heinz-Harald Frentzen dice di correre sempre volentieri in Belgio. Sulle preferenze di Michael Schumacher non ci sono dubbi. A Spa ha avuto il suo debutto nel 1991, a Spa ha vinto il suo primo Gran Premio e sempre a Spa è stato protagonista di corse spettacolari.

Ma a professare un vero e proprio atto d'amore per la Eau Rouge è Jacques Villeneuve che tutti gli anni affronta questa curva in discesa ad una velocità tale da fare rizzare i capelli in testa anche agli addetti ai lavori.

Quest'anno il figlio del compianto Gilles voleva battere ogni record e durante le prove di qualifica ha affrontato la curva in pieno vale a dire senza sollevare il piede dall'acceleratore neppure per un millimetro. Risultato: la mac-

In America molto abituato alle vittorie: Alessandro Zanardi.

Ricardo Zonta può solo guardare con invidia: Frentzen sul podio per la quinta volta.

Go, Johnny, go: Herbert combina poco anche in Belgio.

Chiude la zona punti: il vincitore della scorsa edizione Damon Hill.

Ha atteso invano un ordine di scuderia? Mika Hakkinen.

Avrebbe potuto arrivare quarto: Ralf Schumacher vittima della strategia Ferrari.

china mezza demolita contro una barriera presso pneumatici. Tipica la sua reazione: prima ancora di uscire dal cockpit si informa via radio presso i box se il suo muletto è pronto...

Poco dopo Villeneuve, mentre attende di ripartire dai box, assiste sul monitor ad un crash ancora più violento del compagno Zonta nello stesso tratto di circuito.

Anche quelle immagini, però, non lo innervosiscono affatto e appena la pista è libera si butta anima e corpo nella Eau Rouge alla stessa velocità di prima. Questa volta per fortuna va tutto bene.

Nel frattempo Heinz-Harald Frentzen osserva sul monitor quanto sta avvenendo e non nasconde il suo disappunto per aver dovuto interrompere ogni volta il suo giro veloce appunto per gli incidenti sulla Eau Rouge. "In questo modo - commenta - non si ha neppure il tempo di trovare il giusto assetto della macchina". Alla fine comunque Frentzen si classificherà terzo anche se ad un intero secondo di distacco dal primo classificato e cioè dal solito Hakkinen. Completa la prima fila ovviamente il secondo pilota McLaren, David Coulthard.

Migliora notevolmente gli umori del finlandese il fatto che il rivale Eddie Irvine si piazzi dietro Damon Hill, che Ralf Schumacher sia solo sesto e che l'altra Ferrari, quella di Salo, occupi addirittura il nono posto. Dopo l'euforia ferrarista per i due Gran Premi vinti da Irvine era seguita una pausa di riflessione dovuta ai magri risultati delle rosse. Adesso anche gli avversari della Ferrari capivano l'importanza della presenza di M. Schumacher per l'ulteriore sviluppo della F 399...

Quest'anno l'intero schieramento supera il tornante La Source senza la confusione di sempre. Mentre Coulthard riesce a superare Hakkinen, anche Irvine in lotta con Ralf Schumacher guadagna una posizione. La partenza di Damon Hill, invece, non è affatto buona e dal quarto

Salute Jarno! Trulli passa il prossimo anno alla Jordan.

Alcune fermate per i fotografi. La cosidetta schicane bus-stop di Spa-Francorchamps.

Molte domande, poche risposte: il secondo arrivato, Mika Hakkinen, intervistato dal commentatore della ORF, Heinz Prueller.

retrocede al settimo posto. L'ulteriore svolgimento della corsa non è affatto drammatico e risulta quindi atipico per il circuito belga. Nello spazio di dieci giri Coulthard porta il suo vantaggio su Hakkinen a 6,4 secondi. Il finlandese accusa qualche noia o la sua auto risulta danneggiata in seguito ad un minicrash? "Niente di tutto questo - dirà più tardi Hakkinen - solo che non c'è alcun senso a stare attaccato a David. Il motore non si raffredda bene e anche dal punto

Mika Salo utilizzato come freno per i concorrenti.

di vista aereodinamico si corre qualche rischio..."

Una scusa? Sembrerebbe di sì. Evidentemente Hakkinen era sicuro che ai box McLaren avrebbero avvertito Coulthard di lasciarlo passare o forse si era così innervosito per il superamento di Coulthard da non avere ancora ritrovato la sua concentrazione abituale. Intanto dai box poco dopo giunge via radio il comando PUSH e cioè attacco. Ron Dennis, il capo McLaren, giustificherà il comando con la preoccupazione derivante da quei piloti con la strategia di un'unica sosta.

Nel frattempo Heinz-Harald Frentzen colleziona buoni tempi, ma non certo tali da poter competere con le due McLaren.

Alla vigilia della corsa aveva dichiarato appunto di sperare in una lotta con le frecce d'argento, ma queste oggi si rivelano troppo veloci per la Jordan.

Anche Ralf Schumacher si distingue per un'ottima corsa. Il pilota della Williams mantiene fin dalla partenza la quinta posizione e grazie alla strategia di una sola sosta avrebbe potuto addirittura attaccare Eddie Irvine se la Ferrari non avesse scelto la tattica discutibile di utilizzare Mika Salo come tappo per rallentare i concorrenti. L'operazione va in porto. Salo trattiene Schumacher fino a quando al 32mo giro Irvine dopo la sosta ai box può ritornare in pista al quarto posto. "Mi sorprende che Salo ubbidisca a questi ordini – scatta Patrick Head, direttore tecnico della Williams – la Ferrari ha adottato questa tattica cinica già alcune volte in questa stagione. Io preferisco la scelta più sportiva della McLaren di due piloti in competizione fra di loro. I piloti McLaren hanno meritato il titolo e io spero che lo vincano anche!"

Orgoglioso di Ralf: il capo team Frank Williams.

Routine: Frentzen comincia ad abituarsi a spruzzare champagne.

Statistica

Lunghezza percorso:	6,968 km
Numero giri:	44 (= 306,592 km)
Partenza:	14.00 GMT
Condizioni del tempo:	poco nuvoloso, caldo
Spettatori:	90 000
Scorsa stagione:	1. Damon Hill (GB, Jordan-Mugen-Honda 198) 1 h 43'47"407
	2. Ralf Schumacher (D, Jordan-Mugen-Honda 198) – 0"932 s
	3. Jean Alesi (F, Sauber-Petronas C17) – 7"240 s
Pole Position 1998:	Mika Hakkinen (FIN, McLaren-Mercedes MP4/13), 1'48"682 m
Giro più veloce 1998:	Michael Schumacher (D, Ferrari F300), 2'03"766 m
Sosta box più breve 1998:	Damon Hill (Jordan-Mugen-Honda 198) 30"663 s

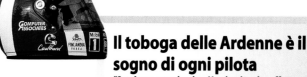

Il toboga delle Ardenne è il sogno di ogni pilota

"Spa è un vero circuito. Un circuito che offre una combinazione perfetta di lunghi rettilinei, curve veloci e un tornante difficile. Correre al limite nelle qualifiche con un auto ben equilibrata conferisce al pilota una sensazione indescrivibile. In particolare l'affrontare l'Eau Rouge ad alta velocità fa scattare una carica di adrenalina."

David Coulthard

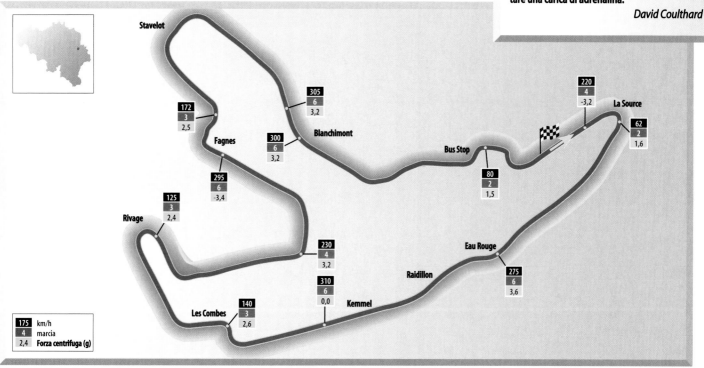

175	km/h
4	marcia
2,4	Forza centrifuga (g)

Risultati

Pilota	Team	Soste ai box	Giri	Tempo(h)	Media(km/h)	Distacco	Sul precedente
1. David Coulthard	McLaren-Mercedes	2	44	1 h 25'43"057	214,595	–	–
2. Mika Hakkinen	McLaren-Mercedes	2	44	1 h 25'53"526	214,159	10"469 s	–
3. Heinz-Harald Frentzen	Jordan-Mugen-Honda	2	44	1 h 26'16"490	213,209	33"433 s	22"964 s
4. Eddie Irvine	Ferrari	2	44	1 h 26'28"005	212,736	44"948 s	11"515 s
5. Ralf Schumacher	Williams-Supertec	1	44	1 h 26'31"124	212,608	48"067 s	3"119 s
6. Damon Hill	Jordan-Mugen-Honda	2	44	1 h 26'37"973	212,328	54"916 s	6"849 s
7. Mika Salo	Ferrari	2	44	1 h 26'39"306	212,273	56"249 s	1"333 s
8. Alessandro Zanardi	Williams-Supertec	2	44	1 h 26'50"079	211,835	1'07"022 m	10"773 s
9. Jean Alesi	Sauber-Petronas	2	44	1 h 26'56"905	211,557	1'13"848 m	6"826 s
10. Rubens Barrichello	Stewart-Ford	2	44	1 h 27'03"799	211,278	1'20"742 m	6"894 s
11. Giancarlo Fisichella	Benetton-Playlife	1	44	1 h 27'15"252	210,816	1'32"195 m	11"453 s
12. Jarno Trulli	Prost-Peugeot	2	44	1 h 27'19"211	210,657	1'36"154 m	13"959 s
13. Olivier Panis	Prost-Peugeot	2	44	1 h 27'24"600	210,440	1'41"543 m	5"389 s
14. Alexander Wurz	Benetton-Playlife	1	44	1 h 27'40"802	209,792	1'57"745 m	16"202 s
15. Jacques Villeneuve	BAR-Supertec	1	43	1 h 25'49"704	209,447	1 Giro	1 Giro
16. Marc Gené	Minardi-Ford	2	43	1 h 26'19"557	208,240	1 Giro	29"853 s

Pilota	Team	Soste ai box	Nel giro	Motivo ritiro	Pos. prima del ritiro
Pedro de la Rosa	TWR-Arrows	2	36	Trasmissione	17
Luca Badoer	Minardi-Ford	2	34	Sospensione	16
Ricardo Zonta	BAR-Supertec	1	34	Cambio	19
Johnny Herbert	Stewart-Ford	1	28	Testacoda	14
Pedro Diniz	Sauber-Petronas	1	20	Incidente	18
Toranosuke Takagi	TWR-Arrows	0	1	Frizione	19

GP del Belgio

Griglia di partenza

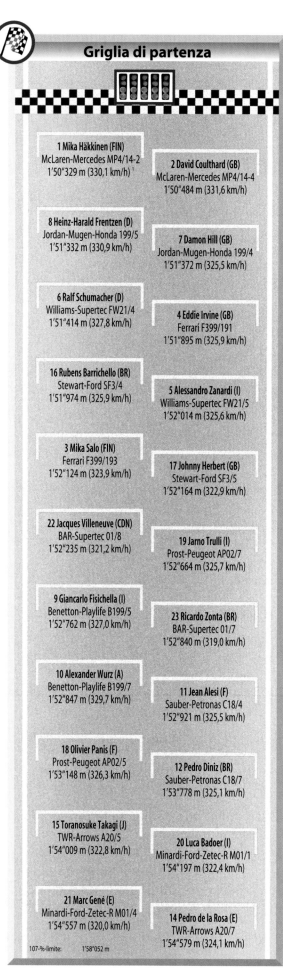

1 Mika Häkkinen (FIN)
McLaren-Mercedes MP4/14-2
1'50"329 m (330,1 km/h) [1]

2 David Coulthard (GB)
McLaren-Mercedes MP4/14-4
1'50"484 m (331,6 km/h)

8 Heinz-Harald Frentzen (D)
Jordan-Mugen-Honda 199/5
1'51"332 m (330,9 km/h)

7 Damon Hill (GB)
Jordan-Mugen-Honda 199/4
1'51"372 m (325,5 km/h)

6 Ralf Schumacher (D)
Williams-Supertec FW21/4
1'51"414 m (327,8 km/h)

4 Eddie Irvine (GB)
Ferrari F399/191
1'51"895 m (325,9 km/h)

16 Rubens Barrichello (BR)
Stewart-Ford SF3/4
1'51"974 m (325,9 km/h)

5 Alessandro Zanardi (I)
Williams-Supertec FW21/5
1'52"014 m (325,6 km/h)

3 Mika Salo (FIN)
Ferrari F399/193
1'52"124 m (323,9 km/h)

17 Johnny Herbert (GB)
Stewart-Ford SF3/5
1'52"164 m (322,9 km/h)

22 Jacques Villeneuve (CDN)
BAR-Supertec 01/8
1'52"235 m (321,2 km/h)

19 Jarno Trulli (I)
Prost-Peugeot AP02/7
1'52"664 m (325,7 km/h)

9 Giancarlo Fisichella (I)
Benetton-Playlife B199/5
1'52"762 m (327,0 km/h)

23 Ricardo Zonta (BR)
BAR-Supertec 01/7
1'52"840 m (319,0 km/h)

10 Alexander Wurz (A)
Benetton-Playlife B199/7
1'52"847 m (329,7 km/h)

11 Jean Alesi (F)
Sauber-Petronas C18/4
1'52"921 m (325,5 km/h)

18 Olivier Panis (F)
Prost-Peugeot AP02/5
1'53"148 m (326,3 km/h)

12 Pedro Diniz (BR)
Sauber-Petronas C18/7
1'53"778 m (325,1 km/h)

15 Toranosuke Takagi (J)
TWR-Arrows A20/5
1'54"009 m (322,8 km/h)

20 Luca Badoer (I)
Minardi-Ford-Zetec-R M01/1
1'54"197 m (322,4 km/h)

21 Marc Gené (E)
Minardi-Ford-Zetec-R M01/4
1'54"557 m (320,0 km/h)

14 Pedro de la Rosa (E)
TWR-Arrows A20/7
1'54"579 m (324,1 km/h)

107-%-limite: 1'58"052 m

1) Tempo giro (Topspeed in Qualifying)

Giri più veloci

Prove libere			
1. Coulthard	1'53"577	12. Wurz	1'55"486
2. Häkkinen	1'54"021	13. Panis	1'55"541
3. Fisichella	1'54"066	14. Zanardi	1'55"743
4. Frentzen	1'54"678	15. Badoer	1'56"090
5. Hill	1'54"982	16. Takagi	1'56"263
6. R. Schumacher	1'54"889	17. Diniz	1'56"310
7. Herbert	1'54"975	18. Villeneuve	1'56"429
8. Salo	1'55"032	19. de la Rosa	1'56"749
9. Irvine	1'55"242	20. Trulli	1'56"765
10. Alesi	1'55"271	21. Gené	1'56"885
11. Barrichello	1'55"484	22. Zonta	1'57"717

Corsa			
1. Häkkinen	1'53"955	12. Panis	1'56"681
2. Coulthard	1'54"088	13. Gené	1'56"789
3. Hill	1'54"954	14. Fisichella	1'57"037
4. Salo	1'55"299	15. Herbert	1'57"094
5. Frentzen	1'55"412	16. Wurz	1'57"526
6. Irvine	1'55"582	17. Villeneuve	1'57"619
7. Zanardi	1'55"786	18. Badoer	1'57"929
8. R. Schumacher	1'55"964	19. Diniz	1'58"179
9. Alesi	1'56"016	20. de la Rosa	1'58"480
10. Barrichello	1'56"131	21. Zonta	1'58"918
11. Trulli	1'56"367		

Tutte le soste ai box

Giro		Durata	Giro		Durata
12 Panis	30"260		27 Panis	29"909	32 Barrichello 29"874
13 Badoer	32"123	17 Barrichello 33"038	28 Hill	29"480	34 Salo 28"379
14 Alesi	32"343	18 Häkkinen 29"917	29 Alesi	29"849	
14 Trulli	29"281	18 Irvine 28"824	29 Gené	31"109	
14 Gené	30"399	19 Coulthard 29"025	29 de la Rosa	31"700	
14 de la Rosa	30"309	21 Zanardi 30"818	30 Trulli	28"683	
15 Herbert	32"282	21 Fisichella 35"960	31 Häkkinen	31"749	
15 Diniz	31"008	21 Zonta 33"351	31 Zanardi	28"711	
16 Hill	28"743	22 R. Schumacher 32"824	32 Coulthard	28"784	
17 Frentzen	29"533	22 Wurz 32"561	32 Frentzen	28"275	
17 Salo	29"990	26 Villeneuve 31"944	32 Irvine	29"522	
		26 Badoer 31"758			

La corsa giro per giro

Partenza: Hakkinen si muove un attimo prima del dovuto e frena per evitare una penalità. In quel momento i semafori danno via libera e Coulthard schizza in avanti. Al primo tornante La Source Hakkinen vuole infilarsi all'interno, tocca Coulthard e cede. Frentzen tenta di approfittare, ma sulla parte scivolosa della pista non può imporsi sulle McLaren e rimane terzo. Seguono Irvine, R. Schumacher, Zanardi, Wurz ed Hill. Giro 12: Coulthard aumenta il vantaggio su Hakkinen, R. Schumacher si stacca dal compagno Zanardi che con Hill e Salo lotta per il sesto posto. Giro 16: Hill inaugura la serie dei pit stop. Giro 17: Frentzen e Salo ai box. Giro 18: Hakkinen ai box prima di Coulthard che mantiene però la conduzione della corsa. R. Schumacher – strategia di una sosta – diventa secondo davanti ad Hakkinen. Giro 20: il finlandese supera il tedesco alla fine del rettilineo. Giro 21: Diniz di traverso ma senza

impatto nella Eau Rouge. Coulthard conduce con oltre 10 secondi su Hakkinen, seguono Frentzen, Irvine ed Hill. Giro 22: unico pit stop di R. Schumacher. Rientra in pista davanti a Salo, ma il ferrarista lo supera. Giro 30: R. Schumacher è più veloce di Salo ma è trattenuto fino alla sosta ai box. Motivo del rallentamento: il compagno Irvine deve guadagnare abbastanza vantaggio per il suo secondo pit stop. Giro 32: l'irlandese rientra effettivamente in pista davanti al tedesco ed è quarto. Giro 36: Coulthard conduce con oltre 15 secondi su Hakkinen. Il finlandese attende ordini di scuderia che non arrivano. Giro 44: lo scozzese vince davanti al compagno seguito da Frentzen, Irvine, R. Schumacher e Hill.

Classifica

Mondiale piloti	Punti		
1. Mika Häkkinen	60	11. Pedro Diniz	3
2. Eddie Irvine	59	13. Johnny Herbert	2
3. David Coulthard	46	Olivier Panis	2
4. Heinz-Harald Frentzen	40	14. Pedro de la Rosa	1
5. Michael Schumacher	32	Jean Alesi	1
6. Ralf Schumacher	24	Jarno Trulli	1
7. Giancarlo Fisichella	13		
8. Rubens Barrichello	12		
9. Damon Hill	7		
10. Mika Salo	6		
11. Alexander Wurz	3		

Mondiale costruttori	Punti
1. McLaren-Mercedes	106
2. Ferrari	97
3. Jordan-Mugen-Honda	47
4. Williams-Supertec	24
5. Benetton-Playlife	16
6. Stewart-Ford	14
7. Sauber-Petronas	4
8. Prost-Peugeot	3
9. TWR-Arrows	1

Fan belga della Formula 1 nella postazione piloti durante il Gran Premio.

Sostituto
con ambizioni

Nessun altro pilota di F 1 viene giudicato in modo così controverso. Eppure Eddie Irvine – fino all'ultimo tra i favoriti per il titolo mondiale – si è rivelato in questa stagione come il pilota dalle prestazioni più costanti.

Da sostituto a grande speranza: per Eddie Irvine la stagione 1999 assume una direzione imprevista.

Eddie Irvine ama la vita e le molte critiche di cui è spesso oggetto non lo toccano più di tanto. Anzi si direbbe che lo lascino indifferente. Quando concede interviste non parla certo l'inglese di Oxford. Dice quello che pensa con un linguaggio colorito e della strada, ma sa essere originale e divertente. Per i giornalisti è sempre il benvenuto: una fonte inesauribile di battute, uno spiccato senso dell'umorismo.

Un esempio? Dopo la sua primissima vittoria in F 1 nell'82mo gran premio della sua carriera, Eddie incontra il suo ex capo Eddie Jordan mentre viene intervistato per il suo secondo posto. Fra i due ecco il dialogo in diretta e davanti alle cineprese in funzione.
Jordan: "Eh! Hai visto che bel piazzamento?".
Irvine: "Ah! Il primo dei perdenti!".
Jordan (il cui team a Spa vinse nel 98 il gran premio): "Già, è un percorso lungo quello della vittoria, ma noi ce l'abbiamo fatta per primi...!"
Irvine (in riferimento alla somma incassata da Jordan per cederlo alla Ferrari): "Forse non ti ho portato molti punti, ma ho fatto di te un uomo ricco".
Jordan: "È vero. La Ferrari allora è stata il nostro sponsor migliore".

È proprio vero. Irvine è sempre pronto allo scherzo forse più ancora del suo predecessore alla Ferrari, Gerhard Berger che, in quanto a goliardia, dava addirittura dei punti ad Ayrton Senna. Eppure nonostante tutto Irvine come pilota non si mette mai in mostra e in 81 gran premi la sua funzione è solo quella di guidare la seconda Ferrari. Ma la colpa è dello stesso Irvine che fin dall'inizio ha accettato di essere il n. 2 dietro a Michael Schumacher. Una colpa che lo stesso irlandese ammette anche se la giustifica con la situazione di allora. "Villeneuve non accetterebbe mai di fare il n. 2 in una scuderia, ma solo ed unicamente per il cognome che porta. Io allora non avevo i numeri per fare la voce grossa e ho dovuto accettare in questi termini. Certo i soldi fanno comodo, ma al primo posto per me figura

la vittoria. VOGLIO VINCERE DELLE CORSE!". Un punto a favore di Irvine rimane in ogni caso il riconoscere senza ombra di invidia la superiorità di Schumacher. Potrebbe sembrare un atto dovuto, ma non lo è affatto. I piloti di formula 1 sono persone 'sui generis' e molto raramente sono disposti a riconoscere i meriti di un altro.

Essere il n. 2 poi non è sempre degradante. Il fatto che venga a mancare la competizione con il n.1 consente di concentrarsi maggiormente sulla propria guida e sul proprio rendimento.

Sempre alle costole di Irvine i paparazzi

Nel 1997 in Argentina Irvine rinuncia volontariamente ad attaccare Jacques Villeneuve e si accontenta del secondo posto. A Suzuka, nello stesso anno, avrebbe potuto anche vincere ma ubbidisce agli ordini di scuderia e fa passare avanti Schumacher. Solo all'inizio di questa stagione e per il ritiro sia di Schumacher che delle due McLaren ecco Irvine salire sul gradino più alto del podio nonostante la nuova Ferrari F 399 l'avesse potuta provare solo un giorno e mezzo. Con la sua prima vittoria il guascone in lui si fa subito sentire: "Michael ha fatto un ottimo lavoro di preparazione per mettere a punto la macchina. L'anno scorso sono stato io a fare tutti i test delle gomme e lui a portarsi a casa le vittorie. Quest'anno forse i ruoli saranno invertiti".

Melbourne 1999. La grande svolta per Eddie Irvine?

"Beh! Improvvisamente hanno cominciato a prendermi sul serio, anche in Italia. Da un momento all'altro l'opinione pubblica ha fatto un'inversione di 180 gradi. Mai mi era capitato di dover dare un numero così alto di interviste e poi i paparazzi mi stavano sempre alle costole. La vittoria è stata in prima linea importante per i

meccanici e per il mio ingegnere Luca Baldisseri. Io sono pagato se necessario per rinunciare a vincere. Ma quelli che lavorano giorno e notte alla macchina soffrono veramente. Lavorano fino all'esaurimento e sono spesso sottopagati". Eddie Irvine socialmente impegnato?

Chissà. Forse sì. Certo, sa assaporare la notorietà, sa apprezzare i soldi e tutti gli altri privilegi che gli derivano dalla sua posizione. Un Falcon-Jet per i viaggi di servizio, un elicottero per spostarsi in Irlanda, due residenze di sogno in Irlanda e in Italia, un parco macchine con 4 Ferrari. In fatto di donne poi, diciamo solo che Irvine sa beneficiare molto bene della sua posizione di single.

D'altro canto però sa anche essere diverso. Chi sa che Irvine ha una figlia che ama molto e alla quale provvede finanziariamente anche se con la madre non va affatto d'accordo? E chi sa che per aiutare qualcuno o per spendere in beneficienza non si è mai tirato indietro?

Tutto ciò gli riesce meglio evidentemente di quanto non gli sia riuscito il ruolo di n.1 alla Ferrari. In un primo tempo sembrava che l'assenza di Schumacher non dovesse pesare sulla scuderia di Maranello, anche se Irvine si dimostrava insofferente dell'alta responsabilità di cui veniva investito. Poi però si è visto il calo della Ferrari e si anche visto come le cose fossero subito cambiate in meglio dopo il ritorno del tedesco. Ora Irvine ha lasciato la Ferrari per assumere il prossimo anno il ruolo di n.1 alla Jaguar, ex scuderia Stewart. E c'è da scommettere che anche alla Jaguar Irvine rimarrà fedele a se stesso. Sì al lavoro e all'impegno, ma anche sì alle ragazze.

Per lui farebbero di tutto. Fra i suoi meccanici Irvine gode di grande prestigio.

Scapolo impenitente: Irvine in uno dei suoi flirt.

Scontroso ma anche sensibile: sotto l'ostentata arroganza si nasconde un ottimo carattere.

**13. corsa del Campionato Mondiale F 1 1999,
Autodromo di Monza, 12 settembre 1999**

Fra

GRAN PREMIO CAMPARI D'ITALIA 1999

La prima doppietta tedesca senza Michael Schumacher: Heinz-
Harald Frentzen (al centro) alla conferenza stampa con Ralf Schumacher (a sinistra) e Mika Salo (a destra).

Nessuno può asserire che i piloti della

McLaren-Mercedes Mika Hakkinen e

David Coulthard o anche il ferrarista

Eddie Irvine abbiano ingaggiato la

lotta per il titolo mondiale con risolu-

tezza e senza fare errori. Logico,

quindi, che il pilota della Jordan non

potesse far altro che approfittarne.

due Litiganti...

La seconda vittoria di stagione per la Jordan. Frentzen ha saputo cogliere l'occasione propizia.

Una sorpresa per tutti: Mika Salo sul podio.

Chi vuole arrivare per primo deve prima di tutto arrivare al traguardo. Il grande favorito per il titolo Mika Hakkinen non può che confermare questa banale verità del mondo delle corse. Nel parco reale di Monza il finlandese è protagonista di una delle giornate più nere nella sua carriera di pilota. E pensare che tutto lasciava presagire un'altra brillante vittoria del finlandese. Nelle qualifiche tutto come al solito: Mika Hakkinen aveva superato se stesso.

Al terzo tentativo, il più veloce dei finlandesi centra il sogno di ogni pilota e cioè il giro perfetto. Affianca uno all'altro tre record di settore e il risultato finale è di 1.22.432. Nuovo record assoluto di pista nonostante le gomme scolpite. "Non ci potevo credere anche perchè l'intero fine settimana avevo lottato con il primo settore. Mi infastiva il fatto che il mio compagno di scuderia, David, fosse nel primo settore più veloce di me. Non capivo da cosa potesse derivare. Poi abbiamo apportato alla macchina piccole modifiche e tutte hanno funzionato alla perfezione".

Logico insomma che Hakkinen considerasse la gara già vinta a metà, considerato anche il fatto che i suoi principali concorrenti non si erano affatto distinti. Eddie Irvine in un Gran Premio in casa della Ferrari aveva ottenuto un modestissimo quarto posto e, fatto ancora più umiliante, sarebbe partito dietro al suo collega ad interim Mika Salo. Anche il secondo pilota McLaren non aveva fatto faville.

L'assetto della sua macchina non si era rivelato ideale e lo scozzese aveva dovuto accontentarsi del terzo posto.

Debolezza dell'uno, gioia dell'altro. Il pilota della Williams, Alex Zanardi, in seconda fila e il suo compagno Ralf Schumacher in quinta posizione subito dietro a Rubens Barrichello: una situazione più che promettente per l'esito della corsa. In prima fila accanto ad Hakkinen il pilota della Jordan Heinz-Harald Frentzen con il secondo miglior tempo. "Avevo addirittura considerato realistica la pole position. Già nelle prove libere eravamo stati molto veloci e i meccanici avevano preparato la macchina a puntino".

Era una bella giornata nel parco reale di Monza, calda e soleggiata. Con 140.000 tifosi lungo i 5,77 chilometri del percorso l'intero bosco era in fibrillazione. E come si vedrà più tardi Monza si rivelerà anche per loro una giornata indimenticabile.

Come ci si attendeva, Mika Hakkinen balza in avanti a condurre. Frentzen non parte bene e nella prima schicane viene superato da un brillantissimo Alex Zanardi che si era appena

"I primi giri sono stati drammatici".

imposto anche su David Coulthard.

Ma nonostante sembrasse che il pilota italiano avesse superato la sua crisi personale, contro la potenza Honda il pilota della Williams è costretto a piegare la testa. Pochi minuti dopo, infatti, Frentzen si riprende il suo secondo posto.

Intanto dietro il terzetto di punta sta succedendo il finimondo con un Ralf Schumacher attaccato sia da Coulthard che da Mika Salo. "I primi giri sono stati un dramma – testuali parole di R. Schumacher – ho dovuto allargare la mia

macchina il più possibile". Salo, di rimando: "Allargare è un eufemismo. Io lo attaccavo da una parte e David dall'altra e nonostante sui rettilinei fossimo più veloci, non siamo riusciti a passare". In effetti Schumacher junior dimostra di avere i nervi a posto e tiene a bada i due avversari nonostante la sua Williams Supertec abbia 50 cavalli in meno della Williams Supertec e della Ferrari.

In testa alla corsa Hakkinen è il pilota di sempre. Gira velocemente e fa aumentare il distacco dal suo inseguitore. Nel frattempo Rubens Barrichello firma una manovra azzardata, ma che riesce. Il brasiliano arriva lungo nella sschicane che immette nel rettilineo delle

Un tocco di rosso: le Grindgirls puntano sul colore delle Ferrari.

Debole: dopo una corsa opaca David Coulthard è solo quinto.

Forte: Rubens Barrichello ottiene il quarto posto sulla pista e non ai box.

Difetto: Jean Alesi brilla nelle prove libere fino a quando non cede il motore Ferrari della sua Sauber.

Molto fumo senza arrosto: Eddie Irvine delude. La sua Ferrari non sopporta i cordoli.

Il cuoco della Ferrari al lavoro.

La BAR e Villeneuve ancora senza punti.

Il cuore batte al ritmo dei 10 cilindri: tifosi della Ferrari a Monza.

Mika Hakkinen, furente, butta a terra il volante.

tribune e in frenata cattura il sesto posto della McLaren di Coulthard. Otto giri più tardi anche Salo deve cedere all'irruenza del pilota della Stewart-Ford. Eddie Irvine in quel momento occupa sempre l'ottava posizione.

La competizione interna delle Williams per la terza posizione si risolve poi da sola. Al 17mo giro Zanardi sale violentemente su un cordolo ed è costretto a far strada al suo compagno. "Qualcosa toccava il terreno. Pensavo che si fosse staccato un pezzo del fondo". Poco tempo dopo l'italiano deve cedere a Barrichello anche la quarta posizione.

Per breve tempo il Gran Premio d'Italia si preannuncia noioso e senza sorprese, poi però al 30mo giro ecco il colpo di scena. Gli spettatori in loco e quelli davanti ai televisori trattengono il respiro per un autogol di Hakkinen. Non affatto pressato da qualche inseguitore e in un punto non scivoloso della pista Hakkinen si butta fuori da solo. Infuriato butta a terra il volante, getta i guanti e si muove alla ricerca di un posto non inquadrato dalle telecamere per dare sfogo alla propria rabbia. Dalla prospettiva di un elicottero, però, milioni di persone osservano come il finlandese lotti invano con se stesso per non scoppiare a piangere.

Passa poi un certo tempo prima che riesca a ricomporsi e rientrare ai box.

"Per tutto il fine settimana ho affrontato la prima schicane in seconda. Questa volta, però,

Zero punti nonostante la pole: Mika Hakkinen.

ho inserito per sbaglio la prima. Naturalmente le ruote posteriori si sono quasi bloccate e il motore s'è spento. Uno errore nel cambiare marcia che normalmente non mi succederebbe neppure in 10.000 chilometri". Insomma anche i superuomini della formula 1 possono avere emozioni e per Hakkinen l'errore si rivela positivo almeno dal punto di vista dell'immagine per le ulteriori simpatie che gli porta. D'altro canto, però, mette anche in luce la fragilità di un campione sottoposto alla continua tensione di una lunga stagione di corse. Nell'accommiatarsi, Hakkinen si scusa personalmente con i meccanici.

"Non riuscivo a credere ai miei occhi".

Frentzen è soddisfatto.

Perdente già in partenza: Eddie Irvine.

Malumore: non tutti i tifosi hanno mostrato comprensione per la lunga pausa di convalescenza di Michael Schumacher.

Heinz Harald Frentzen nel frattempo non crede ai propri occhi: "Non riuscivo a seguire Mika, per cui ho cercato di correre quanto più veloce possibile senza comunque compromettere i pneumatici. Quando Mika è uscito ho cercato solo di mantenere la distanza da Ralf".

Si trova in testa alla corsa e cerca di spingere pur risparmiando le gomme. Vuole cioè mantenere costante il suo vantaggio su Ralf Schumacher e tentare di conquistare la vittoria.

La corsa comunque non è ancora finita, anche se la vittoria del tedesco è ormai cosa certa. Cede temporaneamente il comando a Salo durante la sua sosta ai box, ma poi tutto ritorna come prima. Il ferrarista era stato trattenuto da Zanardi nella prima metà della corsa, ma poi, grazie ad una sosta molto breve ai box, era riuscito a superare Barrichello e con una serie di giri veloci aveva iniziato la caccia a Schumacher. Il fratello del grande Michael, però, ha resistito molto bene e alla fine la corsa si è conclusa nello stesso ordine. Vittoria di Frentzen davanti a Ralf Schumacher, Salo e Barrichello. Dietro, a dividersi gli ultimi tre punti in palio un opaco David Coulthard, costantemente alle prese con un forte sottosterzo, e il ferrarista Eddie Irvine. Il circuito

Ralf ha saputo contenere gli attacchi.

di Monza evidentemente non è adatto alle rosse perchè richiede l'utilizzo dei cordoli per la traiettoria ideale in curva. Probabilmente, però, l'aereodinamica delicata della F 399 necessita di una distanza costante tra il fondo della macchina e la superficie della pista.

Dopo Monza la classifica del mondiale promette una fase finale molto avvincente. A tre corse dalla conclusione ben 4 piloti possono aspirare al titolo: Hakkinen ed Irvine ambedue con 60 punti, Frentzen con 50 e Coulthard con 48 punti. Heinz-Harald Frentzen: "Abbiamo sfruttato ogni possibilità per fare punti e qui a Monza abbiamo addirittura vinto. Se la McLaren continua a non saper impiegare il proprio potenziale Eddie ed io abbiamo buone possibilità di vincere il mondiale..."

Conclusione prematura: nel secondo giro Giancarlo Fisichella si scontra con Pedro Diniz ed è fuori.

Statistica

13. corsa del Campionato Mondiale F 1 1999, Autodromo di Monza (I), 12 settembre 1999

Lunghezza percorso:	5,77 km
Numero giri:	53 (= 305,81 km)
Partenza:	14.00 GMT
Condizioni del tempo:	bello e caldo
Spettatori:	140 000
Scorsa stagione:	1. Michael Schumacher (D, Ferrari F300) 1 h 17'09"672
	2. Eddie Irvine (GB, Ferrari F300) – 37"977 s
	3. Ralf Schumacher (D, Jordan-Mugen-Honda 198) – 41"152 s
Pole Position 1998:	Michael Schumacher (Ferrari F300), 1'25"289 m
Giro più veloce 1998:	Eddie Irvine (Ferrari F300), 1'24"987 m
Sosta box più breve 1998:	Damon Hill (GB, Jordan-Mugen-Honda 198) 19"154 s

Una traiettoria pulita in curva consente più velocità sul rettilineo

"Monza è sempre un circuito molto stimolante. Su questo circuito ad alta velocità bisogna stare molto attenti. Dal momento che si usano le ali ridotte la macchina è più nervosa. Uno dei punti chiave è la curva parabolica. Un minimo errore si paga in velocità lungo il rettilineo successivo."

Heinz-Harald Frentzen

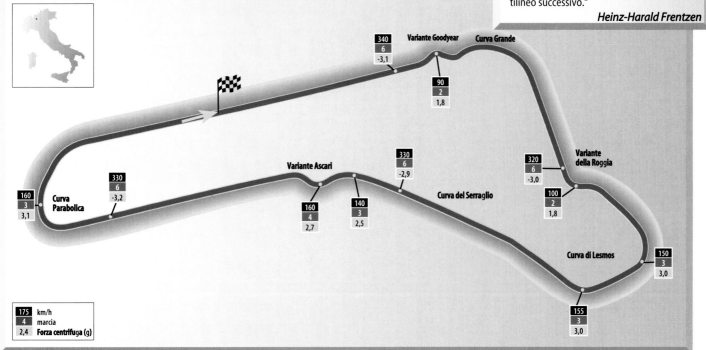

Risultati

	Pilota	Team	Soste ai box	Giri	Tempo(h)	Media(km/h)	Distacco	Sul precedente
1.	Heinz-Harald Frentzen	Jordan-Mugen-Honda	1	53	1 h 17'02"923	237,938	–	–
2.	Ralf Schumacher	Williams-Supertec	1	53	1 h 17'06"195	237,770	3"272 s	–
3.	Mika Salo	Ferrari	1	53	1 h 17'14"855	237,328	11"932 s	8"660 s
4.	Rubens Barrichello	Stewart-Ford	1	53	1 h 17'20"533	237,034	17"630 s	5"698 s
5.	David Coulthard	McLaren-Mercedes	1	53	1 h 17'21"065	237,008	18"142 s	0"512 s
6.	Eddie Irvine	Ferrari	1	53	1 h 17'30"325	236,536	27"402 s	9"260 s
7.	Alessandro Zanardi	Williams-Supertec	1	53	1 h 17'30"970	236,503	28"047 s	0"645 s
8.	Jacques Villeneuve	BAR-Supertec	1	53	1 h 17'44"720	235,806	41"797 s	13"750 s
9.	Jean Alesi	Sauber-Petronas	1	53	1 h 17'45"121	235,788	42"198 s	0"401 s
10.	Damon Hill	Jordan-Mugen-Honda	1	53	1 h 17'59"182	235,078	56"259 s	14"061 s
11.	Olivier Panis [2]	Prost-Peugeot	2	52	1 h 16'30"578	235,090	Ritiro	Ritiro

Pilota	Team	Soste ai box	Nel giro	Motivo ritiro	Pos. prima del ritiro		
Johnny Herbert	Stewart-Ford	1	41	Frizione	11		
Toranosuke Takagi	TWR-Arrows	1	36	Testacoda	7		
Pedro de la Rosa	TWR-Arrows	1	36	Sospensione	14		
Mika Hakkinen	McLaren-Mercedes	1	30	Testacoda	1		
Jarno Trulli	Prost-Peugeot	1	30	Surriscaldamento	14		
Ricardo Zonta	BAR-Supertec	1	26	Problemi ai freni	15		
Luca Badoer	Minardi-Ford	0	24	Collisione	16		
Alexander Wurz	Benetton-Playlife	0	12	Collisione	18		
Pedro Diniz	Sauber-Petronas	0	2	Collisione	12		
Giancarlo Fisichella	Benetton-Playlife	0	2	Collisione	15		
Marc Gené	Minardi-Ford	0	1	Collisione	20		

2) Non più in gara alla fine, ma valido secondo la distanza percorsa.

GP d'Italia

🇮🇹 **13. corsa del Campionato Mondiale F 1 1999, Autodromo di Monza (I), 12 settembre 1999**

🏁 Griglia di partenza

1 Mika Häkkinen (FIN)
McLaren-Mercedes MP4/14-5
1'22"432 m (355,3 km/h) [1]

8 Heinz-Harald Frentzen (D)
Jordan-Mugen-Honda 199/5
1'22"926 m (348,7 km/h)

2 David Coulthard (GB)
McLaren-Mercedes MP4/14-7
1'23"177 m (352,9 km/h)

5 Alessandro Zanardi (I)
Williams-Supertec FW21/5
1'23"432 m (340,1 km/h)

6 Ralf Schumacher (D)
Williams-Supertec FW21/6
1'23"636 m (342,3 km/h)

3 Mika Salo (FIN)
Ferrari F399/195
1'23"657 m (348,4 km/h)

16 Rubens Barrichello (BR)
Stewart-Ford SF3/4
1'23"739 m (351,4 km/h)

4 Eddie Irvine (GB)
Ferrari F399/191
1'23"765 m (347,4 km/h)

7 Damon Hill (GB)
Jordan-Mugen-Honda 199/4
1'23"979 m (348,7 km/h)

18 Olivier Panis (F)
Prost-Peugeot AP02/5
1'24"016 m (348,4 km/h)

22 Jacques Villeneuve (CDN)
BAR-Supertec 01/6
1'24"188 m (342,5 km/h)

19 Jarno Trulli (I)
Prost-Peugeot AP02/2
1'24"293 m (347,3 km/h)

11 Jean Alesi (F)
Sauber-Petronas C18/4
1'24"591 m (349,4 km/h)

10 Alexander Wurz (A)
Benetton-Playlife B199/4
1'24"593 m (353,5 km/h)

17 Johnny Herbert (GB)
Stewart-Ford SF3/5
1'24"594 m (348,6 km/h)

12 Pedro Diniz (BR)
Sauber-Petronas C18/7
1'24"596 m (347,0 km/h)

9 Giancarlo Fisichella (I)
Benetton-Playlife B199/7
1'24"682 m (349,0 km/h)

23 Ricardo Zonta (BR)
BAR-Supertec 01/7
1'25"114 m (344,6 km/h)

20 Luca Badoer (I)
Minardi-Ford-Zetec-R M01/1
1'25"348 m (345,8 km/h)

21 Marc Gené (E)
Minardi-Ford-Zetec-R M01/4
1'25"695 m (344,6 km/h)

14 Pedro de la Rosa (E)
TWR-Arrows A20/7
1'26"383 m (341,8 km/h)

15 Toranosuke Takagi (J)
TWR-Arrows A20/5
1'26"509 m (342,7 km/h)

107-%-limite: 1'28"202 m

⏱ Giri più veloci

Prove libere					Corsa			
1. R. Schumacher	1'24"507	12. Herbert	1'25"551		1. R. Schumacher	1'25"579	12. Hill	1'26"342
2. Trulli	1'24"692	13. Frentzen	1'25"577		2. Salo	1'25"630	13. Irvine	1'26"387
3. Zanardi	1'24"823	14. Fisichella	1'25"701		3. Barrichello	1'25"825	14. Trulli	1'26"493
4. Panis	1'25"007	15. Wurz	1'25"742		4. Coulthard	1'25"832	15. Zonta	1'26"945
5. Alesi	1'25"030	16. Irvine	1'25"897		5. Alesi	1'25"911	16. Wurz	1'28"338
6. Häkkinen	1'25"102	17. Salo	1'25"931		6. Frentzen	1'25"917	17. de la Rosa	1'28"558
7. Villeneuve	1'25"307	18. Gené	1'26"069		7. Panis	1'25"953	18. Badoer	1'28"914
8. Coulthard	1'25"347	19. Zonta	1'26"181		8. Zanardi	1'26"047	19. Takagi	1'29"216
9. Diniz	1'25"388	20. Badoer	1'26"633		9. Häkkinen	1'26"060		
10. Hill	1'25"397	21. de la Rosa	1'27"542		10. Herbert	1'26"253		
11. Barrichello	1'25"499	22. Takagi	1'27"931		11. Villeneuve	1'26"338		

⛽ Tutte le soste ai box

Giro	Durata	Giro	Durata		
1 de la Rosa	168,645	33 Alesi	20"781		
16 Panis	19"569	34 Hill	22"442		
17 Trulli	19"446	35 Frentzen	19"299		
24 Takagi	38"995	35 Irvine	18"961		
25 Zonta	29"057	35 Villeneuve	20"931		
27 Herbert	25"630	36 Salo	19"301		
29 Barrichello	23"128	36 Coulthard	20"137		
31 de la Rosa	21"741				
31 Zanardi	21"573				
32 Panis	20"722				
33 R. Schumacher	21"102				

📝 La corsa giro per giro

Partenza: Hakkinen e Zanardi sono i migliori. Mentre Frentzen fa pattinare le ruote, l'italiano conquista il secondo posto. Coulthard è perdente nella partenza e deve infilarsi dietro R. Schumacher e Salo. Giro 1: Frentzen passa Zanardi. Dietro si toccano de la Rosa e Gené. Lo spagnolo è costretto a cedere. Giro 2: fallisce il tentativo di Fisichella di superare Diniz, ambedue concludono la corsa nella polvere. Giro 10: Hakkinen ha 4,5 secondi di vantaggio su Frentzen. Dietro a Zanardi in terza posizione, R. Schumacher, Salo, Coulthard e Barrichello. Giro 11: il brasiliano attacca Coulthard con successo ed è sesto. Giro 17: Zanardi lascia passare il compagno di scuderia R. Schumacher. Hakkinen sembra non avere rivali. Irvine è sempre in ottava posizione. Giro 24: anche la seconda Minardi viene eliminata da un pilota Arrows: Takagi sale su una ruota posteriore di Badoer, ma può continuare. L'italiano è fuori. Giro 25: Barrichello supera Zanardi ed è quarto. Giro 27: anche Salo supera Zanardi ed è quinto. Giro 30: il team della McLaren mostra ad Hakkinen il cartello con il segnale 'push'. Nello stesso giro il finlandese sbaglia marcia e finisce fuori poco prima della schicane. Ora conduce Frentzen davanti a R. Schumacher, Salo, Coulthard ed Irvine. Barrichello si dirige ai box. Giro 33: nello spazio di 3 giri tutti i favoriti ai box. Le tre prime posizioni rimangono stabili, Coulthard ed Irvine però sono dietro a Barrichello in quarta posizione. Giro 42: Coulthard tenta invano di portar via il terzo posto a Barrichello e nella manovra esce brevemente di pista. Giro 53: Frentzen festeggia la sua seconda vittoria di stagione, R. Schumacher è secondo, il ferrarista Salo completa il terzetto.

🏆 Classifica

Mondiale piloti		Punti		Mondiale costruttori		Punti
1. Mika Häkkinen	60	Pedro Diniz	3	1. McLaren-Mercedes		108
Eddie Irvine	60	13. Johnny Herbert	2	2. Ferrari		102
3. Heinz-Harald Frentzen	50	Olivier Panis	2	3. Jordan-Mugen-Honda		57
4. David Coulthard	48	15. Pedro de la Rosa	1	4. Williams-Supertec		30
5. Michael Schumacher	32	Jean Alesi	1	5. Stewart-Ford		17
6. Ralf Schumacher	30	Jarno Trulli	1	6. Benetton-Playlife		16
7. Rubens Barrichello	15			7. Sauber-Petronas		4
8. Giancarlo Fisichella	13			8. Prost-Peugeot		3
9. Mika Salo	10			9. TWR-Arrows		1
10. Damon Hill	7					
11. Alexander Wurz	3					

1) Tempo giro (Topspeed in Qualifying)

Nel nome del Signore

Il mondiale deciso a tavolino? Non è la prima volta che i giudici della formula 1 si occupano di millimetri o chilogrammi. Raramente, però, la FIA si è mostrata così indulgente come nel caso dell'annullamento della squalifica impartita alla Ferrari in Malesia.

Lunghezza, altezza, larghezza. Le dimensioni figurano fra le regole particolarmente esatte stabilite dalla FIA per la costruzione di una vettura di F 1.

Chi non le rispetta – avverte il regolamento – viene squalificato. Il verdetto severo dei commissari sportivi in Malesia nei confronti della Ferrari non deve quindi meravigliare. Ma non deve neppure meravigliare l'assoluzione pronunciata a Parigi, perchè le decisioni di un tribunale sportivo, atte ad aumentare la tensione di un mondiale, hanno una certa tradizione. Per chi dubita della giustizia terrena vale il detto che in alto mare e davanti a un tribunale solo il buon Dio può aiutare. E in questo caso il buon Dio, o almeno l'essere più potente del tribunale, sembra chiamarsi Ecclestone. Troppo spesso infatti le sentenze pronunciate in contenziosi sportivi hanno ricalcato l'opinione del patron della formula 1. Charles Bernard Ecclestone – soprannome Bernie – non può certo acconsentire a rovinare il suo show per piccolezze come un'infrazione al regolamento. La tensione di un mondiale che si decide all'ultima corsa va tutelata in tutti i modi.

Per tre ore e mezzo dopo la conclusione del Gran Premio di Malesia non sono solo i ferraristi a mettersi le mani nei capelli. Quando viene resa nota la decisione dei commissari sportivi di squalificare le rosse sulla base di un rapporto del delegato tecnico Joachim Bauer, anche il patron della F 1 Ecclestone vede vanificate le fatiche di un'intera stagione. Maggiore la tensione nella lotta per l'iride – questo il suo calcolo – più numeroso il pubblico di spettatori televisivi in tutto il mondo. E più numeroso il pubblico, più cara la cessione dei diritti televisivi e più cara la pubblicità.

Bisognava quindi intervenire e l'intervento avviene attraverso dichiarazioni sull'esiguità della colpa e sullo scarso valore di un mondiale conquistato solo in virtù della squalifica degli avversari. Il risultato alla fine: assoluzione di primo grado per Maranello. Il mondiale si deciderà nell'ultima prova in Giappone.

Il rapporto di Schumacher con la giustizia sportiva inizia nel '94 ed è dovuto in gran parte a formule poco precise del regolamento della FIA che, se manovrate a dovere, consentono di frenare una scuderia troppo superiore alle altre. Come miglior esempio si può citare l'avvio della stagione 1998. Quando i piloti della McLaren minacciavano di declassare l'intera concorrenza, la FIA vietava subito un sistema di freni delle frecce d'argento che precedentemente aveva autorizzato.

Così si spiega anche il fatto che Michael Schumacher diventi l'interpellato abituale nei tribunali della FIA. Ad un certo momento il tedesco, che comunque la stampa indica con una certa tendenza per gli stratagemmi più o meno legali, si trova di frequente in contenziosi giuridici solo per il fatto di essere stato praticamente 'coinvolto' per ben cinque volte su sei nella lotta per il mondiale.

Il rapporto di Schumacher con la giustizia sportiva inizia dunque nel '94. Dopo la morte di Ayrton Senna c'è il pericolo che il fuoriclasse tedesco rimanga senza rivali della sua portata. Ed è proprio nel Gran Premio d'Inghilterra con l'ultimo aspirante al titolo rimasto e cioè Damon Hill che Schumacher offre l'occasione per un

Anche con un sensazionale Gran Premio del Belgio Michael Schumacher rimane alla fine senza punti. In uno spettacolare testa-coda la tavola in legno...

Il capo scuderia Ken Tyrrell aveva preso troppo alla lettera il termine di benzina con piombo. Stefan Bellof, grande speranza tedesca della F 1, perde nel 1984 tutti i punti per il mondiale.

attacco massiccio alla sua persona. Nel giro di ricognizione supera Hill e incappa subito in una penalità di dieci secondi per non aver rispettato il divieto di sorpasso. Su consiglio via radio dai box Schumacher però rimane fuori, mentre gli

strateghi della Benetton cercano febbrilmente di convincere i commissari di gara a ritirare la penalità. Ma il tentativo in extremis fallisce e al tedesco come segno di squalifica viene sventolata la bandiera nera. Anche in questo caso Schuma-

cher fa finta di nulla e rientra solo verso fine corsa per una breve sosta ai box. Succede a questo punto quel che doveva succedere. Il tribunale sportivo della FIA gli toglie i sei punti per il secondo posto e lo squalifica per due corse. Mentre poi si discute ancora sul ricorso della Benetton contro questo severo verdetto, la scuderia anglo-italiana incappa in un'altra infrazione. Per la differenza di un solo millimetro nell'asse di legno del fondo che era stata introdotta da poco tempo per garantire la giusta altezza dal suolo, per la differenza di un solo millimetro Schumacher si vede annullata una brillante vittoria sul circuito di Spa-Franchorchamps. Questa volta comunque la Benetton rimane essa stessa vittima delle proprie interpretazioni di regole e paragrafi. Poco dopo la FIA modifica il sistema per misurare l'asse di legno. La squalifica, però, rimane e il vantaggio di Schumacher alla testa del mondiale si riduce ulteriormente.

...sotto la monoscocca della sua Benetton aveva perso un millimetro di troppo rispetto al regolamento. Verdetto durissimo: la squalifica.

Nel 1995 la FIA risparmia i piloti

Una sentenza salomonica o forse anche incoerente quella dei giudici sportivi all'inizio della stagione. Nel Gran Premio del Brasile 1995 i campioni di benzina di Michael Schumacher con la Benetton e David Coulthard con la Williams non corrispondono alle prove depositate alla vigilia della stagione. Dal momento però che il car-

Il superduello degli anni 80 si conclude nel 1989 con uno scandalo: una collisione fra i due piloti McLaren Ayrton Senna (davanti) e Alain Prost

Atmosfera avvelenata: colloqui confidenziali come questo fra Alain Prost (a sinistra) e Ayrton Senna saranno presto impossibili.

burante irregolare non ha portato nessun vantaggio, Schumacher rimane vincitore della corsa e Coulthard conserva il secondo posto. Per la loro disattenzione, però, ambedue le scuderie perdono i loro punti nel campionato costruttori.

Zio Ken e la benzina a base di piombo...

Le trasgressioni alle regole non sono sempre dovute ad una svista. Nel 1984 la scuderia Tyrrell conquista i suoi primi punti della stagione con una furberia al limite della truffa. Il capo scuderia Ken Tyrrell prende alla lettera il termine di benzina con contenuto di piombo. I bolidi blu del tedesco Stefan Bellof e del britannico Martin Brundle partono per tutta la stagione molto al di sotto del peso pre-

scritto. I chili mancanti per poter superare poi la prova del peso al termine della corsa vengono aggiunti alla macchina con l'ultimo rifornimento. Insieme alla benzina viene immessa nei serbatoi una certa quantità di piccole sfere di piombo. Lo stratagemma viene poi scoperto e sia ai piloti che alla scuderia viene annullato l'intero punteggio. Nonostante ciò nessuno si sente veramente truffato dallo 'zio Ken'. Stefan Bellof e Martin Brundle, infatti,

sono gli unici piloti di F 1 a combattere con un motore aspirato contro un'intera armata di turbopropulsori. Il fatto poi che Bellof – la grande speranza tedesca prima di Schumacher – figuri per un certo tempo fra i primi, porta alla scuderia Tyrrell molte simpatie.

Nel 1989 sono ancora i giudici sportivi a determinare l'esito di un Gran Premio decisivo per il mondiale. La superstar Ayrton Senna deve assolutamente vincere la penultima corsa

Sentenza salomonica: dopo il Gran Premio del Brasile Williams e Benetton-Renault nuovamente sul banco di accusa. Dalle analisi si rileva che David Coulthard (a sinistra)...

della stagione, il Gran Premio di Suzuka , per non compromettere le sue chance al titolo nei confronti del compagno Alain Prost.

Prost però non è propenso a cedere e in una manovra di sorpasso del brasiliano le due macchine si incastrano una nell'altra e si buttano fuori a vicenda. A questo punto però, mentre il francese esce soddisfatto dall'abitacolo, Senna si fa spingere per rientrare in pista e dopo una rimonta mozzafiato riesce a vincere la corsa. Interviene però la FIA con l'accusa di 'ricorso all'aiuto di terzi'. Senna viene squalificato e il titolo mondiale va di conseguenza al francese.

La McLaren si sente discriminata

Anche nel 1997 è un intervento dei commissari sportivi a conferire ulteriore emotività al mondiale. Il leader del mondiale Jacques Villeneuve non viene ammesso al Gran Premio del Giappone per spregio nei confronti della bandiera gialla. Il canadese, però, correrà poi a Suzuka anche se con dovuta riserva solo per rendere a Schumacher la vita difficile. Al termine della corsa la FIA conferma la squalifica di Villeneuve e gli toglie i due punti conquistati.

Due settimane dopo, nel Gran Premio di Spagna, Michael Schumacher provoca la famosa collisione con il canadese che però riesce in qualche modo a continuare la corsa e a diventare campione del mondo.

Il tedesco oltre alla sconfitta deve sottostare poi anche alla sentenza della FIA e cioè all'annullamento di tutti i punti della stagione per evidente comportamento scorretto. Tra l'altro, sentenzieranno i giudici, l'azione del tedesco non sarebbe mai stata coronata da successo. Se infatti fosse riuscito a buttar fuori Villeneuve gli sarebbe stato poi tolto il titolo per lo stesso motivo.

I giudici della FIA come combattenti per la giustizia? L'assoluzione della Ferrari giusto in tempo per la finale di Suzuka parla un altro linguaggio. La motivazione secondo la quale i famosi deflettori sarebbero stati conformi al regolamento è stata un vero e proprio schiaffo nei confronti dei delegati della FIA in Malesia. Anche la McLaren- Mercedes si è sentita discriminata e attraverso il suo portavoce ha comunicato che alla fine della stagione sarà necessario chiarire se la F 1 è o no uno sport con regole precise che devono venir osservate da tutti i partecipanti. In altre parole privilegi per la Ferrari o decisioni solo in considerazione delle dirette televisive non ci dovranno più essere.

L'assoluzione della Ferrari si è risolta in un atto di accusa per la FIA. È vero che il suo verdetto ha riaperto i giochi e riacceso l'interesse per il mondiale, ma è anche vero che ha creato precedenti non certo molto limpidi per la stagione 2000. Ora i cervelli della F 1 si spingeranno fino ai limiti estremi delle nuove 'tolleranze' e si potrebbero quindi aprire molti contenziosi.

...e Michael Schumacher hanno usato benzina non regolamentare. Per una provata mancanza di vantaggi, però, ambedue i piloti possono conservare i loro punti. Quelli delle rispettive scuderie, invece, vengono annullati.

Sotto: scene di un atterraggio fortunato. Pedro Diniz si capovolge più volte. Alex Zanardi (sopra) può evitarlo solo a fatica.

L'impatto distrugge la parte posteriore e il roll bar. Per poco una delle ruote posteriori non si infila fra il casco e il terreno.

Johnny was good

Corsa drammatica, caos e pioggia, lacrime, fortuna e gioia. Con le sue tipiche capriole del tempo il Gran Premio d'Europa al Nürburgring genera tutte le sensazioni. Mentre i favoriti al mondiale restano a bocca asciutta, sono i piloti meno noti ad imporsi: Johnny Herbert e Jarno Trulli, Jackie Stewart e Pedro Diniz. Quest'ultimo nonostante un terribile incidente già nella prima curva.

La monoposto alla fine rimane rovesciata e appiattita a terra. Il mondo della formula 1 trattiene costernato il respiro...

... ma i soccorsi comunicano subito il cessato allarme. Come per miracolo Pedro Diniz se la cava solo con qualche graffio.

GP d'Europa

Anche se il Gran Premio d'Europa quest'anno ha visto fra i favoriti un alto numero di perdenti, al Nürburgring ci sono stati anche i vincitori.

Il primo è stato sicuramente Pedro Diniz, che a pochi metri dalla partenza è uscito quasi illeso da un pauroso incidente con la sua Sauber-Petronas rovesciata e il roll bar che aveva ceduto. Il mese prima il pilota olandese di formula 3 Wouter van Euwijk si era rovesciato nello stesso punto con la sua Dallara. Anche in quel caso il roll bar non aveva tenuto e da allora 'Wouti' è paralizzato dalla seconda vertebra in giù.

La formula 1 nelle colline della Eifel. In nessun'altra parte della Germania come nel triangolo fra Colonia, Coblenza e Treviri il tempo è conosciuto per le sue bizze. E anche questo Gran Premio non ha rappresentato un'eccezione. La solita confusione è apparsa evidente già nelle prove di qualifica: alle 11 in punto inizia a piovere e smette poco prima dell'inizio delle qualifiche. Il circuito però rimane bagnato.

Heinz-Harald Frentzen, in qualità di vincitore a Monza al centro dell'interesse, sembra non mettersi in luce. A causa di un guasto alla trasmissione non aveva partecipato alle prove libere e rischiava di non poter prender parte neppure alle qualifiche per un problema all'impianto idraulico. In appena 70 minuti i meccanici della Hugen-Honda cambiano il motore e per Frentzen ormai il tempo stringe. I suoi tempi intermedi, però, sono sul livello di quelli di Hakkinen.

Non ci si deve meravigliare se nei box della

Prima la vittoria a Monza, poi un'inattesa pole position nella Eifel: ad Heinz-Harald Frentzen sembra riuscire tutto.

A destra: un fine settimana da dimenticare. Nella Eifel il team della Ferrari si rende ridicolo davanti alla stampa mondiale. A destra sull'esterno: disperato. Giancarlo Fisichella ha buttato via la sua prima vittoria in un gran premio.

A destra: ottima prestazione. Anche Ralf Schumacher avrebbe potuto vincere se non fosse scoppiata una delle ruote posteriori della sua Williams. A destra, all'esterno: avrebbe voluto essere lui a regalare a Stewart la prima vittoria: Rubens Barrichello.

Jordan si arriva allo scontro verbale. Heinz-Harald Frentzen: "Devo proprio scusarmi con tutto il team. Non ci si riusciva a mettere d'accordo su quando avrei dovuto scendere in pista e io credo di avere anche gridato".

In realtà Eddie Jordan e il suo ingegnere Trevor Foster, temendo che anche al Nürburgring potesse presentarsi una situazione simile a quella del Gran Premio di Francia, non mandavano i loro piloti in pista aspettando che questa si asciugasse. E i fatti avrebbero dato loro ragione. A dieci minuti dalla fine delle prove Frentzen esce dai box con a bordo benzina per più giri. Il suo piano è quello di prendere familiarità con la pista per poi darci dentro all'ultimo minuto.

Già nel primo giro veloce, però, il tedesco fa segnare il miglior tempo assoluto.

Ai box i visi si rischiarano come il cielo sulla Eifel.

Poco dopo altri piloti fanno registrare tempi ancora migliori. Frentzen li batte tutti. Rientra nei box, fa montare nuove gomme e nel giro successivo fa fermare le lancette dei cronometri sulla pole position. Batte Ralf Schumacher, ma batte in prima linea il duo McLaren Mercedes. Le Ferrari di Irvine e di Salo invece segnano il passo. Nono e dodicesimo posto. Almeno per il Gran Premio d'Europa la Jordan assume il ruolo della Ferrari di seconda scuderia dietro la McLaren.

Il tedesco si impone sulle frecce d'argento anche alla partenza. Imbocca per primo la curva Castrol e inizia a condurre. Al suo compagno Damon Hill invece si spegne il motore in curva. Alexander Wurz, per non investirlo, tenta di sviare a destra, ma tocca la macchina di Pedro Diniz che subito schizza in alto, si capovolge più volte per poi fermarsi rovesciata sull'erba. Attimi di paura e nervosismo, ma quando si rivolta la macchina ecco che il brasiliano già sorride.

"Sotto la macchina sentivo addosso del bagnato. Era liquido refrigerante ma io non me n'ero reso conto e pensavo fosse benzina. Se la macchina brucia sono spacciato".

"Speriamo che non si incendi" - pregava Diniz.

A questo punto è la Safety-Car a gestire la gara, ma quando poco dopo viene dato il via libera Frentzen può subito aumentare il suo vantaggio su Mika Hakkinen, David Coulthard, Ralf Schumacher e Giancarlo Fisichella. Il pilota della Stewart, Johnny Herbert, non sa ancora a questo punto quali sorprese gli riserverà la giornata.

Nel frattempo Eddie Irvine passa Olivier Panis, ma non riesce a superare Giancarlo Fisichella che si rivela un osso più duro del previsto. Dopo una serie di vani tentativi Irvine approfitta di un'indecisione del pilota della Benetton per lasciarselo alle spalle. Le schermaglie con Panis sono costate tempo prezioso. Il quartetto di testa è ormai lontano.

Ora, chi conosce il Nürburgring sa esattamente cosa sta per succedere. Sta per iniziare a piovere, non poco ma molto, non lungo l'intero tracciato ma nella zona del tornante Dunlop, il punto più ad ovest del circuito. E con la pioggia, ma non lungo tutto il circuito, ecco l'interrogativo di sempre: gomme d'asciutto o da bagnato? Lo specialista del bagnato Heinz-Harald Frentzen non rientra ai box e preferisce gestire la corsa senza cambiare le gomme fidando in un miglioramento delle condizioni atmosferiche. Anche Ralf Schumacher non rientra ai box ed è anzi così veloce da mettere in difficoltà la McLaren-Mercedes di David Coulthard. Al 19mo giro, poi, approfitta dei pochi metri fra l'ultima schi-

Nelle prove di qualifica Ralf Schumacher risulta quarto.

Verso la più bella delle sue vittorie: Johnny Herbert.

Anche l'improvvisazione è richiesta: Marc Gené ottiene il suo primo punto.

A parte il solito brutto tempo... il Nürburgring è sempre un'immensa festa.

Quando il cielo si oscura. I repentini cambiamenti di tempo fanno ormai parte del Nürburgring come il castello sullo sfondo.

Inconsolabile: Badoer perde l'ultima occasione di fare un punto.

Il dramma della prima curva è già in atto: Hill (tutto a destra) rallenta, Wurz (di traverso) tenta di evitarlo e va a speronare Diniz (specchio giallo).

cane e l'ingresso del rettilineo d'arrivo, per lasciarselo indietro. Una manovra riuscita al 100%. Al 19mo giro Hakkinen rientra nei box per far montare le gomme da bagnato. Una decisione totalmente sbagliata, come si vedrà più tardi. Alla Ferrari intanto succede l'incredibile. I meccanici sono fuori per Irvine, ma rientra invece Salo per rifornirsi e cambiare il musetto. Subito dopo sopraggiunge anche Irvine prima del previsto e nella confusione che si crea non si trova più la quarta gomma. Trascorrono ben 28 secondi prima che l'irlandese possa lasciare i

Dieci punti buttati via. Anche David Coulthard ne combina una delle sue.

Completamente pieno: il Nürburgring è esaurito.

Frentzen in testa non si accorge di nulla.

box e tentare una qualche rimonta.

Ora Hakkinen è retrocesso in decima posizione, ma è sempre davanti ad Irvine con due posti di vantaggio. Al 23mo giro il campione del mondo deve però passare nuovamente alle gomme d'asciutto. Rientra in pista quattordicesimo, ma ormai doppiato. Ma c'è di più. Per il secondo rientro prematuro il finlandese non può imbarcare abbastanza benzina. È costretto quindi ad andare piano per non consumare molto e viene quindi superato un po' da tutti.

In testa alla corsa, Heinz-Harald Frentzen è tutto impegnato a risolvere i suoi problemi. Sulla pista ormai asciutta Ralf Schumacher si sta avvicinando in modo minaccioso e anche quando rientrerà nei box per il primo pit stop la situazione non cambierà di molto. Ora infatti è Coulthard a pressare il tedesco. Al 32mo giro rientrano quasi appaiati nei box, ma non sarà la sosta a decidere il confronto. Poco dopo nella curva Castrol la Jordan-Mugen-Honda di Frentzen è costretta a fermarsi per un improvviso guasto alla parte elettronica. "Le cose andavano per il meglio - dichiarerà Frentzen nel corso della conferenza stampa - ero anche riuscito a rientrare in pista prima di David, ma poi improvvisamente si è spento tutto. Purtroppo cose del genere succedono".

Fuori Frentzen e dentro Coulthard che guida ora la corsa. Lo scozzese ha ancora possibilità per il titolo e una vittoria al Nürburgring significherebbe per lui portarsi così avanti con il punteg-

gio da non dover più sottostare agli ordini di scuderia in riferimento al n.1 Hakkinen. Al 38mo giro, però, incorre in un errore.

"In questa stagione è stata la prima volta che mi sono buttato fuori da solo. In frenata sono salito su un cordolo abbastanza alto e non ho più tenuto la macchina". Sfortuna per l'uno e gioia per l'altro. Ralf Schumacher è primo in un Gran Premio e i suoi tifosi quasi non ci credono. Non è neppure minacciato da Giancarlo Fisichella che a causa di un testa-coda ha perso altri 9 secondi nei suoi confronti. Due giri dopo Ralf fa montare nuove gomme d'asciutto e rientra in pista in terza posizione dietro Johnny Herbert. Quando anche l'inglese rientra nei box Schumacher passa al secondo posto. Ora gli avvenimenti si susseguono in rapida successione. Fisichella esce per un suo errore e si mette a piangere. Un attimo di distrazione per lo sganciamento di un poggiatesta e già si ritrova sul prato. Il sogno della prima vittoria svanisce.

L'intero autodromo è in fibrillazione. Ralf Schumacher è nuovamente in testa e la vittoria sembra ormai vicina. Nel giro successivo però ecco sopraggiungere la sfortuna. Ralf ha appena superato la corsia dei box quando avverte una vibrazione e subito dopo il classico contraccolpo dello scoppio di un pneumatico. Arranca quindi su tre ruote per un giro intero e dopo la sosta ai box rientra in pista in quinta posizione. Frank Williams si mostra entusiasta del suo pilota. Poco dopo la conclusione della gara decide di aumentargli l'ingaggio e di prolungare il suo contratto fino al 2003.

Per un giorno l'uomo più felice: Jackie Stewart.

Atmosfera romantica nella Eifel: le capriole del tempo tingono il Gran Premio d'Europa di una luce pittoresca.

La forza nel sonno : un cineoperatore stanco.

Chi conduce adesso?

Il mondo della formula 1 quasi non ci crede. È il pilota della Stewart Johnny Herbert sempre per tempo ai box e sempre con la giusta scelta dei pneumatici.

Il compagno di Johnny, Rubens Barrichello, si trova invece indietro proprio per il motivo opposto: per una scelta sbagliata delle gomme.

La corsa rimane avvincente anche nella fase finale. Mentre Johnny Herbert corre solitario verso la vittoria, Rubens Barrichello insidia il secondo posto di Jarno Trulli. Ma per quanto il brasiliano ce la metta tutta non riesce ad imporsi sul pilota italiano. Nel frattempo l'uomo della Minardi, Luca Badoer, pensa già di aver ormai conquistato un sensazionale quarto posto, quando il motore cede.

Il collaudatore della Ferrari, che mai ha conquistato un punto per il mondiale e che ha già annunciato il suo definitivo ritiro dalle gare, è letteralmente distrutto.

Al suo posto ora avanza Ralf Schumacher e al posto di Schumacher Jacques Villeneuve. Per il canadese i primi punti di un mondiale sembrano a portata di mano, ma a cinque giri dalla conclusione si brucia la frizione della sua BAR-Supertec. Ancora una volta il campione mondiale del '97 rimane a mani vuote.

Beneficiando di tutti questi ritiri, Mika Hakkinen nel frattempo si è portato in avanti deciso ad attaccare Irvine per catturare l'ultimo punto a disposizione. E al 61mo giro ci riesce. Poco prima della Veedol S tallona così da vicino Irvine da indurlo in un errore. Il finlandese lo supera e visto che ormai è lanciato, supera poco dopo anche la Minardi di Marc Gené che retrocede così al sesto posto, ma che guadagna pur sempre un punto.

Alla fine Johnny Herbert è fuori di sé dalla gioia. Il compagno Rubens Barrichello è contento per la scuderia ma scontento della propria prestazione.

"Sono contento ovviamente per Johnny perché lascia dietro di sé una stagione sfortunata.

"E' vero, lotto per sopravvivere..."

D'altra parte però avrei voluto essere io a regalare a Jackie e Paul Stewart la prima vittoria".

Per Jackie Stewart, che al Nürburgring nel 1973 vinse il suo primo gran premio come pilota, si è avverato un sogno. Prima che il suo team il prossimo anno venga ribattezzato con il nome Jaguar ha potuto figurare un'ultima volta nella lista dei vincitori con il proprio nome. Durante la premiazione Stewart evidenzierà l'orgoglio per il suo team salendo insieme ad Herbert sul gradino più alto del podio.

"Let it rain now": Phil Collins ospite nei box della Stewart.

Con la testa fra le mani: Jacques Villeneuve.

Un mistero: Frentzen 'out' per uno strano difetto all'impianto elettrico .

L'uomo del momento: Herbert (a sinistra) conquista la sua terza vittoria in F 1.

Duello classico: Mika Hakkinen contro Eddie Irvine. Questa volta i due favoriti si contendono solo il sesto posto.

26 anni fa nello stesso Gran Premio per l'ultima volta sul podio: Jackie Stewart assapora il piacere di una doccia di champagne.

L'uomo del circuito: Walter Kafitz, direttore della società Nürburgring GmbH.

Statistica

14. corsa del Campionato Mondiale F 1 1999,
Nürburgring (D), 26 settembre 1999

Lunghezza percorso:	4,556 km
Numero giri:	66 (= 300,696 km)
Partenza:	14.00 GMT
Condizioni del tempo:	Variabile con precipitazioni, in parte sereno
Spettatori:	142 000
Scorsa stagione:	1. Mika Hakkinen (FIN, McLaren-Mercedes MP4/13) 1 h 32'14"789
	2. Michael Schumacher (D, Ferrari F300), – 2"211 s
	3. David Coulthard (GB, McLaren-Mercedes MP 4/14), – 34"164 s
Pole Position 1998:	Michael Schumacher (Ferrari F300), 1'18"561 m
Giro più veloce 1998:	Mika Hakkinen (McLaren-Mercedes MP4/13), 1'20"450 m
Sosta box più breve 1998:	Mika Hakkinen (McLaren-Mercedes MP4/13), 24"858 s

All'asciutto lo 'Hatzenbach-Bogen' quasi a tutta velocità

"Il Nürburgring è una riuscita combinazione di curve e passaggi lenti da affrontare in terza o quarta marcia. Fra tratti migliori figura lo 'Hatzenbach-Bogen' che si affronta a 270 km orari. La grande incognita del circuito è il tempo. Come a Spa può piovere improvvisamente e spesso solo su una parte del circuito.

Johnny Herbert

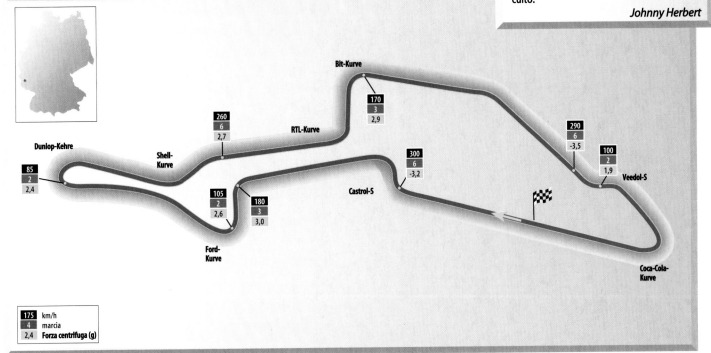

175	km/h
4	marcia
2,4	Forza centrifuga (g)

Risultati

	Pilota	Team	Soste ai box	Giri	Tempo(h)	Media(km/h)	Distacco	Sul precedente
1.	Johnny Herbert	Stewart-Ford	2	66	1 h 41'54"314	177,034	–	–
2.	Jarno Trulli	Prost-Peugeot	3	66	1 h 42'16"933	176,381	22"618 s	22"619 s
3.	Rubens Barrichello	Stewart-Ford	1	66	1 h 42'17"180	176,374	22"865 s	0"247 s
4.	Ralf Schumacher	Williams-Supertec	3	66	1 h 42'33"822	175,987	39"507 s	16"642 s
5.	Mika Hakkinen	McLaren-Mercedes	2	66	1 h 42'57"264	175,230	1'02"950 m	23"449 s
6.	Marc Gené	Minardi-Ford	1	66	1 h 42'59"468	175,167	1'05"154 m	2"204 s
7.	Eddie Irvine	Ferrari	3	66	1 h 43'00"997	175,124	1'06"683 m	1"529 s
8.	Ricardo Zonta	BAR-Supertec	3	65	1 h 42'08"914	173,936	1 Giro	1 Giro
9.	Olivier Panis	Prost-Peugeot	2	65	1 h 42'18"099	173,676	1 Giro	9"185 s
10.	Jacques Villeneuve [1]	BAR-Supertec	1	62	1 h 35'55"300	173,828	Ritiro	Ritiro

Pilota	Team	Soste ai box	Nel giro	Motivo ritiro	Pos. prima del ritiro
Luca Badoer	Minardi-Ford	1	54	Cambio	4
Pedro de la Rosa	TWR-Arrows	2	53	Cambio	12
Giancarlo Fisichella	Benetton-Playlife	1	49	Testacoda	1
Mika Salo	Ferrari	2	45	Difetto ai freni	14
Toranosuke Takagi	TWR-Arrows	2	43	Testacoda	15
David Coulthard	McLaren-Mercedes	1	38	Testacoda	1
Jean Alesi	Sauber-Petronas	2	36	Trasmissione	10
Heinz-Harald Frentzen	Jordan-Mugen-Honda	1	33	Impianto elettrico	1
Alessandro Zanardi	Williams-Supertec	0	11	Testacoda	17
Damon Hill	Jordan-Mugen-Honda	0	1	Trasmissione	12
Alexander Wurz	Benetton-Playlife	0	1	Incidente	14
Pedro Diniz	Sauber-Petronas	0	1	Incidente	13

1) Non più in gara alla fine, ma valido secondo la distanza percorsa.

GP d'Europa

14. corsa del Campionato Mondiale F 1 1999,
Nürburgring (D), 26 settembre 1999

Griglia di partenza

8 Heinz-Harald Frentzen (D)
Jordan-Mugen-Honda 199/5
1'19"910 m (298,0 km/h)[1]

2 David Coulthard (GB)
McLaren-Mercedes MP4/14-7
1'20"176 m (302,6 km/h)

1 Mika Häkkinen (FIN)
McLaren-Mercedes MP4/14-5
1'20"376 m (300,4 km/h)

6 Ralf Schumacher (D)
Williams-Supertec FW21/6
1'20"444 m (293,0 km/h)

18 Olivier Panis (F)
Prost-Peugeot AP02/5
1'20"638 m (297,1 km/h)

9 Giancarlo Fisichella (I)
Benetton-Playlife B199/7
1'20"781 m (297,7 km/h)

7 Damon Hill (GB)
Jordan-Mugen-Honda 199/4
1'20"818 m (302,0 km/h)

22 Jacques Villeneuve (CDN)
BAR-Supertec 01/6
1'20"825 m (296,6 km/h)

4 Eddie Irvine (GB)
Ferrari F399/191
1'20"842 m (301,0 km/h)

19 Jarno Trulli (I)
Prost-Peugeot AP02/2
1'20"965 m (295,1 km/h)

10 Alexander Wurz (A)
Benetton-Playlife B199/4
1'21"144 m (296,7 km/h)

3 Mika Salo (FIN)
Ferrari F399/195
1'21"314 m (299,5 km/h)

12 Pedro Diniz (BR)
Sauber-Petronas C18/7
1'21"345 m (294,0 km/h)

17 Johnny Herbert (GB)
Stewart-Ford SF3/5
1'21"379 m (296,1 km/h)

16 Rubens Barrichello (BR)
Stewart-Ford SF3/4
1'21"490 m (299,8 km/h)

11 Jean Alesi (F)
Sauber-Petronas C18/4
1'21"634 m (298,4 km/h)

23 Ricardo Zonta (BR)
BAR-Supertec 01/7
1'22"267 m (294,6 km/h)

5 Alessandro Zanardi (I)
Williams-Supertec FW21/5
1'22"284 m (298,7 km/h)

20 Luca Badoer (I)
Minardi-Ford-Zetec-R M01/1
1'22"631 m (290,3 km/h)

21 Marc Gené (E)
Minardi-Ford-Zetec-R M01/4
1'22"760 m (291,1 km/h)

15 Toranosuke Takagi (J)
TWR-Arrows A20/5
1'23"401 m (288,9 km/h)

14 Pedro de la Rosa (E)
TWR-Arrows A20/7
1'23"698 m (288,0 km/h)

107-%-limite: 1'25"504 m

1) Tempo giro (Topspeed in Qualifying)

Giri più veloci

Prove libere					Corsa			
1. Häkkinen	1'20"578	12. Frentzen	1'21"933		1. Häkkinen	1'21"282	12. Salo	1'23"404
2. Salo	1'20"920	13. Herbert	1'21"982		2. Coulthard	1'21"835	13. Gené	1'23"657
3. Panis	1'21"134	14. Hill	1'22"207		3. Frentzen	1'22"082	14. Trulli	1'23"742
4. Irvine	1'21"338	15. Badoer	1'22"311		4. R. Schumacher	1'22"237	15. Badoer	1'23"745
5. R. Schumacher	1'21"385	16. Zanardi	1'22"321		5. Fisichella	1'22"244	16. Panis	1'23"905
6. Coulthard	1'21"461	17. Wurz	1'22"427		6. Irvine	1'22"332	17. Zanardi	1'24"300
7. Barrichello	1'21"505	18. Diniz	1'22"462		7. Villeneuve	1'22"564	18. Takagi	1'24"848
8. Fisichella	1'21"636	19. de la Rosa	1'22"853		8. Barrichello	1'22"960	19. de la Rosa	1'24"857
9. Trulli	1'21"750	20. Gené	1'22"872		9. Herbert	1'23"010		
10. Villeneuve	1'21"850	21. Zonta	1'23"604		10. Zonta	1'23"067		
11. Alesi	1'21"884	22. Takagi	1'24"282		11. Alesi	1'23"097		

Tutte le soste ai box

Giro	Durata	Giro	Durata	Giro	
12 de la Rosa	30"908	24 Zonta	26"818	35 Badoer	57"181
19 Panis	28"712	27 R. Schumacher	26"564	35 Alesi	31"224
19 Zonta	28"855	28 Trulli	27"025	37 Barrichello	32"592
19 Takagi	28"478	28 Alesi	31"720	40 Irvine	28"754
20 Häkkinen	31"727	32 Frentzen	26"050	44 R. Schumacher	29"356
20 Salo	59"290	32 Coulthard	26"816	44 Zonta	29"241
21 Irvine	48"124	32 Fisichella	25"972	46 de la Rosa	1'09"242
22 Takagi	26"499	33 Villeneuve	32"375	47 Herbert	26"922
23 Panis	32"793	34 Gené	30"081	48 Trulli	26"646
23 Salo	27"553	35 Herbert	33"009	49 Irvine	25"726
24 Häkkinen	27"484	35 Trulli	27"726	50 R. Schumacher	33"687

La corsa giro per giro

Partenza: viene interrotta perchè il motore di Gené si spegne. Nuova partenza: Frentzen entra per primo nella curva Castrol, Häkkinen supera Coulthard. Nella schicane la Jordan di Hill si ferma. Mentre Alesi devia nel prato, Wurz taglia la strada e sperona Diniz. La Sauber del brasiliano si capovolge e imprigiona il pilota. Giro 2: Safety-Car, si estrae Diniz dai rottami. Giro 6: con la nuova partenza Frentzen rimane davanti ad Häkkinen, Coulthard, R. Schumacher e Fisichella. Irvine supera Panis e avanza al sesto posto. Giro 17: Irvine supera Fisichella approfittando di un suo errore. R. Schumacher attacca Coulthard. Giro 18: pioggia nel tratto del tracciato esposto a nord. Schumacher spiazza Coulthard. Giro 20: Häkkinen fa montare le gomme da pioggia, Frentzen si distacca dagli inseguitori. Quando Irvine rientra ai box sono pronte solo tre gomme. 20 secondi di tempo perso. Giro 23: finisce la pioggia, Hakkinen ritorna alle gomme d'asciutto ed è 14mo. Giro 32: Frent-

zen e Coulthard entrano insieme ai box ed escono nello stesso ordine. Poco più tardi, però, Frentzen è costretto al ritiro per problemi all'impianto elettrico. Giro 35: Herbert passa alle gomme da bagnato. Giro 38: Coulthard scivola via dalla pista, conduce R. Schumacher. Giro 43: il leader della corsa fa montare nuove gomme d'asciutto. Giro 49: Fisichella – ora in testa alla corsa – esce di pista. Giro 50: pneumatico danneggiato sulla Williams di Schumacher, Herbert passa avanti. Giro 55: lacrime per Badoer. Era quarto quando si guasta la trasmissione della Minardi. Giro 57: Trulli tallonato da Barrichello. Giro 63: gli aspiranti al mondiale lottano per il settimo posto. Hakkinen induce Irvine all'errore e lo passa. Ancora nessun punto per la BAR. La quinta posizione di Villeneuve sfuma nel fumo del motore. Giro 65: Hakkinen riesce a captare Gené e conquista il sesto posto. Giro 66: Herbert ottiene la prima vittoria per la Stewart Ford.

Classifica

Mondiale piloti		Punti		Mondiale costruttori	Punti
1. Mika Häkkinen	62	Damon Hill	7	1. McLaren-Mercedes	110
2. Eddie Irvine	60	13. Alexander Wurz	3	2. Ferrari	102
3. Heinz-Harald Frentzen	50	Pedro Diniz	3	3. Jordan-Mugen-Honda	57
4. David Coulthard	48	15. Oliver Panis	2	4. Williams-Supertec	33
5. Ralf Schumacher	33	16. Pedro de la Rosa	1	5. Stewart-Ford	31
6. Michael Schumacher	32	Jean Alesi	1	6. Benetton-Playlife	16
7. Rubens Barrichello	19	Marc Gené	1	7. Prost-Peugeot	9
8. Giancarlo Fisichella	13			8. Sauber-Petronas	4
9. Johnny Herbert	12			9. TWR-Arrows	1
10. Mika Salo	10			10. Minardi-Ford	1
11. Jarno Trulli	7				

They never come back?

La caccia al titolo termina in una catasta di gomme. Quando a Silverstone la Ferrari impazzita di Michael Schumacher va a schiantarsi contro una barriera di pneumatici il primo pensiero va ovviamente al pilota. Ma una volta accertatone lo stato di salute già si comincia a speculare sul suo ritorno. Dopo un grave incidente è facile riprendere tutto da capo?

Sopra: il ritorno più spettacolare in F 1 è stato quello di Niki Lauda (a destra). Dopo il terribile incidente sul vecchio Nürburgring aveva già ricevuto l'estrema unzione. Sei settimane dopo era nuovamente in corsa per il mondiale.
Sotto: assente per otto settimane. Nel 1980 Patrik Depailler si frattura ambedue le gambe atterrando con un parapendio.

La formula 1 ci insegna che è assolutamente impossibile prevedere se un pilota che ha subito un grave incidente ritornerà un giorno ad essere quello di prima. Il detto che "ogni incidente ti rende più lento" si avvicina alla verità altrettanto poco quanto le prognosi ottimistiche dopo l'operazione di Schumacher. Le previste 6 settimane di pausa , il possibile ricorso all'acceleratore a mano o ad un'imbottitura speciale per la gamba fratturata si rivelano dello stesso realismo di chi ritiene possibile una Minardi in pole position. Anche in considerazione dell'eccezionale condizione fisica e della sua ambizione di guarire al più presto, il verdetto dei medici rimane simile a quello espresso due anni fa ad Olivier Panis: un periodo di convalescenza non inferiore ai 3 mesi.

Alla girandola di speculazioni, illazioni, conferme e smentite, Schumacher reagisce con una frase forse banale, ma che apre gli occhi ai suoi tifosi più ciechi. Con una frase che ha il merito di mettere in forse un suo ritorno già a Monza, un ritorno che tutti davano ormai per scontato: "In fin dei conti sono anch'io un essere umano". Dovranno passare esattamente 14 settimane - oltre il doppio di quanto era stato previsto - prima che il fuoriclasse tedesco in Malesia riprenda in mano un volante. Un periodo di convalescenza troppo lungo? Certamente no. Le pause più brevi per certi tipi di infortuni non sono realistiche.

Quando Ricardo Zonta – pure vittima di un incidente simile a quello di Schumacher – dichiara di sentirsi nuovamente in forma e di voler scendere in pista già ad Imola, il medico della formula 1, Sid Watkins, non lo smentisce, ma gli pone come condizione il superamento di un test molto semplice. Il brasiliano deve saltare giù da una sedia senza accusare dolori. Risultato: assoluto divieto di riprendere le gare.

Grazie alla massiccia placca d'acciaio nelle gambe, Panis avrebbe forse acconsentito al test, ma non lo avrebbe certo superato. Anche se il metallo proteggeva le due fratture al 100% si è poi dovuto attendere che lo levassero per riprendere a correre come una volta. 13 settimane di convalescenza prima del suo ritorno. Un ritorno tra l'altro troppo tardivo e che non gli consente di familiarizzare con i nuovi pneumatici scolpiti. Prima dell'incidente era terzo in classifica. Riprendendo a correre non conquisterà neppure un punto.

Nel 1994 Karl Wendlinger ha la sfortuna di incappare in un incidente prima dell'introduzione del cockpit a pareti alte.

A Monaco Wendlinger va a schiantarsi di lato e ad alta velocità contro un guardrail. Per quattro settimane rimane in coma, ma poi grazie all'aiuto dell'austriaco Willi Dungl – un vero guru del recupero fisico – riesce non solo a riprendersi, ma a scendere anche in pista dopo appena 13 settimane di riposo. Il capo dell'omonimo team, Peter Sauber, mantiene la promessa fatta di avere sempre una macchina a disposizione di Karl se un giorno dovesse riprendersi. Nel 1995, dopo 5 gran premi, Wendlinger getta la spugna. Dopo l'incidente non era più ritornato quello di una volta.

Un altro pilota supera il proprio incidente meglio di quello occorso ad un collega. Rubens Barrichello corre per 3 anni sotto l'incubo della morte di Ayrton Senna. Non è il suo volo ad Imola contro le barriere a turbarlo di continuo, ma il vuoto lasciato dal suo connazionale, dal suo modello e dal suo mentore. Barrichello perde il suo principale riferimento e al contempo avverte il peso delle aspettative che tutto il Brasile ripone in lui.

Per Johnny Herbert – recente, sensazionale vincitore al Nürburgring – la carriera in F 1

L'inizio della fine: l'austriaco Karl Wendlinger subisce gravi ferite alla testa nel 94 a Monte Carlo. Il suo comeback con la Sauber dura solo alcune settimane.

rischiava di concludersi ancor prima di incominciare. Dopo un terribile incidente in formula 3000 le sue gambe risultavano così distrutte da indurre i medici a dissuaderlo decisamente da un ritorno alle corse. Il piccolo inglese però ce la mette tutta e prima ancora di riprendere a camminare ottiene con la Benetton in Brasile un sensazionale quarto posto. Si tratterà comunque di un fuoco di paglia. Le conseguenze dell'incidente ritornano a farsi sentire ed Herbert è costretto ad un momentaneo ritiro per prolungare la propria convalescenza.

Patrik Depailler invece risale nel 1980 nella sua Alfa Romeo completamente ristabilito dalle sue molte fratture alle gambe. Un incidente il suo non accaduto sulla pista, ma in fase di atterraggio con un parapendio.

"Io sono nato per fare il pilota..."

Il più spettacolare ritorno alle corse rimane però quello di Niki Lauda a Monza nel 1976. Profondamente segnato dalle ustioni subite al Nürburgring, riprende la corsa al mondiale a sole sei settimane dall'incidente. Contrario al suo ritorno si dice Enzo Ferrari, che convinto che il campione austriaco avesse chiuso con il mondo della F 1, aveva già ingaggiato un sostituto. Lauda va subito ai punti, ma mentalmente non è quello di prima. Nella gara decisiva per il mondiale, sotto la pioggia torrenziale di Fuji, rientra ai box e abbandona la corsa definendola irregolare e troppo pericolosa. Solo una volta atterrato a Vienna apprende che il rivale James Hunt si era assicurato il titolo con un solo punto di vantaggio. Nell'anno successivo però, nel 1977, Lauda si aggiudica il titolo mondiale e vince anche il Gran Premio di Germania su quello stesso Nürburgring dove per poco non lasciava la vita. Anche il suo connazionale Gerhard Berger si salva per miracolo quando nella curva Tamburello di Imola esplode il serbatoio della sua Ferrari.

Per mesi interi si spaventa solo nel vedere la fiamma di un accendino, ma a sole tre settimane dall'incidente riprende a correre. Ancora più grave l'incidente subito da un pilota che sarebbe poi diventato uno dei più grandi nella storia dell'automobilismo.

Juan Manuel Fangio trascorre nel 1952 ben sei mesi in ospedale con varie costole rotte e chiuso in un corsetto di gesso dopo che era andato a schiantarsi contro un albero nel parco di Monza. Poi nonostante la paura e il terrore di non esserne più all'altezza, sale sulla sua Alfa Romeo, compie un paio di giri del circuito e decide di ritornare in F 1. Conquisterà ben 4 titoli mondiali e innumerevoli record di pista.

Prima in pericolo di vita e poi campione del mondo. Anche Mika Hakkinen ha conosciuto questa via crucis. Tracheotomia e coma artificiale si rendono necessari per salvare la vita del finlandese che nelle qualifiche del Gran Premio d'Australia nel 1995 va a schiantarsi ad alta velocità contro un muro in seguito allo scoppio di un pneumatico. Per la convalescenza chiede l'intera pausa invernale e la sua scuderia gliela concede. Nel frattempo sappiamo che il suo coraggio di riprendere le corse e il rapporto di fedeltà reciproca fra lui e la scuderia sono stati onorati con il titolo mondiale. Quest'anno ad Hockenheim Hakkinen è apparso comunque scosso dopo l'incidente che lo ha visto urtare a quasi 300 km orari una barriera. Un crash che è sembrato l'esatta copia di quello subito a suo tempo in Australia.

Per un vero pilota la passione per la guida supera sempre la paura di un incidente. A un giornalista che chiedeva perché volesse riprendere a correre dopo il terribile incidente di Silverstone Schumacher rispondeva: "Io sono nato per correre. Questo è quello che voglio fare".

Per lungo tempo la fiamma lo spaventa: nel 1989 a Imola, Gerhard Berger si schianta con la sua Ferrari contro un muro.

Tutto l'inverno in convalescenza. Mika Hakkinen dopo il suo grave incidente in Australia nel 1995.

Non si era ancora ripreso: il pilota della Prost, Olivier Panis.

Dopo il suo comeback più veloce che mai: Michael Schumacher.

GP della Malesia

**15. corsa del Campionato Mondiale F 1 1999,
Circuito Internazionale Sepang, 17 ottobre 1999**

Il vincitore **moral**

Ben fatto! David Coulthard (dietro) sfrutta una disattenzione di Michael Schumacher e lo supera.

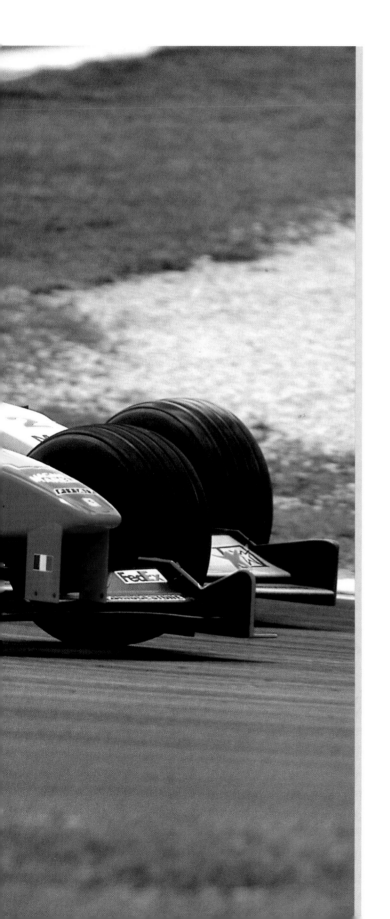

Il Gran Premio più controverso della stagione si conclude a 5 giorni dalla sua conclusione. Non è un gioco di parole, ma un richiamo al verdetto di Parigi che 5 giorni dopo il Gran Premio di Malesia annulla la squalifica inflitta a Sepang alle due Ferrari. Anche se Irvine viene confermato al 1. posto, il vincitore morale rimane lui, rimane il pilota che ha sorpreso tutti con un ritorno trionfale: M. Schumacher.

Ordini di scuderia: Irvine (davanti) ringrazia Schumacher per la vittoria regalata.

Impotente: Mika Hakkinen non può reagire alla tattica di bloccaggio della Ferrari.

GP della Malesia

Il grande indeciso: alla partenza Mika Hakkinen non sfrutta lo spazio che Coulthard (davanti) gli lascia aperto.

L'esultanza per la doppia vittoria della Ferrari si trasforma due ore dopo in costernazione. A causa di 10 millimetri di sporgenza dei due deflettori delle prese d'aria i delegati tecnici della FIA dichiarano ambedue le F 399 non conformi ai regolamenti. I commissari sportivi cancellano i nomi di Irvine e Schumacher dalla classifica del Gran Premio di Malesia e dichiarano vincitore Mika Hakkinen. Con ciò il finlandese è campione del mondo anche se solo provvisoriamente in quanto la Ferrari impugna il verdetto asserendo che i dieci millimetri incriminati non hanno alcun effetto ai fini della performance della macchina. La stagione di F 1 1999, già non affatto povera di avvenimenti, si arricchise ora di un vero e proprio scandalo.

Contemporaneamente il mondo della F 1 e il relativo pubblico dei tifosi si dividono fra il consenso e l'indignazione. Fino all'esito del ricorso (verrà comunicato il venerdì successivo a Parigi) illazioni e speculazioni si rincorrono per il mondo sulle prime pagine dei giornali. Gli uni evidenziano la scorrettezza e la pignoleria del commissario tedesco Joachim Bauer, gli altri rivelano strane storie di spionaggio e sabotaggio: la McLaren sapeva da tempo che i deflettori delle Ferrari non erano in regola e aspettava solo una loro vittoria per denunciarle alla FIA. Incredibili le decine di tesi e controtesi cha hanno sconvolto il mondo della F 1 e incredibili le coalizioni che si sono improvvisamente formate solo allo scopo di influenzare l'opinione pubblica. Frank Williams, per esempio, solitamente non certo grande amico di Maranello, si dichiara con grande sorpresa dalla parte della Ferrari. Il motivo è chiaro: se la squalifica viene annullata, la Stewart Grand Prix – principale concorrente per il quarto posto nella classifica costruttori – riceve solo 5 e non 10 punti. Non è difficile indovinare poi per chi tifa la Stewart. La F 1, insomma, è anche il campionato degli egoisti. L'interrogativo ora è il seguente: cosa perderebbe la formula 1, un finale avvincente o la sua credibilità? La "International Court of Appeal" decide per la quadratura del cerchio. I deflettori superano le dimensioni richieste non di 10 ma di soli 5 mm – assicurano i giudici sportivi di Portogallo, Austria, Belgio, Olanda e Grecia di cui non ci si stanca di sottolineare la completa autonomia.

I delegati tecnici in Malesia avrebbero preso le misure da una parte in modo non corretto e, dall'altra, con strumenti di misurazione non adeguati.

Frustrato: Ralf Schumacher ha commesso un errore.

Schermi dello scandalo: Ferrari nasconde gli spoiler chiacchierati.

In puro stile rally: Toranousuke Takagi parte dalle retrovie.

Lezione di storia: lo junior Mercedes Nick Heidfeld nella storica freccia d'argento W 154.

Spionaggio ai box? La squalifica della Ferrari riserva delle sorprese.

Come liberato: dopo la sua vittoria al Nürburgring Johnny Herbert è nuovamente il primo della Stewart.

Una mossa magistrale, non c'è che dire. La colpa a questo punto è dei delegati tecnici, in questa vicenda l'unica parte interessata a non disporre di una propria lobby. La Ferrari, come pure Irvine e Schumacher, si riprendono i loro punti.

Le carte del mondiale vengono rimescolate. Tutto per il meglio insomma, anche se molte domande rimangono senza risposta: perchè la stessa Ferrari aveva ammesso in Malesia che i deflettori non erano conformi alla norma? Perchè fin dalla loro introduzione al Nürburgring i meccanici li coprivano subito quando le macchine erano in sosta? Perchè i delegati tecnici devono lavorare con strumenti di misurazione non adeguati?

Ritorno alla corsa.

In parole povere, in qualsiasi modo si voglia considerare il verdetto, un po' di amaro rimane.

Indipendentemente dalla sentenza di appello, comunque, il vero vincitore di Sepang rimane Schumacher. Il suo ritorno alle corse dopo ben 98 giorni di assenza è stato un vero e proprio trionfo. Ha saputo declassare l'intera concorrenza in maniera così schiacciante da commuovere perfino il capo della McLaren, Ron Dennis.

Nell'ultimo tentativo, a 15 minuti dalla conclusione delle prove di qualifica, il fuoriclasse tedesco migliora il proprio tempo di 1,1 secondo relegando il suo compagno di squadra al secondo posto e con un distacco considerevole. Il distacco dai due piloti McLaren, David Coulthard e Mika Hakkinen, è addirittura superiore. Michael Schumacher: "Per me e per tutta la squadra è stato un grande successo. Nelle ultime settimane la Ferrari aveva avvertito l'enorme pressione esercitata dalla stampa e dall'opinione pubblica. Ora abbiamo potuto rispondere con i fatti. Abbiamo potuto mettere in evidenza il vero potenziale della macchina. Io l'ho sempre detto: non abbiamo mai avuto un vantaggio simile sulle McLaren".

Per un altro tedesco le prove di qualifica a Sepang sembrano voler diventare un incubo. All'avvio del primo giro veloce di Heinz-Harald Frentzen si stacca l'imbottitura del cockpit. "Ho sentito un colpo al viso e mi sono così spaventato da fare un testa-coda". L'unica Jordan con il motore superpotente Mugen-Honda è bloccata insomma nella ghiaia. Il pilota tedesco corre verso i box e sale subito sul muletto anche se non era stato testato e anche se le pinze anteriori del freno sinistro non funzionavano. Con un freno compromesso, però, non può scendere in pista e la sua riparazione richiede almeno mezz'ora. Alla fine nel poco tempo che gli rimane, Frentzen

Coalizione imprevista: Frank Williams si batte inaspettatamente a favore della Ferrari.

Sollevato: il capo sportivo Jean Todt si congratula con M. Schumacher.

GP della Malesia

Deluso: nonostante la strategia di un'unica sosta, Heinz-Harald Frentzen deve accontentarsi del sesto posto.

Demoralizzante: Schumacher è l'unico a non sembrare affatto stanco.

Complimenti: la Ferrari ringrazia per la doppia vittoria

Esotiche: pittoresca Grid-Girl in costume tipico.

tenta il tutto per tutto, ma nella fretta non riesce ad ottenere più di un deludente quattordicesimo posto. Il vero potenziale della sua macchina lo si vedrà l'indomani in corsa. Mentre l'intera concorrenza perde almeno 0,6 secondi al giro rispetto ai tempi delle qualifiche, Frentzen con il suo giro più veloce, avrebbe potuto benissimo partire in pole position.

Ma ritorniamo a Michael Schumacher che anche ora nella corsa è di una superiorità schiacciante. Dalla pole position si porta immediatamente in testa e infligge alla concorrenza un secondo a giro. E chi ha sperato che la strategia del tedesco fosse quella delle due soste e che quindi avesse la macchina più leggera, si è dovuto ricredere.

Al terzo giro l'ex campione del mondo interrompe l'impressionante dimostrazione delle sue capacità di guida per dedicarsi alla sua vera funzione, quella, cioè, di aiutare il compagno Eddie Irvine nella lotta per il mondiale. Quindi rallenta e si fa passare dall'irlandese. Durante la manovra, però, incorre nell'unico errore di questo fine di settimana. David Coulthard con una macchina più leggera si infila di lato e lo passa. Schumacher si mostra sorpreso dell'attacco di Coulthard che non si aspettava affatto. Tra l'altro nel sorpasso le due macchine si toccano e il fuoriclasse tedesco con un'ala danneggiata del musetto deve continuamente correggere un forte sottosterzo.

Mentre Hakkinen dietro alla Ferrari di Schumacher deve limitarsi a subire, Coulthard davanti inizia una vera e propria caccia ad Irvine avvicinandosi sempre più. "La nostra tattica – dirà più tardi il capo della McLaren Ron Dennis – sembrava dovesse avere successo. Eddie al contrario

di David aveva tutto da perdere. La sua manovra di sorpasso del nostro pilota, insomma, sarebbe stata incisiva". La manovra poi non c'è stata ancora una volta per l'inaffidabilità delle frecce d'argento. Al 15mo giro la macchina di Coulthard si ferma per mancanza di pressione alla pompa della benzina.

Intanto la disperazione di Hakkinen aumenta giro per giro. Impotente dietro al tedesco che lo blocca, deve fare attenzione a non tamponarlo perchè Schumacher varia molto la sua guida e nelle curve frena raramente alla stessa distanza. Hakkinen si arrabbia, ma ammette poi che anche lui in una situazione del genere avrebbe agito allo stesso modo. Ron Dennis non è di questo avviso: "Noi non ci comporteremmo così. Non intendiamo protestare ufficialmente, ma io ritengo non sportiva una guida del genere".

La tattica della Ferrari ha successo e Irvine rimane in testa anche dopo il primo pit stop. Nonostante poi Schumacher lamenti gomme

Ron Dennis ritiene Michael Schumacher poco sportivo.

usurate e forte sottosterzo compie una serie di giri veloci che gli consentiranno di rimanere davanti ad Hakkinen anche dopo la sua unica sosta ai box. Hakkinen, dal canto suo, rientra in pista dopo la sua sosta mentre transita il vincitore del Nürburgring, Johnny Herbert. L'inglese difende a denti stretti la sua terza posizione, ma è costretto poi a cederla poco dopo per un piccolo errore. Affronta una curva un po' troppo largo e il finlandese non si fa sfuggire l'occasione di superare.

Anche se Irvine aggiudicandosi il quarto Gran Premio della sua carriera migliora notevolmente le sue chance per il mondiale, il vero vincitore morale rimane Michael Schumacher. Ed è sufficiente guardare la foto della premiazione per rendersene conto. Mentre Irvine è tutto rosso e sudato, Hakkinen addirittura vicino ad un collasso, il tedesco appare fresco e riposato come prima della corsa.

Statistica

 15. corsa del Campionato Mondiale F 1 1999, Circuito Internazionale Sepang (MAL), 17 ottobre 1999

Lunghezza percorso:	5,542 km
Numero giri:	56 (= 310,352 km)
Partenza:	8.00 GMT
Condizioni del tempo:	molto caldo, nuvoloso, molto umido
Spettatori:	80 000
Scorsa stagione:	Circuito percorsa per la prima volta nel 1999
Pole Position 1998:	–
Giro più veloce 1998:	–
Sosta box più breve 1998:	–

Difficile regolare la macchina su tante curve

"Il circuito mi piace molto. È estremamente difficile e proprio per questo mi diverte. Ci sono molte curve strette, molte cieche, molte lunghe e anche molte veloci. Per le tante curve è difficile trovare un assetto ottimale della macchina, anche se l'aderenza non manca. C'è un gran caldo ma in macchina lo si sopporta bene".

Eddie Irvine

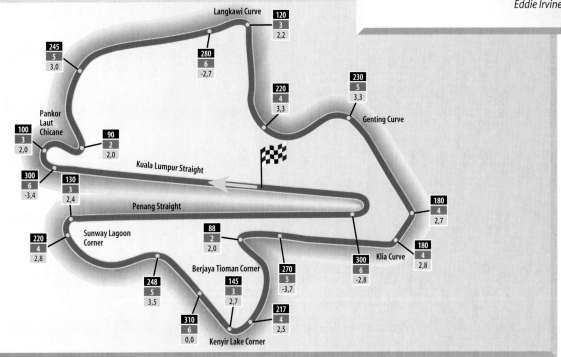

Langkawi Curve · 120 / 3 / 2,2
245 / 5 / 3,0
280 / 6 / -2,7
220 / 4 / 3,3
230 / 5 / 3,3
Genting Curve
Pankor Laut Chicane · 100 / 3 / 2,0
90 / 2 / 2,0
Kuala Lumpur Straight
300 / 6 / -3,4
130 / 3 / 2,4
180 / 4 / 2,7
Penang Straight
Sunway Lagoon Corner
220 / 4 / 2,8
88 / 2 / 2,0
180 / 4 / 2,8
Klia Curve
Berjaya Tioman Corner · 270 / 5 / -3,7
300 / 6 / -2,8
248 / 5 / 3,5
145 / 3 / 2,7
217 / 4 / 2,5
310 / 6 / 0,0
Kenyir Lake Corner

175	km/h
4	marcia
2,4	Forza centrifuga (g)

Risultati

	Pilota	Team	Soste ai box	Giri	Tempo(h)	Media(km/h)	Distacco	Sul precedente
1.	Eddie Irvine	Ferrari	2	56	1 h 36'38"494	192,697	–	–
2.	Michael Schumacher	Ferrari	1	56	1 h 36'39"534	192,655	1"040 s	–
3.	Mika Häkkinen	McLaren-Mercedes	2	56	1 h 36'48"237	192,359	12"743 s	8"703 s
4.	Johnny Herbert	Stewart-Ford	1	56	1 h 36'56"032	192,101	17"538 s	7"795 s
5.	Rubens Barrichello	Stewart-Ford	2	56	1 h 37'10"790	191,615	32"296 s	14"758 s
6.	Heinz-Harald Frentzen	Jordan-Mugen-Honda	1	56	1 h 37'13"378	191,530	34"884 s	2"588 s
7.	Jean Alesi	Sauber-Petronas	2	56	1 h 37'32"902	190,891	54"408 s	19"524 s
8.	Alexander Wurz	Benetton-Playlife	2	56	1 h 37'39"428	190,678	1'00"934 m	6"526 s
9.	Marc Gené	Minardi-Ford	1	55	1 h 37'10"056	188,217	1 Giro	1 Giro
10.	Alessandro Zanardi	Williams-Supertec	3	55	1 h 37'36"473	188,368	1 Giro	26"417 s
11.	Giancarlo Fisichella	Benetton-Playlife	3	52	1 h 38'14"562	176,003	4 Giri	3 Giri

Pilota	Team	Soste ai box	Nel giro	Motivo ritiro	Pos. prima del ritiro
Jacques Villeneuve	BAR-Supertec	2	49	Idraulica	9
Pedro Diniz	Sauber-Petronas	2	45	Testacoda	9
Pedro de la Rosa	TWR-Arrows	1	31	Motore	12
Luca Badoer	Minardi-Ford	1	16	Motore	14
David Coulthard	McLaren-Mercedes	0	15	Pressione benzina	2
Ralf Schumacher	Williams-Supertec	0	8	Testacoda	5
Toranosuke Takagi	TWR-Arrows	0	8	Azionamento	13
Ricardo Zonta	BAR-Supertec	0	7	Testacoda	15
Olivier Panis	Prost-Peugeot	0	6	Motore	15
Damon Hill	Jordan-Mugen-Honda	0	1	Collisione	9
Jarno Trulli	Prost-Peugeot	0	0	Motore	18

GP della Malesia

15. corsa del Campionato Mondiale F 1 1999, Circuito Internazionale Sepang (MAL), 17 ottobre 1999

Griglia di partenza

3 Michael Schumacher (D)
Ferrari F399/195
1'39"688 m (297,6 km/h) [1]

4 Eddie Irvine (GB)
Ferrari F399/196
1'40"635 m (298,8 km/h)

2 David Coulthard (GB)
McLaren-Mercedes MP4/14-6
1'40"806 m (299,7 km/h)

1 Mika Häkkinen (FIN)
McLaren-Mercedes MP4/14-4
1'40"866 m (299,1 km/h)

17 Johnny Herbert (GB)
Stewart-Ford SF3/3
1'40"937 m (296,1 km/h)

16 Rubens Barrichello (BR)
Stewart-Ford SF3/4
1'41"351 m (297,5 km/h)

10 Alexander Wurz (A)
Benetton-Playlife B199/4
1'41"444 m (292,5 km/h)

6 Ralf Schumacher (D)
Williams-Supertec FW21/6
1'41"558 m (284,4 km/h)

7 Damon Hill (GB)
Jordan-Mugen-Honda 199/4
1'42"050 m (295,7 km/h)

22 Jacques Villeneuve (CDN)
BAR-Supertec 01/6
1'42"087 m (295,2 km/h)

9 Giancarlo Fisichella (I)
Benetton-Playlife B199/7
1'42"110 m (296,3 km/h)

18 Olivier Panis (F)
Prost-Peugeot AP02/5
1'42"208 m (295,2 km/h)

23 Ricardo Zonta (BR)
BAR-Supertec 01/7
1'42"310 m (297,4 km/h)

8 Heinz-Harald Frentzen (D)
Jordan-Mugen-Honda 199/5
1'42"380 m (294,0 km/h)

11 Jean Alesi (F)
Sauber-Petronas C18/4
1'42"522 m (290,4 km/h)

5 Alessandro Zanardi (I)
Williams-Supertec FW21/3
1'42"885 m (295,0 km/h)

12 Pedro Diniz (BR)
Sauber-Petronas C18/5
1'42"933 m (290,0 km/h)

19 Jarno Trulli (I)
Prost-Peugeot AP02/7
1'42"948 m (297,2 km/h)

21 Marc Gené (E)
Minardi-Ford-Zetec-R M01/4
1'43"563 m (291,2 km/h)

14 Pedro de la Rosa (E)
TWR-Arrows A20/7
1'43"579 m (291,1 km/h)

20 Luca Badoer (I)
Minardi-Ford-Zetec-R M01/1
1'44"321 m (290,3 km/h)

15 Toranosuke Takagi (J)
TWR-Arrows A20/5
1'44"637 m (292,3 km/h)

107-%-limite: 1'46"666 m

1) tempo giro (Topspeed in Qualifying)

Giri più veloci

Prove libere

1.	Villeneuve	1'42"407		12.	Hill	1'43"417
2.	Coulthard	1'42"519		13.	Panis	1'43"500
3.	Alesi	1'42"701		14.	Frentzen	1'43"677
4.	Irvine	1'42"725		15.	Trulli	1'43"793
5.	M. Schumacher	1'42"875		16.	Badoer	1'44"818
6.	Diniz	1'43"006		17.	Zonta	1'44"968
7.	Barrichello	1'43"042		18.	R. Schumacher	1'45"164
8.	Häkkinen	1'43"153		19.	de la Rosa	1'45"397
9.	Wurz	1'43"311		20.	Zanardi	1'45"833
10.	Herbert	1'43"349		21.	Takagi	1'46"690
11.	Fisichella	1'43"403		22.	Gené	1'49"451

Corsa

1.	M. Schumacher	1'40"267		12.	Zanardi	1'42"056
2.	Frentzen	1'40"631		13.	Gené	1'42"490
3.	Barrichello	1'40"810		14.	Coulthard	1'42"940
4.	Fisichella	1'40"960		15.	de la Rosa	1'43"885
5.	Häkkinen	1'41"103		16.	Badoer	1'46"367
6.	Irvine	1'41"254		17.	R. Schumacher	1'46"418
7.	Alesi	1'41"328		18.	Takagi	1'46"441
8.	Herbert	1'41"383		19.	Zonta	1'46"444
9.	Diniz	1'41"639		20.	Panis	1'46"874
10.	Villeneuve	1'41"769				
11.	Wurz	1'41"950				

Tutte le soste ai box

Giro		Durata		Giro		Durata	
1	Fisichella	410"649	27 Häkkinen	29"149	41	Irvine	28"224	
3	Zanardi	29"094	27 Gené	32"624	41	Alesi	29"338	
12	Badoer	35"453	28 M. Schumacher	32"523	47	Häkkinen	28"388	
19	Barrichello	30"266	28 Herbert	35"081	48	Zanardi	27"435	
20	Wurz	30"530	28 Zanardi	32"546				
20	Fisichella	29"839	30 Frentzen	30"607				
21	Alesi	30"425	37 Fisichella	29"249				
22	Villeneuve	30"515	38 Wurz	28"755				
22	Diniz	29"695	38 Villeneuve	30"817				
24	de la Rosa	32"443	39 Barrichello	29"983				
25	Irvine	28"899	39 Diniz	28"975				

La corsa giro per giro

Partenza: nel giro di ricognizione scoppia il motore di Trulli. Schumacher ed Irvine scattano davanti a Coulthard ed Hakkinen. Giro 1: Fisichella spinge fuori Hill e deve rientrare nei box. Giro 4: Schumacher già molto avanti, rallenta per fare passare Irvine. Giro 5: Coultahrd si affianca a Schumacher. I due si toccano, lo scozzese si porta in seconda posizione. Giro 9: Coulthard dà la caccia ad Irvine, Schumacher mantiene dietro di sé Hakkinen. Seguono Barrichello, Herbert, Wurz ed Alesi. Giro 18: Barrichello raggiunge Hakkinen che viene trattenuto da Schumacher. Giro 19: il brasiliano va nei box e rientra ottavo. Giro 22: grazie all'azione di bloccaggio di Schumacher il vantaggio di Irvine su Hakkinen è salito a 10 secondi. Villeneuve mantiene il quinto posto dietro a Barrichello. Giro 25: prima sosta di Irvine che retrocede al quarto posto. Giro 27: Hakkinen al rifornimento. Senza il finlandese nello specchietto Schuma-cher compie due giri più veloci. Giro 28: per la sua unica sosta Schumacher si ferma 11 secondi e rientra dietro Irvine, ma davanti ad Hakkinen. Giro 30: Irvine conduce a 5 secondi da Schumacher che tiene Hakkinen sotto controllo. Giro 39: la seconda sosta di Barrichello lo fa retrocedere dietro al compagno di scuderia Herbert. Giro 41: Irvine terzo dopo il suo secondo pit stop. Giro 47: sospiro di sollievo alla Ferrari. Anche Hakkinen rientra per una seconda sosta. Schumacher davanti ad Irvine, il finlandese quarto dietro ad Herbert. Giro 53: Schumacher fa passare Irvine. Giro 54: Hakkinen beffa Herbert e salva il terzo posto. Giro 56: Irvine vince davanti a Schumacher, Hakkinen, Herbert e Barrichello.

Classifica

Mondiale piloti/Punti

1.	Eddie Irvine	70		Damon Hill	7
2.	Mika Häkkinen	66	13.	Alexander Wurz	3
3.	Heinz-Harald Frentzen	51		Pedro Diniz	3
4.	David Coulthard	48	14.	Olivier Panis	2
5.	Michael Schumacher	38	15.	Pedro de la Rosa	1
6.	Ralf Schumacher	33		Jean Alesi	1
7.	Rubens Barrichello	21		Marc Gené	1
8.	Johnny Herbert	15			
9.	Giancarlo Fisichella	13			
10.	Mika Salo	10			
11.	Jarno Trulli	7			

Mondiale costruttori / Punti

		Punti
1.	Ferrari	118
2.	McLaren-Mercedes	114
3.	Jordan-Mugen-Honda	58
4.	Stewart-Ford	36
5.	Williams-Supertec	33
6.	Benetton-Playlife	16
7.	Prost-Peugeot	9
8.	Sauber-Petronas	4
9.	TWR-Arrows	1
10.	Minardi-Ford	1

Di un altro pianeta: il ferrarista Michael Schumacher umilia al suo ritorno l'intera concorrenza.

Un debutto riuscito

Let's go far east: con la sua prima apparizione in Malesia il grande circo della F1 ha compiuto un ulteriore passo dall'Europa verso l'Asia. L'ottima prova del circuito in estremo oriente ha alzato di molto le premesse per ulteriori Paesi aspiranti.

Sull'esempio della natura: le foglie dell'ibisco come modello per l'imponente tettoia delle tribune.

Michael Schumacher si è detto entusiasta. Il nuovissimo circuito internazionale di Sepang – ha dichiarato il fuoriclasse tedesco – è difficile e al tempo stesso divertente. Una dichiarazione entusiasta dell'ex campione del mondo indirizzata in questo caso a un proprio connazionale: praticamente dal nulla il noto architetto tedesco Hermann Tilke ha ideato e costruito una pista esemplare da Gran Premio che non ha uguali al mondo.

Tilke, pilota dilettante ma sopratutto architetto di fama, dice che in prima linea devono risultare soddisfatti gli spettatori perchè sono loro i veri clienti di un circuito . È quindi essenziale portarli al centro dell'autodromo perchè possano non solo vedere e sentire la formula 1, ma anche toccarla e odorarla. Nelle doppie tribune fra i due rettilinei – con 1400 metri le più lunghe del mondo – possono prender posto 3000 persone. Uno degli aspetti particolari di questo autodromo è la cosidetta Mall o isola pedonale, un passaggio con negozi, snacks e sale di esposizione situato fra ambedue i lati delle tribune. Numerosi luoghi di preghiera consentono anche ai musulmani praticanti di frequentare il circuito.

Per quanto riguarda le tettoie anche gli esteti più esigenti non dovrebbero avere nulla da ridire. Si protendono in forma di foglie gigantesche sulle tribune e trovano il loro coronamento in uno splendore di vetri e di luci all'interno di una specie di fiore capovolto a copertura della torre che segna la fine delle tribune.

Una costruzione ardita nel tornante che precede la linea di partenza e divenuta già ora il simbolo della pista di Sepang.

Anche il tracciato della pista è molto incisivo e si è subito inserito fra i migliori del mondo. Ha fornito suggerimenti per la sicurezza del circuito Michael Schumacher, che nella scaletta delle piste preferite la pone addirittura al quarto posto dietro Spa, Montecarlo e Suzuka. 15 curve fra strette, mediamente veloci e velocissime si alternano a due lunghi rettilinei per una distanza complessiva di 5,542 chilometri. "I piloti devono avere un circuito che li stimoli – dice Hermann Tilke. Un punto importante riguarda le possibilità di passare avanti. In questo senso abbiamo assistito a molte corse e analizzato dove e come si poteva superare. In linea di massima è vero

Brands Hatch (GB)

Lausitzring (D)

Indianapolis (USA)

Zhuhai (VRC)

Kyalami (RSA)

Indianapolis (USA) festeggia nel 2000 il ritorno alla formula 1. Una curva e il rettilineo principale del leggendario 'Brickyards' verranno inseriti nel nuovo circuito all'interno di quello ovale. Brands Hatch (GB), già un tempo circuito di formula 1, sostituirà nel 2002 Silverstone. Anche la pista collinare nel sud-est dell'Inghilterra viene attualmente rimodernata dalla squadra di Tilke. Zhuhai, una zona di libero scambio in Cina, ha già ospitato una gara di Gran Turismo. Una burocrazia esasperata e la mancanza di infrastrutture sconsigliano attualmente un gran premio di F 1 nel mercato più importante del futuro. Anche in Germania c'è del nuovo: a 100 km a sud di Berlino verrà ultimato nel 2000 il circuito Lausitzring. Un gran premio è improbabile, ma quasi certamente si disputeranno corse della ChampCar o dell'Indy Racing League. Del circuito sudafricano di Kyalami, invece, si parla poco anche se un suo ritorno in F 1 potrebbe avvenire in qualsiasi momento.

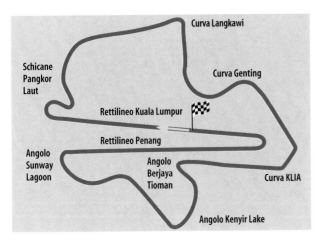

Curva Langkawi

Schicane
Pangkor
Laut

Curva Genting

Rettilineo Kuala Lumpur

Rettilineo Penang

Angolo
Sunway
Lagoon

Angolo
Berjaya
Tioman

Curva KLIA

Angolo Kenyir Lake

che curve lente prima e dopo un lungo rettilineo consentono più facilmente uno scatto veloce. Ma ci vuole di più. La curva che immette nel rettilineo deve essere così difficile da provocare un errore di qualche pilota e dare così la chance a chi lo segue da vicino di accellerare e superarlo".

Il primo record della pista lo ha stabilito lo stesso Tilke: un'ora e 31 minuti con un fuoristrada. Ma le velocità sui rettilinei e le medie dei giri erano praticamente già note quando l'intero tracciato era ancora un immenso cantiere con camion e bulldozer. Tutta una serie di dati precisi ottenuti con simulazioni al computer e fatti pervenire da Tilke alla FIA e alle singole scuderie. Dati ed informazioni in tale quantità da consentire ai vari team di provare un assetto di base per le loro macchine già settimane prima della partenza.

Mentre i piloti ovviamente si interessano alla pista vera e propria, i vertici della formula 1 guardano più all'infrastruttura. Un progetto da 80 milioni di dollari nelle dirette vicinanze dell'aereoporto di Kuala Lumpur, circondato da alberghi di prima categoria e con un centro ultramoderno di comunicazioni, non lascia inesaudito nessun desiderio.

Lo sbarco in Asia è parte di una strategia a lungo termine. In un primo tempo si voleva solo ridurre la presenza nell'Unione Europea per sfuggire al futuro divieto di pubblicizzare il tabacco, oggi, invece, si punta ad una maggiore penetrazione nel mercato asiatico. La formula 1 è sempre concentrata in Europa, ma si svolge nel frattempo in 4 continenti. Con corse in Cina, Sudafrica e Stati Uniti i prossimi 17 Gran Premi rappresenteranno un vero e proprio campionato mondiale. I Paesi aspiranti ad ospitare un gran premio sono già molti e tutti puntano sulla promozione turistica, su un'immagine internazionale come ubicazione di alta tecnologia e non per ultimo sui ca. 80 milioni di dollari che, secondo uno studio della FIA, vengono spesi per ogni corsa nel Paese che ospita un gran premio.

Per la prima corsa di formula 1 in Asia all'infuori del Giappone, la Malesia figurava già da tempo in testa ai Paesi richiedenti. Sponsorizzazioni alla Sauber e alla Stewart avevano contribuito a stabilire buoni contatti con Bernie Ecclestone. Il progetto era sostenuto perfino dal primo ministro della Malesia. La Cina, invece, che con Zhuhai dispone già di un circuito non certo eccezionale ma in regola per una corsa di F 1, deve aspettare. Ecclestone: "I cinesi al momento non hanno le persone giuste per un avvenimento così grandioso".

Una situazione quella cinese destinata a cambiare presto, almeno dal punto di vista delle infrastrutture. Hermann Tilke ha ricevuto l'incarico di trasformare il circuito cinese in una pista ad alto livello.

A day at the races: fan del luogo sulle tribune naturali.

Shopping sotto le palme: la 'Mall' fra le tribune principali.

Pensa per i piloti: il costruttore di circuiti Hermann Tilke.

Big in Japan

Rivali in pista: Mika Hakkinen (a sinistra) e Eddie Irvine sono gli avversari della finale.

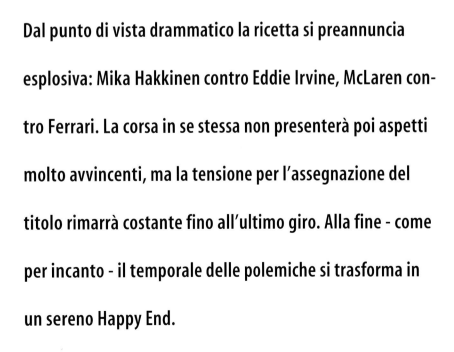

Classico: Mika Hakkinen guadagna la partenza (a sinistra) e difende la sua posizione fino al traguardo – e alla vittoria.

Dal punto di vista drammatico la ricetta si preannuncia esplosiva: Mika Hakkinen contro Eddie Irvine, McLaren contro Ferrari. La corsa in se stessa non presenterà poi aspetti molto avvincenti, ma la tensione per l'assegnazione del titolo rimarrà costante fino all'ultimo giro. Alla fine - come per incanto - il temporale delle polemiche si trasforma in un sereno Happy End.

Sfuma il sogno della dodicesima posizione in classifica: Jean Alesi (sullo sfondo) costringe Mika Hakkinen in un testacoda.

P rima del gran finale di Suzuka la situazione è tesa come non mai. A Parigi, la commissione di ricorso della FIA aveva annullato la squalifica della Ferrari e restituito i punti sottratti. Il campionato insomma era ritornato aperto. No all'assegnazione del titolo a tavolino e sì a quella sulla pista al termine di un diretto confronto. Sia Hakkinen che Irvine hanno le carte in regola per potere aspirare al titolo. I protagonisti ostentano grande calma, ma il loro nervosismo è addirittura palpabile.

Irvine si prepara a modo suo alla prova più importante della formula 1. Invece di dedicarsi alla meditazione tibetana, a un programma di fitness alle Maldive, a un'ulteriore serie di test a Silverstone, parte in direzione Macao per giocare a golf con la sua figlia illegittima. Nel frattempo fa

una capatina a Parigi in qualità di testimone, ritorna a Tokio dove apprende la buona notizia dell'annullamento della squalifica e si dà ai festeggiamenti

La notte è dedicata alle feste e ai sushi-bar.

per tutta la notte. Se di giorno deve assolvere impegni di pubbliche relazioni, la notte è dedicata al divertimento. Insomma una preparazione ottimale per il titolo di campione del mondo.

Anche il suo rivale nella lotta per il titolo non si distingue certo per un programma accurato di preparazione. In Giappone Mika Hakkinen sembra ancora più apatico, ancora più esaurito e ancora più sfinito di quanto non era apparso in Malesia. L'enorme tensione della vigi-lia è evidentemente troppo gravosa per le spalle del finlandese. Il rivale Irvine ostenta disinvoltura, ma si trova in una situazione migliore di quella del finlandese e anche molto avvantaggiato dal ritorno di Schumacher.

La mancata pole position ovviamente non migliora gli umori del pilota n.1 della McLaren-Mercedes. Al termine di un appassionante duello con Michael Schumacher è Jean Alesi a bloccare l'ultimo tentativo di Hakkinen. Il pilota italo-francese è dietro ad Hakkinen, ma sbaglia frenata, esce dalla pista, vi rientra davanti al finlandese e si mette di traverso. Mika per evitarlo va sulla ghiaia e il gioco è fatto. Per ben 11 volte Hakkinen ha conquistato quest'anno la pole position. Ora proprio nel Gran Premio decisivo sarà Michael Schumacher a partire per primo.

La sorprendente performance della Ferrari dopo il ritorno di Schumacher genera nervosismo presso i box della scuderia rivale. Perfino il capo della McLaren, Ron Dennis, normalmente piuttosto riservato, commenta con ammirazione ma anche con sospetto l'enorme passo avanti della Ferrari. "Migliorare improvvisamente di oltre un secondo a giro è quasi un miracolo". Insider con meno propensione al misticismo, chiamano il miracolo per nome. "È un controllo segreto della trazione – dicono – ad aver migliorato la Ferrari, non certo i deflettori laterali". È stato questo il motivo per cui Mika Hakkinnen ha subito ispezionato il cockpit della rossa quando ha potuto avvicinarla nel Parc Fermé?

Durante la composizione dello schieramento di

Secondi frenetici prima della partenza: Michael Schumacher fa rivedere ancora una volta gli ultimi dettagli.

partenza al Gran Premio del Giappone i commissari tecnici comunque mettono le mani avanti. Ad alcune monoposto tolgono la corrente per 3 secondi e questo per cancellare eventuali programmi di software che una volta spento il motore non sarebbero più provabili. Ci si può ben immaginare a cosa possano servire simili programmi, premesso che esistano veramente.

Nel frattempo Michael Schumacher ha i suoi problemi. Prima del giro di ricognizione lo si vede di frequente ai box per migliorare questo o quel particolare, ma soprattutto per correggere l'inclinazione dell'ala anteriore. La macchina evidentemente non ha più lo stesso assetto del warm-up e il fuoriclasse tedesco sembra essersene accorto. Più tardi dichiarerà di aver già recepito prima della partenza che qualcosa non andava per il verso giusto. La regolazione del motore non era perfetta e ciò spiegherebbe la brutta partenza proprio nell'ultima gara dove la pole era decisiva ai fini del titolo.

In ogni caso i presagi di Schumacher trovano conferma nella realtà. Al via, la Ferrari del tedesco pattina con le ruote posteriori e Mika ne approfitta per lanciarsi in avanti. Nel momento giusto il finlandese ha ritrovato il suo sangue freddo. Schu-

Anche in Giappone poca fortuna: il pilota della Williams, Alessandro Zanardi, neanche con la Suzuka riesce a riportare punti .

Coulthard provoca ancora più eccitazione

macher quindi è dietro ad Hakkinen, quando Olivier Panis è protagonista di una manovra spavalda e di successo. Approfittando della confusione che si è venuta a creare fra Eddie Irvine, Heinz-Harald Frentzen e David Coulthard, il francese si infila nella mischia con la sua Prost-Peugeot e conquista il terzo posto. "Ho avuto una partenza fantastica e la mia macchina andava così bene che ho potuto mantenere la terza posizione per ben 18 giri. Poi però il generatore di corrente ha

Colpo di scena: David Coulthard ha distrutto la sua McLaren Mercedes durante l'allenamento.

ceduto". Per la cronaca il pilota francese dovrebbe aver partecipato a Suzuka alla sua ultima corsa in F 1.

Nel frattempo Hakkinen in testa aumenta il suo vantaggio di mezzo secondo a giro. Dietro Panis seguono Irvine, Coulthard, Frentzen e Ralf Schumacher con la Williams-Supertec. A parte il duello a distanza tra la Finlandia e l'Irlanda del Nord la corsa per ora è noiosa e senza mordente.

L'interrogativo di tutti rimane comunque quello della strategia. Schumacher ed Hakkinen hanno scelto la stessa strategia di una sosta, oppure il pilota della McLaren avrà bisogno di un secondo rifornimento? La risposta arriva rispettivamente al 19mo e al 22mo giro. Dopo Mika anche Schumi va nei box. Mentre la sosta del finlandese però dura 8,8 secondi, la Ferrari scatta già in avanti dopo soli 6,3 secondi. Schumacher ha forse imbarcato meno benzina per tentare con un auto più leggera di rimontare il distacco? Ma anche questa tesi, alla quale i tifosi della Ferrari si aggrappano come ad un ancora di salvezza, anche questa tesi, si dimostra infondata. Hakkinen mantiene incontrastato la prima posizione e controlla bene la corsa.

Ora è David Coulthard a creare qualche diver-

Tutto a posto? Lo stand in giapponese del Campionato Mondiale.

Tengono per sé il lieto fine: il capo sportivo Norbert Haug (a sinistra) e il capo della McLaren Ron Dennis.

sivo. Al primo pit stop era riuscito ad infilarsi davanti ad Irvine e adesso ricorre alla stessa tattica della Ferrari in Malesia quando Schumacher bloccava Mika Hakkinen. Rallentando la propria corsa frena talmente Irvine da consentire ad Heinz-Harald Frentzen e a Ralf Schumacher di raggiungerli. La Ferrari, però, reagisce in modo intelligente e al 32mo giro richiama prematuramente ai box il suo candidato al titolo. Ora Coulthard ci dà dentro e i tempi che segna sono inferiori a quelli precedenti di ben 3 secondi al giro. Poi però commette un errore grossolano: all'ingresso di una curva veloce esce nel prato con la ruota posteriore sinistra, perde il controllo della macchina in forte sovrasterzo e va a demolire il musetto contro la barriera interna della curva. Un incidente spettacolare per fortuna

La sorpresa della stagione: Ralf Schumacher (davanti) convince con la Williams, l'uomo della Jordan, Frentzen, ha corso addirittura per il titolo mondiale.

Più veloce di tutti: Mika Hakkinen si assicura il suo secondo titolo di Campione del Mondo con una partenza ed un arrivo esemplari.

Lavoro di squadra I: Hakkinen e il designer della McLaren, Adrian Newey.

Lavoro di squadra II: il tattico della Ferrari, Ross Brawn, e Eddie Irvine.

senza gravi conseguenze. Coulthard può continuare la corsa fino ai box dove fa montare il nuovo musetto per rientrare poi in pista in ottava posizione.

Ritorniamo un attimo da Schumacher, che nella conferenza stampa di fine corsa criticherà duramente il comportamento di David. "È stato molto scorretto. Per lui sarebbe stato facile farmi passare e invece mi ha reso la vita difficile in modo sleale". Quando a Schumacher, che nel suo attacco verbale contro Coulthard rimette in ballo anche la famosa collisione a Spa-Francorchamps, gli si o-bietta che anche lui in Malesia era ricorso alla stessa tattica con Hakkinen, risponde seccato: "Mika ed io abbiamo lottato allora per una posizione. Era una cosa completamente diversa".

In ogni caso la manovra più o meno scorretta di Coulthard non può assolutamente modificare l'esito del campionato mondiale piloti, ma sicuramente quello del campionato costruttori. L'errore di Coulthard, che in ultima analisi ha portato al suo ritiro per problemi alla trasmissione, è costato alla McLaren il titolo costruttori e con ciò anche i premi di merito e quelli televisivi, nell'ordine di parecchi milioni di lire. Ron Dennis non ne sarà rimasto entusiasta.

"Lui o io - uno dove-va pur perdere!"

Le fasi veramente agonistiche della corsa sono state quelle evidenziate da Heinz-Harald Frentzen e Ralf Schumacher nel duello per il quarto posto e terminate poi a favore di Frentzen nonostante il rendimento della sua macchina risultasse com-promesso. "La prima marcia era già saltata da tempo quando mi sono accorto che anche con la seconda avevo problemi". Ralf Schumacher: "Anche se ero più veloce di Heinz non sono riuscito a superarlo".

Gli ultimi metri della finale del Giappone si trasformano per Hakki-nen in momenti di grande emozione. Con una corsa perfetta ha saputo met-tere il bavaglio a tutte le voci critiche. Ora assapora un giro d'onore quasi a passo d'uomo. "Il 1999 è stato un anno faticoso perché abbiamo perso inutilmente molti punti. Il decidere un mondiale all'ultima corsa mette i propri nervi a dura prova. Spero di non trovarmi più in una situazione del genere".

Eddie Irvine, incredibilmente calmo: "Lamentarsi non serve a nulla. Uno doveva pur perdere, lui o io. È toccato a me".

Con ciò è calato il sipario sulla formula 1 1999 come in un classico romanzo rosa, vale a dire con un grande Happy End. Tutti i protagonisti sem-bravano essere contenti. Un rinato Mika Hakki-nen festeggia il suo secondo titolo mondiale, la Ferrari il suo primo mondiale costruttori dopo il 1983. Eddie Irvine un grandioso finale e Michael Schumacher l'intenzione motivante di entrare l'anno prossimo nei libri di storia di Maranello come il salvatore della scuderia Ferrari. E anche Heinz-Harald Frentzen e Ralf Schumacher pos-sono andare orgogliosi. Ambedue hanno superato di gran lunga le attese della vigilia. Tutto bene quel che finisce bene!

Gesto di riconciliazione: Mika Hakkinen (a destra) e Eddie Irvine sul podio.

Statistica

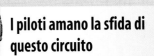

16. corsa del Campionato Mondiale F 1 1999,
Circuito Suzuka (J), 31 ottobre 1999

Lunghezza percorso: 5,864 km

Numero giri: 53 (= 310,792 km)

Partenza: 6.00 GMT

Condizioni del tempo: poco nuvoloso, caldo

Spettatori: 150 000

Scorsa stagione:
1. Mika Hakkinen (FIN, McLaren-Mercedes MP4/13), 1 h 27'22"535
2. Eddie Irvine (GB, Ferrari F300), – 6"491 s
3. David Coulthard (GB, McLaren-Mercedes MP4/13), – 27"662 s

Pole Position 1998: Michael Schumacher (D, Ferrari F300), 1'36"293 m

Giro più veloce 1998: Michael Schumacher (Ferrari F300), 1'40"190 m

Sosta box più breve 1998: Michael Schumacher (Ferrari F300), 29"396 s

I piloti amano la sfida di questo circuito

"Suzuka è un circuito fantastico. La maggior parte dei piloti ama questo circuito anche se è quasi impossibile superare. È una pista che esige il massimo dal pilota e dalla macchina. Già la successione delle curve all'inizio decide se compiere un giro veloce o uno lento. Una delle curve migliori è la 130R, un passaggio veloce a sinistra da fare in sesta marcia".

Mika Hakkinen

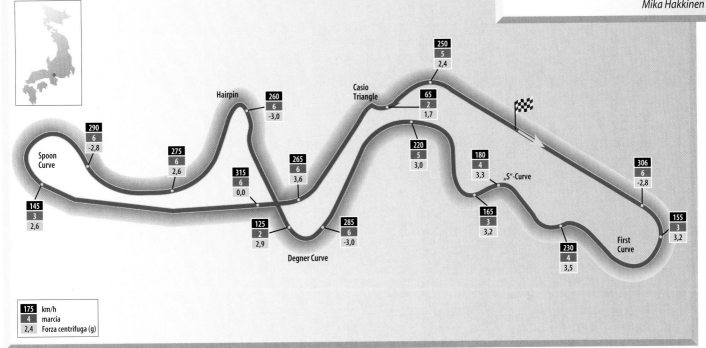

175	km/h
4	marcia
2,4	Forza centrifuga (g)

Risultati

Pilota	Team	Soste ai box	Giri	Tempo(h)	Media(km/h)	Distacco	Sul precedente
1. Mika Hakkinen	McLaren-Mercedes	2	53	1 h 31'18"785	204,086	–	–
2. Michael Schumacher	Ferrari	2	53	1 h 31'23"800	203,899	5"015 s	
3. Eddie Irvine	Ferrari	2	53	1 h 32'54"473	200,583	1'35"688 m	1'30"673 m
4. Heinz-Harald Frentzen	Jordan-Mugen-Honda	2	53	1 h 32'57"420	200,477	1'38"635 m	2"974 s
5. Ralf Schumacher	Williams-Supertec	2	53	1 h 32'58"279	200,446	1'39"494 m	0"859 s
6. Jean Alesi	Sauber-Petronas	2	52	1 h 31'31"101	199,784	1 Giro	1 Giro
7. Johnny Herbert	Stewart-Ford	2	52	1 h 31'33"352	199,702	1 Giro	2"251 s
8. Rubens Barrichello	Stewart-Ford	2	52	1 h 31'34"255	199,669	1 Giro	0"903 s
9. Jacques Villeneuve	BAR-Supertec	2	52	1 h 31'46"116	199,239	1 Giro	11"861 s
10. Alexander Wurz	Benetton-Playlife	2	52	1 h 31'55"310	198,907	1 Giro	9"164 s
11. Pedro Diniz	Sauber-Petronas	2	52	1 h 32'16"261	198,154	1 Giro	20"951 s
12. Ricardo Zonta	BAR-Supertec	2	52	1 h 32'44"136	197,161	1 Giro	27"875 s
13. Pedro de la Rosa	TWR-Arrows	2	51	1 h 31'39"478	195,641	2 Giri	1 Giro
14. Giancarlo Fisichella	Benetton-Playlife	2	47	1 h 23'50"733	197,085	Ritiro	Ritiro

Pilota	Team	Soste ai box	Nel giro	Motivo ritiro	Pos. prima del ritiro
Toranosuke Takagi	TWR-Arrows	2	44	Cambio	15
Luca Badoer	Minardi-Ford	3	44	Motore	16
David Coulthard	McLaren-Mercedes	2	40	Cambio	11
Marc Gené	Minardi-Ford	2	32	Cambio	14
Damon Hill	Jordan-Mugen-Honda	1	22	Ritiro	17
Olivier Panis	Prost-Peugeot	1	20	Impianto elettrico	14
Jarno Trulli	Prost-Peugeot	0	4	Motore	9
Alessandro Zanardi	Williams-Supertec	0	1	Impianto elettrico	16

1) Non più in gara alla fine, ma valido secondo la distanza percorsa.

GP del Giappone

 **16. corsa del Campionato Mondiale F 1 1999,
Circuito Suzuka (J), 31 ottobre 1999**

Griglia di partenza

3 Michael Schumacher (D)
Ferrari F399/195
1'37"470 m (312,8 km/h) [1]

1 Mika Häkkinen (FIN)
McLaren-Mercedes MP4/14-4
1'37"820 m (311,9 km/h)

2 David Coulthard (GB)
McLaren-Mercedes MP4/14-6
1'38"239 m (315,5 km/h)

8 Heinz-Harald Frentzen (D)
Jordan-Mugen-Honda 199/5
1'38"696 m (309,2 km/h)

4 Eddie Irvine (GB)
Ferrari F399/196
1'38"975 m (308,7 km/h)

18 Olivier Panis (F)
Prost-Peugeot AP02/5
1'39"623 m (312,6 km/h)

19 Jarno Trulli (I)
Prost-Peugeot AP02/7
1'39"644 m (313,6 km/h)

17 Johnny Herbert (GB)
Stewart-Ford SF3/3
1'39"706 m (307,4 km/h)

6 Ralf Schumacher (D)
Williams-Supertec FW21/6
1'39"717 m (308,5 km/h)

11 Jean Alesi (F)
Sauber-Petronas C18/4
1'39"721 m (307,8 km/h)

22 Jacques Villeneuve (CDN)
BAR-Supertec 01/6
1'39"732 m (306,3 km/h)

7 Damon Hill (GB)
Jordan-Mugen-Honda 199/4
1'40"140 m (307,3 km/h)

16 Rubens Barrichello (BR)
Stewart-Ford SF3/4
1'40"140 m (306,9 km/h)

9 Giancarlo Fisichella (I)
Benetton-Playlife B199/7
1'40"261 m (304,7 km/h)

10 Alexander Wurz (A)
Benetton-Playlife B199/4
1'40"303 m (302,0 km/h)

5 Alessandro Zanardi (I)
Williams-Supertec FW21/3
1'40"403 m (310,4 km/h)

12 Pedro Diniz (BR)
Sauber-Petronas C18/5
1'40"740 m (305,9 km/h)

23 Ricardo Zonta (BR)
BAR-Supertec 01/7
1'40"861 m (304,5 km/h)

15 Toranosuke Takagi (J)
TWR-Arrows A20/5
1'41"067 m (307,7 km/h)

21 Marc Gené (E)
Minardi-Ford-Zetec-R M01/4
1'41"529 m (303,2 km/h)

14 Pedro de la Rosa (E)
TWR-Arrows A20/7
1'41"708 m (304,3 km/h)

20 Luca Badoer (I)
Minardi-Ford-Zetec-R M01/1
1'42"515 m (300,0 km/h)

107-%-limite: 1'44"293 m

Giri più veloci

Prove libere

1. Häkkinen	1'41"746		12. Wurz	1'43"430
2. Coulthard	1'41"894		13. Alesi	1'43"485
3. M. Schumacher	1'42"215		14. de la Rosa	1'43"599
4. Barrichello	1'42"529		15. Gené	1'43"652
5. Zanardi	1'42"718		16. Hill	1'43"720
6. Panis	1'42"925		17. Zonta	1'43"776
7. Fisichella	1'42"953		18. Takagi	1'43"804
8. Villeneuve	1'43"047		19. Trulli	1'43"916
9. Frentzen	1'43"235		20. Herbert	1'44"179
10. Irvine	1'43"375		21. Diniz	1'44"423
11. R. Schumacher	1'43"399		22. Badoer	1'45"543

Corsa

1. M. Schumacher	1'41"319		12. Hill	1'43"939
2. Häkkinen	1'41"577		13. Wurz	1'43"963
3. Coulthard	1'42"106		14. Diniz	1'44"112
4. R. Schumacher	1'42"567		15. Trulli	1'43"304
5. Frentzen	1'42"972		16. Fisichella	1'44"379
6. Panis	1'43"188		17. Zonta	1'44"869
7. Irvine	1'43"297		18. Gené	1'45"359
8. Barrichello	1'43"496		19. Badoer	1'45"377
9. Alesi	1'43"668		20. de la Rosa	1'45"556
10. Herbert	1'43"706		21. Takagi	1'46"150
11. Villeneuve	1'43"898			

Tutte le soste ai box

Giro		Durata		Giro		Durata	
15 Wurz	33"147	19 Alesi	33"320	32 Irvine	29"796	36 Herbert	36"468
15 Hill	39"703	19 Zonta	32"729	32 R. Schumacher	32"150	36 Alesi	32"166
16 Panis	31"053	19 Takagi	35"944	32 Badoer	37"510	37 M. Schumacher	30"717
16 Gené	31"469	20 R. Schumacher	31"046	33 Barrichello	32"731	37 Diniz	31"293
16 Fisichella	31"821	20 Barrichello	31"230	33 Wurz	33"148	38 Häkkinen	30"966
17 Herbert	33"574	20 Diniz	32"294	33 Zonta	32"300	41 Badoer	38"561
17 Villeneuve	32"563	22 M. Schumacher	29"771	33 Fisichella	32"136		
17 de la Rosa	39"950	22 Coulthard	31"042	34 Coulthard	42"726		
18 Badoer	32"320	23 Irvine	30"742	34 Villeneuve	32"514		
19 Häkkinen	32"520	31 Frentzen	30"362	34 de la Rosa	35"848		
19 Frentzen	30"741	31 Gené	39"882	35 Takagi	34"668		

La corsa giro per giro

Partenza: Hakkinen parte benissimo ed è in testa. M. Schumacher reagisce bene, ma ha una partenza lenta con pattinamento delle ruote. Dietro il tedesco Panis conquista il terzo posto davanti ad Irvine, Coulthard e Frentzen. Giro 1: Zanardi si ferma con problemi all'impianto elettrico e termina così la stagione con 0 punti. Giro 7: Schumacher perde l'aggancio ad Hakkinen, Panis davanti ad Irvine. Giro 15: scivolata di Hill allo Spoon Corner. Giro 19: soste ai box di Hakkinen e Frentzen. Schumacher conduce con 10 secondi sul finlandese. Un generatore di corrente difettoso distrugge le speranze di Panis di andare ai punti. Giro 22: la sosta ai box fa nuovamente arretrare Schumacher dietro ad Hakkinen. Anche Coulthard si ferma e rientra quarto davanti a Frentzen. Hill si ritira ai box e conclude tristemente la sua carriera in F 1. Giro 23: dopo il suo pit stop Irvine rientra al quarto posto. Hakkinen conduce davanti a M. Schumacher e Coulthard. Giro 31: giro più veloce di M. Schumacher, il distacco di Hakkinen diminuisce. Coulthard trattiene Irvine e con lui anche Frentzen e R. Schumacher. Frentzen anticipa la sua seconda sosta. Giro 32: anche Irvine anticipa il rifornimento e rientra quinto. Giro 34: senza l'azione di bloccaggio Coulthard è più veloce di 3 secondi a giro. Poco dopo però va a sbattere e demolisce il musetto. Giro 37: dopo la seconda sosta M. Schumacher viene trattenuto da un Coulthard doppiato. Giro 38: Hakkinen mantiene la testa della corsa anche dopo il secondo pit stop. Giro 53: il finlandese supera trionfante la linea del traguardo ed è nuovo campione del mondo. A Irvine e M. Schumacher non resta altro da fare che congratularsi. Frentzen (quarto) e R. Schumacher (quinto) vanno nuovamente ai punti. Alesi è sesto.

Classifica

Mondiale piloti/Punti

1. Mika Häkkinen	76		12. Damon Hill	7
2. Eddie Irvine	74		13. Alexander Wurz	3
3. Heinz-Harald Frentzen	54		14. Pedro Diniz	3
4. David Coulthard	48		15. Olivier Panis	2
5. Michael Schumacher	44		16. Jean Alesi	2
6. Ralf Schumacher	35		17. Pedro de la Rosa	1
7. Rubens Barrichello	21		18. Marc Gené	1
8. Johnny Herbert	15			
9. Giancarlo Fisichella	13			
10. Mika Salo	10			
11. Jarno Trulli	7			

Mondiale costruttori

	Punti
1. Ferrari	128
2. McLaren-Mercedes	124
3. Jordan-Mugen-Honda	61
4. Stewart-Ford	36
5. Williams-Supertec	35
6. Benetton-Playlife	16
7. Prost-Peugeot	9
8. Sauber-Petronas	5
9. TWR-Arrows	1
10. Minardi-Ford	1

1) Tempo giro (Topspeed in Qualifying)

115 Gran Premi, 22 vittorie e
Campione del mondo nel 1996:
Damon Hill in Giappone
prende congedo come
pilota di F 1.

La difesa del titolo si è rivelata la prova più dura di tutta la sua carriera in F 1: Mika Hakkinen, nuovo e vecchio campione del mondo.

La lunga via
per l'Olimpo

L'edizione 1999 della formula 1 si rivela per Mika Schumacher non come una piacevole passeggiata verso il

secondo titolo mondiale, ma come sfibrante guerra di nervi che si risolverà solo in zona Cesarini. Va proprio detto

che finora, almeno nello sport automobilistico, Mika non ha mai avuto anni facili.

I l finlandese volante ce l'ha fatta: Mika Hakkinen è entrato a far parte di quel piccolo club elitario di campioni mondiali di F 1 che l'anno successivo hanno potuto difendere con successo il loro titolo. A Jim Clark, Jackie Stewart, Emmerson Fittipaldi, Niki Lauda o Nelson Piquet, per esempio, questo onore è rimasto precluso. Non però ad Alberto Ascari, Juan-Manuel Fangio, Jack Brabham, Alain Prost, Ayrton Senna o Michael Schumacher.

Esattamente a due anni dalla sua prima vittoria in F 1, Hakkinen sale quindi definitivamente nell'Olimpo dei Grandi a temporaneo coronamento di una sorprendente carriera, iniziata quasi con estrema irruenza e rallentata poi da tutta una serie di avvenimenti di cui molti spiacevoli.

Mika Hakkinen, 31 anni, originario della periferia di Helsinki, entra in formula 1 a grandi tappe. A 18 anni Mika ha già vinto 5 campionati di go-kart. Nel 1987 si aggiudica la formula Ford finlandese, svedese e nordica e un anno dopo ripete il successo con la Lotus GM. Nel 1989 passa al difficile campionato britannico di formula 3 e l'anno successivo lo vince. La strada verso la F 1 è spianata.

"Ho sempre voluto diventare campione del mondo".

L'inizio si rivela più difficile del previsto. Hakkinen debutta nel 1991 nel Gran Premio degli Stati Uniti con una Lotus, con un nome quindi altisonante nella F 1, ma decisamente in declino. Riesce comunque a mettersi in luce. Con una macchina mediocre non sfigura nelle prove di qualifica e nel suo terzo gran premio va addirittura ai punti. A Imola dalla penultima posizione

La sua posa preferita. Mika Hakkinen si sente a proprio agio solo sul gradino più alto del podio. Nella scorsa stagione il pilota della McLaren Mercedes si è assicurato 5 gran premi.

di partenza avanza fino al quinto posto.

La stagione 1993 è migliore della precedente. Sei volte ai punti e due volte un quarto posto. Per lui e per il suo manager Keke Rosberg, però, non ci sono dubbi: la Lotus non può rappresentare un futuro. Hakkinen, a questo punto, compie un atto di coraggio e passa alla McLaren, non come pilota di F 1, ma come semplice collaudatore. "Anche se per un anno intero non potrai partecipare alle corse – gli dice Keke – l'importante è che il nuovo datore di lavoro si chiami McLaren".

Ma proprio la McLaren, che a partire dal 1984 aveva vinto ben 6 titoli del campionato costruttori e 7 di quello piloti, si trovava allora in caduta libera. Dopo il ritiro del partner Honda, il team di Ron Dennis era costretto ad adottare i normali motori Ford, di gran lunga inferiori a quelli Renault.

Perfino un Ayrton Senna si rivelava impotente contro il dominio assoluto della Williams-Renault e del suo rivale Alain Prost. Michael Andretti poi, campione americano Cart e secondo pilota McLaren, delude su tutta la linea.

Ho creduto sia alla McLaren che al mio talento.

Per Hakkinen insomma una buona base di partenza. "Con mia grande sorpresa Senna rinuncia ai test almeno fino a quando non c'è da provare qualcosa di veramente nuovo. Sono io quindi che mi trovo quasi ad abitare sul circuito di Silverstone. Ed in effetti alla guida di una macchina di F 1, rispetto ad un pilota vero e proprio, trascorro molto più tempo".

Dopo il Gran Premio d'Italia la pazienza di Ron Dennis con Andretti raggiunge il limite massimo. L'americano deve ora rientrare negli Stati Uniti. È arrivato il grande momento di Hakkinen. A 3 giorni dal suo 25mo compleanno sorprende il mondo della F 1. Già al suo debutto si qualifica davanti ad Ayrton Senna. Nella corsa successiva arriva addirittura terzo.

L'anno dopo Senna passa alla Williams e Mika Hakkinen avanza anche se non ufficialmente al ruolo di n.1. Il suo compagno di scuderia, Martin Brundle, ha più esperienza di lui, ma già alle prime battute è evidente che il finlandese, anche se in F 1 è alle prime armi, gli è nettamente superiore. Sembra insomma che la prima vittoria di Hakkinen sia solo questione di tempo, ma non è così.

Anche con i motori Peugeot la McLaren non riesce a riallacciarsi ai successi degli scorsi anni e anzi ad un certo momento la casa francese fornitrice di motori è costretta, più o meno volon-

tariamente, a passare alla Jordan. Ron Dennis, però, si è già assicurata la collaborazione di una marca prestigiosa: la Mercedes-Benz. Tuttavia anche insieme ai costruttori di Stoccarda la via verso il successo si rivela lunga e tutta in salita.

Per Mika Hakkinen sono tempi difficili. "Certo, ho sempre voluto diventare campione del mondo. Lo volevo già quando correvo con i go-kart, figurarsi nella F 1. Al mio debutto al volante di una monoposto pensavo di conquistare il campionato già nella prima stagione. Poi la mancanza di risultati concreti mi avrebbe forse fatto smettere se non avessi avuto attorno a me persone fantastiche sempre pronte ad incoraggiarmi. Ron, i meccanici, Keke, mia moglie Erja, la mia famiglia e molti buoni amici". Nel caso in cui la frustrazione fosse diventata insopportabile, poteva sempre seguire il suggerimento del padre: andare nel bosco e abbattere un paio di alberi per sfogare tutta la rabbia interiore. Hakkinen comunque rimane ottimista. "In un Paese come la Finlandia dove è quasi buio anche di giorno - dice spesso - non essere ottimisti è un guaio serio".

I giorni più bui della sua carriera Mika li vive a Down Under per il Gran Premio d'Australia. Nelle qualifiche per l'ultima corsa del campionato del '95 perde la ruota posteriore sinistra e schizza in aria come un aereo in fase di decollo.

A oltre 200 km orari e dopo un lungo volo, la macchina si schianta violentemente su una catasta di gomme. Merome Cockings, uno dei medici sul posto scriverà nel rapporto che perdeva molto sangue dalla bocca e che i suoi occhi erano aperti, ma senza la minima reazione. Quando il volto del finlandese inizia a colorarsi di blu per mancanza di ossigeno ci si decide subito per una tracheotomia.

"Hai avuto veramente fortuna".

All'ospedale arriva in coma, ma già il giorno dopo quando riprende conoscenza è il medico della F 1, Sid Watkins, a comunicargli la gravità dell'incidente . "Hai avuto una fortuna sfacciata perchè non dobbiamo operarti alla testa". Hakkinen ricorda di avere appreso la notizia con grande sollievo, ma anche sciocato. Si era reso conto cioè di aver subito un incidente veramente grave.

Tutta la pausa invernale è dedicata alla convalescenza. La moglie Erja, in Finlandia una nota moderatrice televisiva, rinuncia alla professione per poterlo curare. Dopo tre mesi di assenza Hakkinen ritorna nel mondo della F 1 e

Le informazioni sono tutto: privatamente è disinvolto. Sui circuiti però Mika è sempre estremamente concentrato.

Champagne per tutti: Mika Hakkinen ha difeso il suo titolo con successo.

Il successo è dialogo: il secondo titolo è stato reso possibile solo grazie ad uno stretto rapporto con gli ingegneri Mc-Laren.

Fermo punto di riferimento in una vita movimentata: la moglie Erja accompagna Hakkinen in tutti i Gran Premi.

nei test di Estoril fa segnare il primo tempo assoluto. Nel Gran Premio di Australia, che inaugura la stagione 1996, si qualifica al quinto posto. A chi si congratula con lui dirà di non capirne il perchè dal momento di essere venuto in Australia per vincere e non per classificarsi quinto.

L'ambizione di vincere era dunque rimasta,

Il nodo non voleva sciogliersi

ma il successo non voleva arrivare. Trascorre un'intera stagione senza una sola vittoria tanto che il finlandese alla fine è talmente scoraggiato da mettere in dubbio anche il frenare con il piede sinistro, un'innovazione che lui stesso aveva introdotto in F 1. Ritorna quindi a frenare con il piede destro ed effettivamente ottiene risultati migliori.

Non è Hakkinen, comunque, ma il suo compagno David Coulthard a far segnare in Australia nel 1997 la prima vittoria McLaren con una Siver Arrows.

Per Mika, che era corso dietro a questa vittoria come una bottiglia di champagne sotto pressione, il tappo non voleva saltare. La sorte non sembra propizia al finlandese. Le vittorie quasi sicure a Silverstone, in Austria o al Nürburgring erano venute a mancare all'ultimo momento per difetti tecnici.

Solo nel campionato 1999 la situazione si sblocca con la vittoria regalata a Jerez da Villeneuve e Coulthard: Hakkinen vince otto gran premi, si aggiudica nove volte la pole position, fa segnare sette volte il giro più veloce e conquista il titolo di campione mondiale piloti.

Alle fatiche di un'intera stagione seguono poi un viaggio promozionale di sei settimane,

prima finalmente del meritato riposo. Tornato al mondo della F 1 abbronzato e di ottimo umore avrà tempo di rendersi lentamente conto che la sua prima stagione da campione del mondo è la più difficile della sua carriera. Nonostante una serie impressionante di pole position e nonostante una lunga assenza del rivale Schumacher, l'intera stagione lo mette a dura prova per scarsa affidabilità della macchina, per incomprensioni con il compagno Coulthard e per errori grossolani e perfettamente evitabili come quelli di Imola o Monza.

Le lacrime con le quali il finlandese sfoga la sua delusione nel parco di Monza vengono derise solo dagli invidiosi.

Proprio quelle lacrime hanno conferito un tratto di umanità ad un mondo di F 1 che viene definito non a torto sempre più freddo e inumano. E con la sua brillante vittoria nella finale del Giapppone, Hakkinen ha dimostrato di sapere reagire con grinta anche a tensioni insopportabili. Il suo nome può venir affiancato ora a buona ragione a quelli di Ascari, Fangio, Brabham, Prost, Senna e Schumacher.

Tutto a buon fine

Dopo una stagione non certo povera di avvenimenti drammatici, colpi di scena improvvisi e decisioni sorprendenti, hanno vinto alla fine il favorito Mika Hakkinen e la credibilità della F 1. La Ferrari ha mancato la conquista del campionato piloti anche al suo 20mo tentativo, ma può andare orgogliosa del titolo dei costruttori ed essere anzi sicura con Michael Schumacher di avere il pilota giusto per catturare finalmente il titolo il prossimo anno.

Nessun grande aiuto. Mika Hakkinen (a sinistra) non ha potuto contare sull'appoggio del compagno Coulthard.

U n particolare si pone alla nostra attenzione in una retrospettiva del '99. I maggiori avversari dei difensori del titolo Mika Hakkinen e McLaren-Mercedes non sono stati tanto la Ferrari, Michael Schumacher o Eddie Irvine, ma le stesse frecce d'argento.

Dove la Ferrari ha puntato sull'affidabilità della macchina – una sola volta Eddie Irvine non ha raggiunto il traguardo – e ha giocato la carta degli ordini di scuderia, il team anglo-tedesco è stato il maggiore responsabile delle proprie sconfitte e questo nonostante nella prima metà dell'anno e forse addirittura fino alla fine della stagione, abbia potuto disporre della macchina più competitiva.

L'affidabilità, insomma, è stato uno dei punti deboli delle frecce d'argento, specialmente all'inizio della stagione. Nei primi 4 Gran Premi si sono registrati tre ritiri di Coulthard e uno di Mika Hakkinen per difetti tecnici. Considerata l'intera stagione le McLaren in 32 partenze sono rimaste ferme ben 7 volte, le Ferrari invece solo 3, compresa quella dell'incidente di Schumacher a Silverstone.

L'ordine di scuderia. Mentre la Ferrari all'inizio della stagione ha posto chiaramente la can-

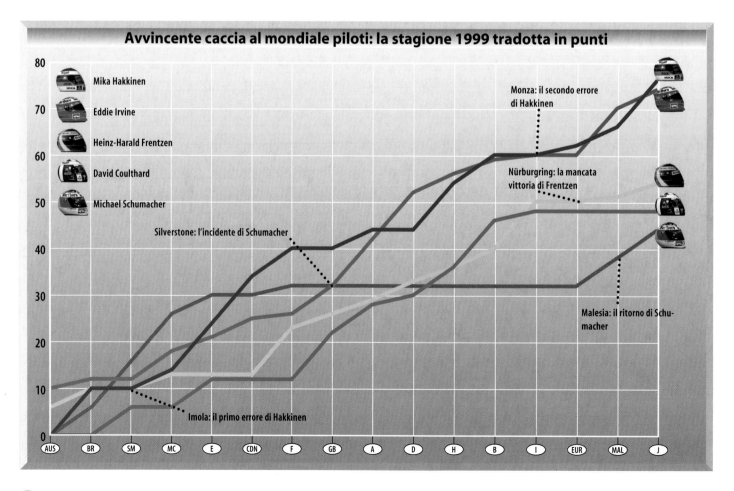

Avvincente caccia al mondiale piloti: la stagione 1999 tradotta in punti

- Mika Hakkinen
- Eddie Irvine
- Heinz-Harald Frentzen
- David Coulthard
- Michael Schumacher

Monza: il secondo errore di Hakkinen

Nürburgring: la mancata vittoria di Frentzen

Silverstone: l'incidente di Schumacher

Malesia: il ritorno di Schumacher

Imola: il primo errore di Hakkinen

AUS · BR · SM · MC · E · CDN · F · GB · A · D · H · B · I · EUR · MAL · J

Due piloti e una mente: Ferrari ha giocato la carta degli ordini di scuderia favorendo la tattica del n.1. Mika Salo (a destra) ha dovuto aiutare Eddie Irvine.
Eddie Irvine a sua volta Michael Schumacher. Lo stesso Schumacher ha dato poi la precedenza ad Irvine.

didatura al titolo sulle spalle di Schumacher e successivamente su quelle di Irvine, alla McLaren-Mercedes a contendersi i punti sono stati gli stessi Hakkinen e Coulthard. Il finlandese, per esempio, ha perso 6 punti in seguito ad un leggero speronamento da parte del suo compagno, a cui è stato poi addirittura permesso di arrivare secondo e di ottenere quei 2 punti in più che sarebbero potuti andare a lui. La stessa cosa al Gran Premio del Belgio: Coulthard ha vinto davanti ad Hakkinen. Altri 4 punti buttati al vento.

Ad Hakkinen la finale per il titolo sarebbe risultata più facile con 2 punti di vantaggio al posto dei 4 di svantaggio.

In questo contesto la Ferrari è stata coerente. A Hockenheim Mika Salo ha regalato 4 punti ad Irvine rinunciando alla sua prima vittoria in F 1. La stessa rinuncia da parte di Michael Schumacher in Malesia. Vantaggio per Irvine: 8 punti.

Ma c'è di peggio. La mancanza di precisi ordini di scuderia ha innervosito oltremodo Mika Hakkinen che è incorso così in due grossolani errori e che al Nürburgring sotto la pioggia non ha certo brillato per bravura.

Eddie Irvine, decisamente inferiore ad Hakkinen specialmente nelle prove di qualifica, non si è concesso invece neppure un errore.

Il fatto che poi la McLaren-Mercedes abbia conquistato il titolo senza essere mai ricorsa alla strategia della Ferrari, rende il successo di Hakkinen ancora più incisivo. Tutto bene quel che finisce bene – anche se David Coulthard, che per colpa sua ha concluso senza punti due delle

ultime tre gare, è costato alla sua scuderia la perdita del mondiale costruttori e quindi riconoscimenti in denaro per il titolo e i diritti televisivi nell'ordine di milioni di dollari.

Michael Schumacher, dal canto suo, può ritenersi soddisfatto. Con il suo comeback non solo si è confermato migliore pilota del mondo, ma ha anche potuto migliorare la sua immagine di teamplayer senza dover lasciare ad Eddie Irvine l'onore di riportare a Maranello il mondiale piloti dopo 20 anni di assenza. Questo traguardo, ovviamente, intende raggiungerlo Schumi nella prossima stagione.

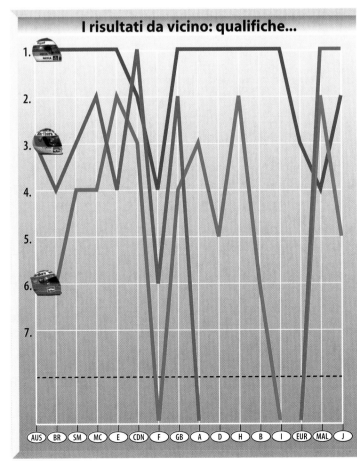

I risultati da vicino: qualifiche...

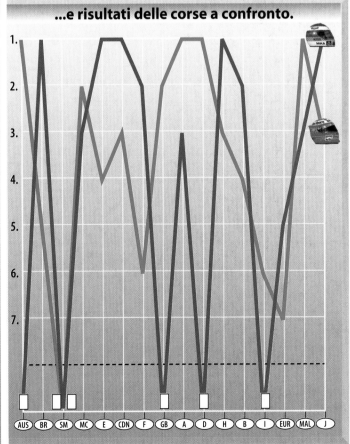

...e risultati delle corse a confronto.

D= ritiro per difetto tecnico. F= ritiro per errore del pilota.

Il quarto uomo

Completamente diverso eppure simile: Nick Heidfeld, dal prossimo anno il quarto tedesco in F 1, si distingue dai suoi tre conna-

zionali per un certo comportamento riservato. Ma c'è un aspetto comune a tutti e quattro, vale a dire la velocità. 'Quick Nick' è

così veloce che già prima del suo debutto figurava fra i piloti più richiesti sul mercato.

La F 1 parla tedesco. Quando Nick Heidfeld correrà nella prossima stagione per la Prost-Peugeot saranno ben 4 i piloti tedeschi di F 1 e altrettanti i motori che verranno forniti da case tedesche. Si tratta di una statistica al margine, ma niente di più. Il 22nne renano vuole intraprendere la sua strada e mantenere la direzione seguita finora.

A vederlo sembra timido. All'attenzione della stampa dopo la notizia del suo ingaggio alla Prost-Peugeot, Heidfeld deve ancora abituarsi. Nonostante i vestiti su misura che ancora riceve da uno sponsor della McLaren, nell'overall da corsa si sente più a suo agio. Chi lo giudica dal viso dimentica che Nick con i suoi 22 anni non è più giovane di quanto lo era Ralf Schumacher al suo debutto in F 1. E che il nuovo pilota tedesco abbia la maturità necessaria per guidare una monoposto è un fatto accertato.

È principalmente la sua modestia a renderlo simpatico, per esempio quando lo si interpella sul suo inglese perfetto e quasi privo di accento. Heidfeld si tira indietro, dice che in fin dei conti parla un inglese scolastico e che molti vocaboli li ha imparati nel contatto giornaliero con il suo team. L'impressione generale è che sia un giovane con i piedi per terra. Un pilota sensibile come i suoi colleghi agli apprezzamenti, ma desideroso anche di guadagnarseli con risultati concreti sulla pista. In questo suo intento lo sostengono la sua ragazza, Patricia, e il suo manager, Werner Heinz.

Le tappe della carriera di Heidfeld sembrano quelle che solitamente si leggono in un libro illustrato: go-kart, formula Ford, formula 3, formula 3000, formula 1. Inoltre il sostegno di una delle maggiori case automobilistiche del mondo.

Già lo scorso anno, alla sua prima stagione in formula 3000, il pilota tedesco batte più volte il fuoriclasse della Champ-Car, Juan Pablo Montoya e non si aggiudica il titolo solo per una piccola svista del suo team. A posteriori è andata bene così. Un anno in più per svilupparsi e per dimostrare di saper dominare anche gare di prestigio. Il programma di formula 3000 durava comunque solo due anni. Il fatto che poi si sarebbe avvicinato tanto al titolo già nel primo anno non era affatto previsto. Il bilancio della seconda stagione è decisamente positivo. Quattro vittorie e la conquista del titolo. Indubbiamente un grande successo, ma soprattutto un successo che gli spalanca le porte della F 1.

Ciò che viene spesso dimenticato: Nick non è così bravo perchè gode dell'appoggio di una casa automobilistica mondiale. È esattamente il contrario. Sono stati proprio i suoi successi a qualificarlo in piena regola come pilota degno di essere sostenuto dal grande complesso di Stoccarda. E che la Mercedes abbia un buon fiuto lo ha dimostrato più volte. In fin dei conti è stata la Mercedes a spianare la via a Michael Schumacher, al fratello Ralf e, anche se non direttamente, ad Heinz-Harald Frentzen.

I quattro piloti tedeschi non hanno in comune

Segno frequente di vittoria. Nella combattutissima formula 3000 Nick Heidfeld ha sempre figurato tra i vincitori.

Il mentore: il capo della McLaren Ron Dennis ha promosso la carriera del giovane tedesco.

solo il passaggio dal complesso di Stoccarda, ma anche una famosa pista di go-kart e cioè quella dei genitori di Schumacher a Kerpen-Manheim. A Kerpen anni fa si sono addirittura incrociate la via dell'ex campione del mondo Schumacher e quella del suo successore designato. "Per guadagnarmi un paio di marchi ho allenato alcuni giovani al go-kart. Ho insegnato loro le traiettorie ideali e qualche trucco del mestiere, Fra questi giovani c'era anche Nick e si capiva subito ch'era un grande talento".

"Si capiva subito ch'era un gran talento".

Dopo 5 anni passati al go-kart i cambiamenti sono rapidi. Ad ogni stagione Heidfeld sale un gradino nella scala del successo. E se per due anni consecutivi corre nella stessa classe è per aver mancato il titolo per un soffio. Un titolo che già nella stagione successiva diventa suo. Nel 1994 debutta e vince anche il campionato nella formula Ford 1600. La stessa impresa gli riesce l'anno dopo nella classe più alta, quella 1800. Ora con questi successi alle spalle si dichiara pronto per la formula 3. Sotto lo sguardo severo del capo del team, Bertram Schäfer, Nick sa mettersi in luce e conclude la stagione con un terzo posto. Verso la metà del '97 lo chiamano per il torneo Mercedes-Junior. Vi partecipa con i colori delle frecce d'argento e alla fine lo vince anche. Nello stesso anno porta a compimento il suo capolavoro, la vittoria del 'Piccolo Gran Premio', il rinomato evento di formula 3 a Monaco. Quest'anno poi, tanto per chiudere in bellezza, si è aggiudicato anche il titolo nella formula 3000.

"Nick è mentalmente molto forte e fa parte della schiera di quei piloti che possono guidare e pensare contemporaneamente". E chi potrebbe saperlo meglio di David Brown? L'inglese è stato per due anni capo di Nick nella squadra di formula 3000 della West Competition e responsabile per il programma McLaren-Mercedes per le nuove leve.

"Non ha bisogno di tutte le sue capacità per

mantenere la strada, ma mentre guida è in grado di analizzare il comportamento della macchina e di pensare a possibili modifiche. Anche quando una macchina non ha l'assetto ottimale, lui esce e firma un giro superveloce. Esattamente come sapevano fare Nigel Mansell o Ayrton Senna".

Nel team di Alain Prost il tedesco incontra ora una vecchia volpe della F 1 dal carattere particolarmente difficile: con tutto il rispetto per le sue capacità di guida, Jean Alesi non viene considerato un compagno facile.

Heidfeld comunque non si scompone: "Finora sono andato d'accordo con tutti. Adesso voglio imparare molto e tirar fuori il meglio di me".

Il meglio di Heidfeld, però, potrebbe essere troppo per Alesi. Anche gli altri grandi della formula 1 tuttavia farebbero bene a prenderlo sul serio.

"Io ho rispetto per i piloti affermati. Da me però non possono aspettarsi venerazione".

Il clan Heidfeld: Nick con i suoi genitori e la ragazza Patricia.

Un comeback fallito

L'arma miracolosa contro le corse noiose si è rivelata a doppio taglio. Alex Zanardi, due volte campione del mondo nella Champ-Car, è stato umiliato nel suo ritorno in formula 1 dal giovane compagno di scuderia Ralf Schumacher.

Il bilancio è disastroso. Dopo 15 dei 16 Gran Premi in cartellone il punteggio di Alex Zanardi è zero assoluto, mentre quello del suo giovane compagno Ralf Schumacher ha all'attivo ben 33 punti. Anche nel duello per le qualifiche è sempre il tedesco a condurre. Con 10 a 5 Zanardi può definirsi declassato.

Non pochi gli esperti di F 1 che avevano previsto il fallimento di Zanardi, ma nessuno in questa misura. E pensare che il ritorno dell'italiano (fra il 1991 e il 1994 partecipò a 25 Gran Premi di F 1) era stato festeggiato come un grande avvenimento. Nel team di Chip Ganassi egli aveva assunto il ruolo di Jacques Villeneuve come Superstar della Champ-Car e aveva vinto per ben due volte il campionato americano delle monoposto. Il suo coraggio e la sua bravura lo avevano messo in luce anche al di qua dell'Atlantico. Zanardi veniva considerato come l'arma miracolosa contro le corse noiose e in processione ed è proprio grazie a questa sua fama che Frank Williams e Patrick Head decidono di ingaggiarlo. Licenziano Heinz-Harald Frentzen che passa alla Jordan, richiamano Zanardi e mandano in sua sostituzione al team di Ganassi Juan Pablo Montoya, campione di formula 3000 e collaudatore alla Williams.

Ma Zanardi si rivela un fallimento su tutta la linea. "Già guardando la televisione – ammetterà poi l'italiano – avevo capito che sarebbe stato difficile, ma non così difficile come effettivamente è stato. Le attuali macchine di formula 1 non sono affatto come me le ero immaginate". E così il pilota di Bologna riprende esattamente là dove aveva lasciato nel 1994 come pilota della Lotus nel Gran

Il sorriso di un tempo di Alessandro Zanardi: l'italiano ritornò da campione nella formula 1 e dovette riconoscere che non si ritrovava con i nuovi solchi delle gomme.

"Avevo capito che sarebbe stato difficile..."

Premio d'Australia: riprende cioè ad essere decisamente mediocre. Quest'anno il suo bottino di allora di appena un punto non è stato neppure uguagliato. Il temerario Zanardi che lo scorso anno è diventato padre ha improvvisamente paura? "Ho troppa velocità in curva, questo è il problema. Gli attuali pneumatici da corsa lavorano molto efficacemente in lungo, ma non hanno aderenza laterale. Bisogna insomma frenare forte, superare in qualche modo la curva e riprendere subito l'accelleratore. Io invece mi trovo meglio con una guida alla Alain Prost: una guida morbida ma sempre al limite. Così come sono adesso queste auto, le odio: non posso permettermi di fare tutto quello che vorrei fare". Anche se i vertici della Williams non si stancano di difendere Alex è chiaro che non è affatto sicuro che possa rimanere alla Williams anche per la prossima stagione. La concorrenza si fa pressante e se Montoya dovesse coronare il suo debutto nella Champ-Car con la conquista del titolo, potrebbe prendere il posto di Zanardi anche se vorrebbe fermarsi ancora un anno negli Stati Uniti. Ma anche il danese Tom Kristensen – molto lodato da Patrick Head – potrebbe diventare nuovo pilota della Williams. La macchina l'ha già provata e quest'anno come pilota Honda nel campionato tedesco delle Super Gran Turismo ha saputo mettersi in luce. Alex Zanardi non si scoraggia: "Il mio futuro non mi preoccupa. Finanziariamente sono in una botte di ferro e se un giorno dovessi ritenere che il mio stile di guida non armonizza con le esigenze di questa macchina non mi divertirebbe più guidarla. Fino ad allora, però, mi piace tentare ancora".

Una questione di forma

Tutto ciò che avverrà nella prima stagione di F 1 del nuovo secolo è ancora scritto nel firmamento e nella sfera di cristallo. Klaus-Achim Peitzmeier tenta di decifrarli.

Gran Premio d'Australia

Lo chef della BAR Craig Pollock non ha dubbi: sarà la sua scuderia a vincere la corsa che inaugura la stagione. Damon Hill ci ha ripensato e ha deciso di correre ancora una stagione per la Minardi. Nelle qualifiche dominano le McLaren-Mercedes con 5 secondi in meno a giro. Michael Schumacher deve rinunciare alla partenza: problemi di forma a causa di un raffreddore. In compenso il nuovo ferrarista Rubens Barrichello vince il suo primo gran premio con gli slick del '97.
La protesta della McLaren non viene accettata dal tribunale di Parigi. Si è trattato evidentemente di una svista e la Ferrari non ha avuto vantaggi. I piloti della BAR Villeneuve e Zonta si scontrano nel primo giro e si buttano fuori a vicenda.

Gran Premio del Brasile

La corsa si conclude con l'inaspettata vittoria di Heinz-Harald Frentzen. Da quando Eddie Jordan lo ha adottato, il tedesco si sente ancor più a proprio agio nella scuderia e guida veramente bene. Precedentemente Barrichello aveva perso la prima posizione nella corsia dei box: l'impianto di rifornimento Ferrari era risultato vuoto. Il capo sportivo Jean Todt aveva subito presentato le dimissioni. Michael Schumacher ulteriormente assente: per saggiare le sue condizioni fisiche scala attualmente l'Himalaya. Ambedue le BAR si ritirano per guasto alla trasmissione.

Gran Premio di San Marino

Damon Hill pensa di ritirarsi: anche questa volta non è riuscito a superare la prima curva. Conduce Mika Hakkinen fino a quando nel giocare con il computer di bordo, spegne inavvertitamente il motore e scoppia a piangere. Il suo compagno, David Coulthard, supera Barrichello con la pioggia. Successivamente i commissari constatano che la Ferrari disponeva della trazione 4x4. La protesta viene respinta; probabilmente si è trattato di un sabotaggio da parte dell'Audi. Per la Ferrari, però, non c'è stato vantaggio. Ambedue le BAR rimangono ferme alla partenza.

Gran premio d'Inghilterra

Mika Hakkinen conduce fino a quando perde una ruota posteriore. Il personale di pista fornisce fazzoletti di carta per asciugare le lacrime. Michael Schumacher si allena giornalmente con la nazionale tedesca di calcio, ma non si sente ancora in forma per la F1. Da quando la madre di Eddie Jordan cucina per Frentzen, il tedesco si sente ancora meglio e vince. Damon Hill si accomiata da tutti i piloti, meccanici e spettatori. È tempo di andare – dice.

Gran Premio d'Europa

Hill dice di essere stato male interpretato e parte al Nürburgring. Il tempo fa le solite bizze. A seconda del segmento di tracciato piove, nevica, grandina o splende il sole. La McLaren vuole andare sul sicuro e sulla macchina di Hakkinen monta gli slicks davanti e le gomme d'inverno dietro. Il finlandese si accorge che gli hanno rubato il cellulare, si mette a piangere ed esce. Vince Johnny Herbert. Dal momento che tutti i concorrenti scivolano fuori pista, l'inglese raggiunge il traguardo da solo. Villeneuve e Zonta hanno dovuto rinunciare alla partenza. Pollock aveva dimenticato le chiavi del garage dove erano custodite le due BAR.

Gran Premio di Monaco

Sorpresa: le BAR si qualificano. Michael Schumacher festeggia il suo ritorno. Anche se non completamente in forma vince sotto la pioggia con due giri di distacco sul secondo. Il principe Ranieri lo saluta dicendo: "Ah! Ancora Lei?".

Gran Premio del Canada

Ennesima assenza della BAR. Il team era partito erroneamente per il Gran Premio di Francia che però si disputerà fra due settimane. Hakkinen vince dopo che tutti i concorrenti sono andati a schiantarsi contro il famigerato muro. Il controllo tecnico di fine corsa, però, rileva che la McLaren del finlandese pesava 50 grammi in meno della norma. La FIA reagisce con risolutezza. Squalifica Hakkinen e dichiara vincitore il sorpresissimo Zanardi. La protesta della McLaren viene respinta. Le regole sono regole - argomentano i giudici di Parigi.

Gran Premio di Francia

Hockenheim si disputa senza Schumacher che però parla ai suoi tifosi da un grande schermo e su tutti i canali televisivi riuniti.
Il suo discorso in diretta trasmesso in tutto il mondo supera di due volte e mezzo, per numero di spettatori, la benedizione del Papa Urbi et orbi in occasione della Santa Pasqua. La FIA interrompe la corsa e dichiara Schumacher vincitore. La Ferrari altrimenti sarebbe risultata svantaggiata.

Gran Premio del Belgio

C'è nuovamente Schumacher. Sotto la pioggia guida con grande abilità e si distacca da tutti. Hakkinen invece non partecipa. Un'infiammazione alle borse lacrimali lo costringe a letto. Ambedue le BAR si infortunano nella Eau Rouge. Eddie Jordan ingaggia uno psicologo perchè teme che Frentzen possa sentirsi solo.

Gran Premio della Malesia

Con un'altra vittoria Heinz-Harald Frentzen si aggiudica a sorpresa il titolo mondiale. Eddie Jordan, dopo un'operazione di cosmesi, è praticamente il ritratto di Frentzen. "L'ho fatto – dichiara Jordan – per potermi meglio immedesimare nella complicata psiche del tedesco. Ambedue le BAR si spingono quasi fino al traguardo, ma si fermano poco prima della conclusione della corsa: Villeneuve e Zonta si ritirano sfiniti. Non sono più abituati a guidare per l'intero percorso di un Gran Premio.

L'eredità di Ecclestone

Bernie Ecclestone (68) mette ordine al suo impero. Per una cifra stimata su 1,3 miliardi di dollari la Deutsche Bank si è assicurata il 50% della "Formula One Administration" (FOA). L'ex manager della Mercedes, Helmut Werner, preparerà ora l'ingresso in borsa dell'impresa di Ecclestone che possiede, tra l'altro, tutti i diritti televisivi e pubblicitari dei Gran Premi. Il presidente designato del consiglio di sorveglianza: "La formula 1 è un'azienda con un ricavato molto alto". Quanto alto sia effettivamente lo si può solo supporre. Quest'anno il fatturato della F 1 dovrebbe essersi aggirato sui 2500 miliardi di lire. Ecclestone aveva tentato già altre volte di vendere parte del suo impero. Ora dopo aver portato a buon fine l'affare con la Deutsche Bank il Napoleone della formula 1 intende ritirarsi a vita privata. Werner però ribadisce: "Ecclestone rimane il capo".

Deutsche Bank ☑

Mercato fiacco dei piloti

Segreti al momento non ce ne sono. Mentre R. Barrichello nel 2000 spera nella sua prima vittoria di un Gran Premio con i colori di Maranello, Eddie Irvine intende portare la Jaguar – la Stewart-Ford ribattezzata – in testa alla classifica e confermarsi un valido n.1. Prost si presenta con una coppia problematica: sono in molti a vedere il declino di Jean Alesi quando verrà confrontato con il suo nuovo compagno di scuderia, il campione europeo della formula 3000, Nick Heidfeld. Alla Williams-BMW la sedia di Zanardi scricchiola da tempo. Se il protetto della Williams, il colombiano Juan-Pablo Montoya dovesse diventare già in questa stagione campione di Champ-Car, un suo ingaggio in F 1 sarebbe più che probabile.

Rimane in F 1: Mika Salo va alla Sauber.

Le coppie di piloti per la stagione 2000:

Ferrari	Michael Schumacher (D)/Rubens Barrichello (BR)
McLaren-Mercedes	Mika Häkkinen (FIN)/David Coulthard (GB)
Jordan-Honda	Heinz-Harald Frentzen (D)/Jarno Trulli (I)
Jaguar	Eddie Irvine (GB)/Johnny Herbert (GB)
BMW-Williams	Ralf Schumacher (D)/*Alessandro Zanardi (I)?*
Benetton-Playlife	Giancarlo Fisichella (I)/Alexander Wurz (A)
Prost-Peugeot	Jean Alesi (F)/Nick Heidfeld (D)
Sauber-Petronas	Mika Salo (FIN)/Pedro Diniz (BR)
TWR-Arrows/*Supertec?*	Pedro de la Rosa (E)/*Toranosuke Takagi (J)?*
Minardi-Supertec	Marc Gené (E)/?
BAR-Honda	Jacques Villeneuve (CDN)/Ricardo Zonta (BR)

Arrivano i bavaresi

Il gioco a rimpiattino è finito. Con una serie di test sul circuito austriaco A1-Ring, la BMW – dal 2000 partner Williams per i motori – ricompare su una pista di F 1. I tempi raggiunti con il V 10 tedesco hanno incontrato l'approvazione del severo capo tecnico della Williams, Patrick Head: "Solo due secondi più lento del nostro attuale FW 21. Per una macchina di prova e ad un anno dall'inizio della stagione, un buon risultato".

In fase di collaudo: la BMW ritorna nel 2000 in formula 1 come partner della Williams per i motori.

Il regolamento si adegua alla realtà

Piccole ma efficaci modifiche nel regolamento di F 1 del 2000: se una gara viene interrotta e ripresa successivamente con una nuova partenza, non si sommano più i tempi delle due corse. I piloti si incolonnano alla griglia di partenza secondo l'ordine che avevano quando la corsa è stata interrotta. Il computer terrà conto solo dei doppiaggi. Con ciò la corsa diventa più chiara allo spettatore: chi passa per primo la linea del traguardo è anche il vincitore. Se con cattive condizioni di tempo non dovessero funzionare le luci posteriori di una macchina, il capo della corsa la può richiamare ai box fino a riparazione avvenuta. Per finire: i piloti a piedi possono ora attraversare la pista se accompagnati da un addetto al circuito, senza venire multati e senza dover camminare per ore.

Toyota, Renault e Michelin entro due anni in F 1

Ancora più marche nel futuro

L'ascesa della F 1 continua. Con Michelin, Toyota e Renault tre case a livello mondiale ritornano nello sport dei Gran Premi. Mentre il gigante francese dei pneumatici intende sfidare la giapponese Bridgestone a partire dal 2001, la Toyota si è prenotata al più presto nel 2002. Entro quella data la Renault – con sei campionati del mondo partner per motori di maggiore successo negli anni 90 – vuole già essere rientrata. Il suo ritorno è previsto per il 2001.

Locandina 2000

Spa rimane

Sollievo in Belgio e soddisfazione dei piloti. Nonostante forti limitazioni nella pubblicità del tabacco la F 1 non abbandona per ora il circuito belga di Spa-Francorchamps. Il capo supremo della F 1, Ecclestone, si è mostrato accomodante anche nel caso del Gran Premio di Francia. Nonostante lui stesso disponga di un'ottima alternativa con Le Castellet, il circuito di Magny-

Cours è stato confermato fino al 2004. Nel settembre del 2000 proseguirà la conquista del Nuovo Continente. La formula 1 ritorna ad Indianapolis dove all'interno del leggendario ovale per le 500 miglia è stato costruito un circuito che contiene addirittura curve a destra.

Il calendario 2000:

12.03.	Australia (Melbourne)
26.03.	Brasile (San Paolo)
09.04.	San Marino (Imola, I)
23.04.	Gran Bretagna (Silverstone)
07.05.	Spagna (Barcellona)
21.05.	Europa (Nürburgring, D)
04.06.	Monaco (Monte Carlo)
18.06.	Canada (Montreal)
02.07.	Francia (Magny-Cours)
16.07.	Austria (A1-Ring)
30.07.	Germania (Hockenheim)
13.08.	Ungheria (Hungaroring)
27.08.	Belgio (Spa-Francorchamps)
10.09.	Italia (Monza)
24.09.	USA (Indianapolis)
08.10.	Giappone (Suzuka)
22.10.	Malesia (Sepang)

Notizie in breve

Sauber doppiamente stimolata

Dietrich Mateschitz, Mister Red Bull e Peter Sauber acquistano dal consulente aziendale Fritz Kaiser il pacchetto di partecipazioni alla F 1. Il capo del team, Peter Sauber, si ripromette con questo acquisto maggiore stabilità nella gestione della scuderia. La Sauber è doppiamente stimolata anche per il prolungamento del contratto con lo sponsor Petronas. Con i milioni della società petrolifera malese la prossima C 19 dovrà fare faville.

Sotto una buona stella

La stella come ancora di salvezza. Dopo che Olivier Panis nel consueto viaggio di F 1 a Gerusalemme era rimasto senza cockpit, Keke Rosberg ha interpellato le sue amicizie alla Mercedes. Risultato: per la prossima stagione Panis sarà al volante di una CLK nel nuovo campionato turismo DTM e fungerà anche da collaudatore per la McLaren-Mercedes.

Partecipazioni Minardi per Telefonica

Anche i piccoli vogliono impreziosire i loro team. Il gigante spagnolo di telecomunicazioni Telefonica – secondo Giancarlo Minardi e il suo partner Gabriele Rumi – starebbe per acquistare partecipazioni Minardi. Già ora il complesso spagnolo è praticamente il datore di lavoro di Marc Genè.

Auto nera, capo bianco

L'apparizione è stata breve, ma ha lasciato il segno. Il genio delle pubbliche relazioni Principe Malik Ado Ibrahim (doveva procurare alla Arrows potenti sponsor) promette molto e mantiene poco. Questa almeno l'opinione del proprietario della Arrows, Tom Walkinshaw, che si è detto insoddisfatto del lavoro svolto finora dal nigeriano e presunto accompagnatore della star della TV, Verona Feldbusch. Fortuna per Walkinshaw: Malik se ne va, ma i suoi soldi rimangono.

Un pegno per chi vuole entrare

48 milioni di dollari. Questo il prezzo del biglietto d'entrata in F 1 a partire dal prossimo anno. Si tratta di un pegno che i debuttanti dovranno depositare presso la FIA e che verrà poi rimborsato a rate a condizione che l'iscritto partecipi effettivamente alle corse. Se la partecipazione verrà rimandata, scadranno 12 milioni di dollari all'anno. Il nuovo regolamento ha lo scopo di garantire che i nuovi partecipanti siano finanziariamente solidi e che non si ripetino fallimenti tipo quelli delle scuderie Pacific, Simtek, Forti e Lola.

Statistica 1999

Formula 1 FIA - Mondiale piloti		
1950	Giuseppe Farina (I)	Alfa Romeo 158/159
1951	Juan Manuel Fangio (RA)	Alfa Romeo 159
1952	Alberto Ascari (I)	Ferrari 500
1953	Alberto Ascari (I)	Ferrari 500
1954	Juan Manuel Fangio (RA)	Mercedes W196/Maserati 250 F
1955	Juan Manuel Fangio (RA)	Mercedes W196
1956	Juan Manuel Fangio (RA)	Lancia-Ferrari D50
1957	Juan Manuel Fangio (RA)	Maserati 250 F
1958	Mike Hawthorn (GB)	Ferrari Dino 246
1959	Jack Brabham (AUS)	Cooper-Climax T51
1960	Jack Brabham (AUS)	Cooper-Climax T53
1961	Phil Hill (USA)	Ferrari Dino 156
1962	Graham Hill (GB)	BRM P57
1963	Jim Clark (GB)	Lotus-Climax 25
1964	John Surtees (GB)	Ferrari 158
1965	Jim Clark (GB)	Lotus-Climax 33
1966	Jack Brabham (AUS)	Brabham-Repco BT19/BT20
1967	Denny Hulme (NZ)	Brabham-Repco BT20/BT24
1968	Graham Hill (GB)	Lotus-Ford 49/49B
1969	Jackie Stewart (GB)	Matra-Ford MS10/MS80
1970	Jochen Rindt (A)	Lotus-Ford 49C/72
1971	Jackie Stewart (GB)	Tyrrell-Ford 001/003
1972	Emerson Fittipaldi (BR)	Lotus-Ford 72
1973	Jackie Stewart (GB)	Tyrrell-Ford 005/006
1974	Emerson Fittipaldi (BR)	McLaren-Ford M23
1975	Niki Lauda (A)	Ferrari 312T
1976	James Hunt (GB)	McLaren-Ford M23
1977	Niki Lauda (A)	Ferrari 312T2
1978	Mario Andretti (USA)	Lotus-Ford 78/79
1979	Jody Scheckter (ZA)	Ferrari 312T3/312T4
1980	Alan Jones (AUS)	Williams-Ford FW07B
1981	Nelson Piquet (BR)	Brabham-Ford BT49C
1982	Keke Rosberg (SF)	Williams-Ford FW07C/FW08
1983	Nelson Piquet (BR)	Brabham-BMW BT52/BT52B
1984	Niki Lauda (A)	McLaren-TAG Porsche MP4/2
1985	Alain Prost (F)	McLaren-TAG Porsche MP4/2B
1986	Alain Prost (F)	McLaren-TAG Porsche MP4/2C
1987	Nelson Piquet (BR)	Williams-Honda FW11B
1988	Ayrton Senna (BR)	McLaren-Honda MP4/4
1989	Alain Prost (F)	McLaren-Honda MP4/5
1990	Ayrton Senna (BR)	McLaren-Honda MP4/5B
1991	Ayrton Senna (BR)	McLaren-Honda MP4/6
1992	Nigel Mansell (GB)	Williams-Renault FW14B
1993	Alain Prost (F)	Williams-Renault FW15C
1994	Michael Schumacher (D)	Benetton-Ford B194
1995	Michael Schumacher (D)	Benetton-Renault B195
1996	Damon Hill (GB)	Williams-Renault FW18
1997	Jacques Villeneuve (CDN)	Williams-Renault FW19
1998	Mika Häkkinen (FIN)	McLaren-Mercedes MP4/13
1999	Mika Häkkinen (FIN)	McLaren-Mercedes MP4/14

Formula 1 FIA - Mondiale costruttori	
1958	Vanwall
1959	Cooper-Climax
1960	Cooper-Climax
1961	Ferrari
1962	BRM
1963	Lotus-Climax
1964	Ferrari
1965	Lotus-Climax
1966	Brabham-Repco
1967	Brabham-Repco
1968	Lotus-Ford
1969	Matra-Ford
1970	Lotus-Ford
1971	Tyrrell-Ford
1972	Lotus-Ford
1973	Lotus-Ford
1974	McLaren-Ford
1975	Ferrari
1976	Ferrari
1977	Ferrari
1978	Lotus-Ford
1979	Ferrari
1980	Williams-Ford
1981	Williams-Ford
1982	Ferrari
1983	Ferrari
1984	McLaren-TAG Porsche
1985	McLaren-TAG Porsche
1986	Williams-Honda
1987	Williams-Honda
1988	McLaren-Honda
1989	McLaren-Honda
1990	McLaren-Honda
1991	McLaren-Honda
1992	Williams-Renault
1993	Williams-Renault
1994	Williams-Renault
1995	Benetton-Renault
1996	Williams-Renault
1997	Williams-Renault
1998	McLaren-Mercedes
1999	Ferrari

Record mondiale piloti

5	Juan-Manuel Fangio	(51/54/55/56/57)
4	Alain Prost	(85/86/89/93)
3	Jack Brabham	(59/60/66)
3	Jackie Stewart	(69/71/73)
3	Niki Lauda	(75/77/84)
3	Nelson Piquet	(81/83/87)
3	Ayrton Senna	(88/90/91)
2	Alberto Ascari	(52/53)
2	Graham Hill	(62/68)
2	Jim Clark	(63/65)
2	Emerson Fittipaldi	(72/74)
2	Michael Schumacher	(94/95)
2	Mika Häkkinen	(98/99)

Record mondiale costruttori

9	Williams
8	Ferrari
8	McLaren
7	Lotus
2	Cooper
2	Brabham
1	Vanwall
1	BRM
1	Matra
1	Tyrrell
1	Benetton

Record mondiale produttori di motori

10	Ford
9	Ferrari
6	Honda
6	Renault
4	Climax
2	Repco
2	Porsche

Piloti con più vittorie

51	Alain Prost
41	Ayrton Senna
35	Michael Schumacher
31	Nigel Mansell
27	Jackie Stewart
25	Jim Clark
25	Niki Lauda
24	Juan Manuel Fangio
23	Nelson Piquet
22	Damon Hill
16	Stirling Moss
14	Jack Brabham
14	Emerson Fittipaldi
14	Graham Hill
14	Mika Häkkinen
13	Alberto Ascari
12	Mario Andretti
12	Alan Jones
12	Carlos Reutemann
11	Jacques Villeneuve
10	James Hunt
10	Ronnie Peterson
10	Jody Scheckter
10	Gerhard Berge
6	David Coulthard
4	Eddie Irvine
3	Johnny Herbert
3	Heinz-Harald Frentzen

Costruttori con più vittorie nei GP

125	Ferrari	16	Cooper
123	McLaren	15	Renault
103	Williams	10	Alfa Romeo
79	Lotus	9	Maserati
35	Brabham	9	Matra
27	Benetton	9	Mercedes
23	Tyrrell	9	Vanwall
17	BRM	9	Ligier

Costruttori di motori con più vittorie nei GP

175	Ford	12	Alfa Romeo
125	Ferrari	11	Maserati
95	Renault	9	BMW
71	Honda	9	Vanwall
40	Climax	8	Repco
28	Mercedes	4	Mugen-Honda
26	Porsche	3	Matra
18	BRM	1	Weslake

Piloti con più pole position

65	Ayrton Senna
33	Jim Clark
33	Alain Prost
32	Nigel Mansell
29	Juan Manuel Fangio
24	Niki Lauda
24	Nelson Piquet
23	Michael Schumacher
21	Mika Häkkinen
20	Damon Hill
18	Mario Andretti
18	René Arnoux
17	Jackie Stewart
16	Stirling Moss
14	Alberto Ascari
14	James Hunt
14	Ronnie Peterson
13	Jack Brabham
13	Graham Hill
13	Jacky Ickx
13	Jacques Villeneuve
12	Gerhard Berger

Piloti con più partenze nei GP

256	Riccardo Patrese
210	Gerhard Berger
208	Andrea de Cesaris
204	Nelson Piquet
199	Alain Prost
194	Michele Alboreto
187	Nigel Mansell
176	Graham Hill
176	Jacques Laffite
171	Niki Lauda
167	Jean Alesi
163	Thierry Boutsen
161	Ayrton Senna
158	Martin Brundle
152	John Watson
…	…
145	Johnny Herbert
128	Michael Schumacher
128	Mika Häkkinen
116	Damon Hill
113	Rubens Barrichello
97	Heinz-Harald Frentzen
96	Eddie Irvine
90	David Coulthard
83	Pedro Diniz
77	Mika Salo
65	Jacques Villeneuve

Statistica 1999

Team attivi con più partenze nei GP

635	Ferrari
508	McLaren
430	Tyrrell
420	Williams
391	Prost (Ligier)
353	Arrows
229	Benetton (Toleman)
253	Minardi
162	Jordan
129	Sauber
65	Stewart

Piloti con più vittorie per partenza nei GP (in percentuale)

47,1	Juan Manuel Fangio
41,9	Alberto Ascari
34,7	Jim Clark
27,3	Michael Schumacher
27,3	Jackie Stewart
25,6	Alain Prost
25,5	Ayrton Senna
24,2	Stirling Moss
19,0	Damon Hill
16,9	Jacques Villeneuve
16,6	Nigel Mansell
15,8	Tony Brooks

Piloti più premiati sul podio

106	Alain Prost
80	Ayrton Senna
71	Michael Schumacher
60	Nelson Piquet
59	Nigel Mansell
54	Niki Lauda
47	Gerhard Berger
45	Carlos Reutemann
43	Jackie Stewart
42	Damon Hill
38	Mika Häkkinen
37	Riccardo Patrese

Graduatoria finale dei piloti del Campionato Mondiale 1999

1.	Mika Häkkinen (FIN)	76
2.	Eddie Irvine (IRL)	74
3.	Heinz-Harald Frentzen (D)	54
4.	David Coulthard (GB)	48
5.	Michael Schumacher (D)	44
6.	Ralf Schumacher (D)	35
7.	Rubens Barrichello (BR)	21
8.	Johnny Herbert (GB)	15
9.	Giancarlo Fisichella (I)	13
10.	Mika Salo (FIN)	10
11.	Jarno Trulli	7
12.	Damon Hill (GB)	7
13.	Alexander Wurz (A)	3
14.	Pedro Diniz (BR)	3
15.	Olivier Panis	2
16.	Jean Alesi (F)	2
17.	Pedro de la Rosa (E)	1
18.	Marc Géne	1

Graduatoria finale dei costruttori

1.	Ferrari	128
2.	McLaren-Mercedes	124
3.	Jordan-Mugen-Honda	61
4.	Stewart-Ford	36
5.	Williams-Mecachrome	35
6.	Benetton-Playlife	16
7.	Prost-Peugeot	9
8.	Sauber-Petronas	5
9.	Arrows	1
10.	Minardi	1

Piloti con più vittorie nel 1999

5	Mika Häkkinen
4	Eddie Irvine
2	Michael Schumacher
2	Heinz-Harald Frentzen
2	David Coulthard
1	Johnny Herbert

Team con più vittorie nel 1999

7	McLaren-Mercedes
6	Ferrari
2	Jordan-Mugen-Honda
1	Stewart-Ford

Piloti con più pole position 1999

11	Mika Häkkinen
3	Michael Schumacher
1	Rubens Barrichello
1	Heinz-Harald Frentzen

Team con più pole position 1999

11	McLaren-Mercedes
3	Ferrari
1	Stewart-Ford
1	Jordan-Mugen-Honda

Duello di qualifica 1999

M. Schumacher – Irvine	9 : 1
Irvine – Salo	4 : 2
Villeneuve – Zonta	12 : 1
Villeneuve – Salo	3 : 0
Frentzen – Hill	14 : 2
Häkkinen – Coulthard	13 : 3
Barrichello – Herbert	13 : 3
Fisichella – Wurz	13 : 3
Alesi – Diniz	12 : 4
R. Schumacher – Zanardi	11 : 5
Badoer – Gené	10 : 5
Gené – Sarazin	1 : 0
Trulli – Panis	8 : 8
Takagi – De la Rosa	8 : 8

Piloti con i giri più veloci nel 1999

6	Mika Häkkinen
5	Michael Schumacher
3	David Coulthard
1	Eddie Irvine
1	Ralf Schumacher

Team con i giri più veloci nel 1999

9	McLaren-Mercedes
6	Ferrari
1	Williams-Supertec

1950

Grand Prix, GB, Silverstone, 13.5.1950
70 x 4,649 km = 325,430 km.
1. Giuseppe Farina	Alfa Romeo 158	2:13.23,600 h
2. Luigi Fagioli	Alfa Romeo 158	2:13.26,200 h
3. Reg Parnell	Alfa Romeo 158	2:14.15,600 h

Grand Prix, MC, Monte Carlo, 21.5.1950
100 x 3,180 km = 318,000 km.
1. Juan Manuel Fangio	Alfa Romeo 158	3:13.18,700 h
2. Alberto Ascari	Ferrari 125	-1
3. Louis Chiron	Maserati 4CL/48	-2

Indianapolis 500, Indianapolis, 30.5.1950
138 x 4,023 km = 555,174 km.
1. Johnnie Parsons	Kurtis-Offenhauser	2:46.55,970 h
2. Bill Holland	Deidt-Offenhauser	-1
3. Mauri Rose	Deidt-Offenhauser	-2

Grand Prix, CH, Bremgarten, 4.6.1950
42 x 7,280 km = 305,760 km.
1. Giuseppe Farina	Alfa Romeo 158	2:02.53,700 h
2. Luigi Fagioli	Alfa Romeo 158	2:02.54,100 h
3. Louis Rosier	Lago-Talbot T26C-DA	-1

Grand Prix, B, Spa-Francorchamps, 18.6.1950
35 x 14,120 km = 494,200 km.
1. Juan Manuel Fangio	Alfa Romeo 158	2:47.26,000 h
2. Luigi Fagioli	Alfa Romeo 158	2:47.47,000 h
3. Louis Rosier	Lago-Talbot T26C-DA	2:49.45,000 h

Grand Prix, F, Reims-Gueux, 2.7.1950
64 x 7,816 km = 500,224 km.
1. Juan Manuel Fangio	Alfa Romeo 158	2:57.52,800 h
2. Luigi Fagioli	Alfa Romeo 158	2:58.18,500 h
3. Peter Whitehead	Ferrari 125	-3

Grand Prix, I, Monza, 3.9.1950
80 x 6,300 km = 504,000 km.
1. Giuseppe Farina	Alfa Romeo 159	2:51.17,400 h
2. D. Serafini / A. Ascari	Ferrari 375	2:52.36,000 h
3. Luigi Fagioli	Alfa Romeo 158	2:52.53,000 h

1950
1. Giuseppe Farina	40 P.
2. Juan Manuel Fangio	23 P.
3. Luigi Fagioli	12 P.

1951

Grand Prix, CH, Bremgarten, 27.5.1951
42 x 7,280 km = 305,760 km.
1. Juan Manuel Fangio	Alfa Romeo 159	2:07.53,640 h
2. Piero Taruffi	Ferrari 375	2:08.48,880 h
3. Giuseppe Farina	Alfa Romeo 159	2:09.12,950 h

Indianapolis 500, Indianapolis, 29.5.1951
200 x 4,023 km = 804,600 km.
1. Lee Wallard	Kurtis-Offenhauser	3:57.38,050 h
2. Mike Nazaruk	Kurtis-Offenhauser	3:59.25,310 h
3. J. McGrath / M. Ayulo	Kurtis KK3000-Offenh.	4:00.29,420 h

Grand Prix, B, Spa-Francorchamps, 17.6.1951
36 x 14,120 km = 508,320 km.
1. Giuseppe Farina	Alfa Romeo 159	2:45.46,200 h
2. Alberto Ascari	Ferrari 375	2:48.37,200 h
3. Luigi Villoresi	Ferrari 375	2:50.08,100 h

Grand Prix, F, Reims-Gueux, 1.7.1951
77 x 7,816 km = 601,832 km.
1. L. Fagioli/J.M. Fangio	Alfa Romeo 159	3:22.11,000 h
2. J. F. Gonzales/A. Ascari	Ferrari 375	3:23.09,200 h
3. Luigi Villoresi	Ferrari 375	-3

Grand Prix, GB, Silverstone, 14.7.1951
90 x 4,649 km = 418,410 km.
1. Jose Froilan Gonzales	Ferrari 375	2:42.18,200 h
2. Juan Manuel Fangio	Alfa Romeo 159	2:43.09,200 h
3. Luigi Villoresi	Ferrari 375	-2

Grand Prix, D, Nürburgring, 29.7.1951
20 x 22,810 km = 456,200 km.
1. Alberto Ascari	Ferrari 375	3:23.03,300 h
2. Juan Manuel Fangio	Alfa Romeo 159	3:23.33,800 h
3. Jose Froilan Gonzales	Ferrari 375	3:27.42,300 h

Grand Prix, I, Monza, 16.9.1951
80 x 6,300 km = 504,000 km.
1. Alberto Ascari	Ferrari 375	2:42.39,300 h
2. Jose Froilan Gonzales	Ferrari 375	2:43.23,900 h
3. F. Bonetto/G. Farina	Alfa Romeo 159	-1

Grand Prix, E, Pedralbes, 28.10.1951
70 x 6,316 km = 442,120 km.
1. Juan Manuel Fangio	Alfa Romeo 159	2:46.54,100 h
2. Jose Froilan Gonzales	Ferrari 375	2:47.48,380 h
3. Giuseppe Farina	Alfa Romeo 159	2:48.39,640 h

1951
1. Juan Manuel Fangio	31 P.
2. Alberto Ascari	25 P.
3. Jose Froilan Gonzales	24 P.

1952

Grand Prix, CH, Bremgarten, 18.5.1952
62 x 7,280 km = 451,360 km.
1. Piero Taruffi	Ferrari 500	3:01.46,100 h
2. Rudolf Fischer	Ferrari 500	3:04.23,300 h
3. Jean Behra	Gordini 16	-1

Indianapolis 500, Indianapolis, 30.5.1952
200 x 4,023 km = 804,600 km.
1. Troy Rottman	Kuzma-Offenhauser	3:52.41,880 h
2. Jim Rathman	Kurtis KK3000-Offenh.	3:56.44,240 h
3. Sam Hanks	Kurtis KK3000-Offenh.	3:58.53,480 h

Grand Prix, B, Spa-Francorchamps, 5.6.1952
36 x 14,120 km = 508,320 km.
1. Alberto Ascari	Ferrari 500	3:03.46,300 h
2. Giuseppe Farina	Ferrari 500	3:05.41,500 h
3. Robert Manzon	Gordini 16	3:08.14,700 h

Grand Prix, F, Rouen-les-Essarts, 6.7.1952
76 x 5,100 km = 386,600 km.
1. Alberto Ascari	Ferrari 500	3:00.00,000 h
2. Giuseppe Farina	Ferrari 500	-1
3. Piero Taruffi	Ferrari 500	-2

Grand Prix, GB, Silverstone, 19.7.1952
85 x 4,711 km = 400,435 km.
1. Alberto Ascari	Ferrari 500	2:44.11,000 h
2. Piero Taruffi	Ferrari 500	-1
3. Mike Hawthorn	Cooper T20-Bristol	-2

Grand Prix, D, Nürburgring, 3.8.1952
18 x 22,810 km = 410,580 km.
1. Alberto Ascari	Ferrari 500	3:06.13,300 h
2. Giuseppe Farina	Ferrari 500	3:06.27,400 h
3. Rudolf Fischer	Ferrari 500	3:39.23,400 h

Grand Prix, NL, Zandvoort, 17.8.1952
90 x 4,193 km = 377,370 km.
1. Alberto Ascari	Ferrari 500	2:53.28,500 h
2. Giuseppe Farina	Ferrari 500	2:54.08,600 h
3. Luigi Villoresi	Ferrari 500	2:55.02,900 h

Grand Prix, I, Monza, 7.9.1952
80 x 6,300 km = 504,000 km.
1. Alberto Ascari	Ferrari 500	2:50.45,600 h
2. Jose Froilan Gonzales	Maserati A6GCM	2:51.47,400 h
3. Luigi Villoresi	Ferrari 500	2:52.49,800 h

1952
1. Alberto Ascari	36 P.
2. Giuseppe Farina	24 P.
3. Piero Taruffi	22 P.

1953

Grand Prix, RA, Buenos Aires, 18.1.1953
97 x 3,912 km = 379,464 km.
1. Alberto Ascari	Ferrari 500	3:01.04,600 h
2. Luigi Villoresi	Ferrari 500	-1
3. Jose Froilan Gonzales	Maserati A6GCM	-1

Indianapolis 500, Indianapolis, 30.5.1953
200 x 4,023 km = 804,600 km.
1. Bill Vukovich	Kurtis KK500A-Offenh.	3:53.01,690 h
2. Art Kross	Kurtis KK4000-Offenh.	3:56.32,560 h
3. S. Hanks/D. Carter	Kurtis KK4000-Offenh.	3:57.13,240 h

Grand Prix, NL, Zandvoort, 7.6.1953
90 x 4,193 km = 377,370 km.
1. Alberto Ascari	Ferrari 500	2:53.35,800 h
2. Giuseppe Farina	Ferrari 500	2:53.46,200 h
3. F. Bonetto/J. Gonzales	Maserati A6SSG	-1

Grand Prix, B, Spa-Francorchamps, 21.6.1953
36 x 14,120 km = 508,320 km.
1. Alberto Ascari	Ferrari 500	2:48.30,300 h
2. Luigi Villoresi	Ferrari 500	2:51.18,500 h
3. Onofre Marimon	Maserati A6SSG	-1

Grand Prix, F, Reims, 5.7.1953
60 x 8,347 km = 500,820 km.
1. Mike Hawthorn	Ferrari 500	2:44.18,600 h
2. Juan Manuel Fangio	Maserati A6SSG	2:44.19,600 h
3. Jose Froilan Gonzales	Maserati A6SSG	2:44.20,000 h

Grand Prix, GB, Silverstone, 18.7.1953
90 x 4,711 km = 423,990 km.
1. Alberto Ascari	Ferrari 500	2:50.00,000 h
2. Juan Manuel Fangio	Maserati A6SSG	2:51.00,000 h
3. Giuseppe Farina	Ferrari 500	-2

Grand Prix, D, Nürburgring, 2.8.1953
18 x 22,810 km = 410,580 km.
1. Giuseppe Farina	Ferrari 500	3:02.25,000 h
2. Juan Manuel Fangio	Maserati A6SSG	3:03.29,000 h
3. Mike Hawthorn	Ferrari 500	3:04.08,600 h

Grand Prix, CH, Bremgarten, 23.8.1953
65 x 7,280 km = 473,200 km.
1. Alberto Ascari	Ferrari 500	3:01.34,400 h
2. Giuseppe Farina	Ferrari 500	3:02.47,330 h
3. Mike Hawthorn	Ferrari 500	3:03.10,360 h

Grand Prix, I, Monza, 13.9.1953
80 x 6,300 km = 504,000 km.
1. Juan Manuel Fangio	Maserati A6SSG	2:49.45,900 h
2. Giuseppe Farina	Ferrari 500	2:49.47,300 h
3. Luigi Villoresi	Ferrari 500	-1

1953
1. Alberto Ascari	34,5 P.
2. Juan Manuel Fangio	27,5 P.
3. Giuseppe Farina	26 P.

1954

Grand Prix, RA, Buenos Aires, 17.1.1954
87 x 3,912 km = 340,334 km.
1. Juan Manuel Fangio	Maserati 250F	3:00.55,800 h
2. Giuseppe Farina	Ferrari 625	3:02.14,800 h
3. Jose Froilan Gonzales	Ferrari 625	3:02.56,800 h

Indianapolis 500, Indianapolis, 31.5.1954
200 x 4,023 km = 804,600 km.
1. Bill Vukovich	Kurtis KK500A-Offenh.	3:49.17,270 h
2. Jimmy Bryan	Kuzma-Offenhauser	3:50.27,260 h
3. Jack McGrath	Kurtis KK500A-Offenh.	3:50.36,970 h

Grand Prix, B, Spa-Francorchamps, 20.6.1954
36 x 14,120 km = 508,320 km.
1. Juan Manuel Fangio	Maserati 250F	2:44.42,400 h
2. Maurice Trintignant	Ferrari 625	2:45.06,600 h
3. Stirling Moss	Maserati 250F	-1

Grand Prix, F, Reims, 4.7.1954
61 8,302 km = 506,442 km.
1. Juan Manuel Fangio	Mercedes-Benz W196	2:42.47,900 h
2. Karl Kling	Mercedes-Benz W196	2:42.48,000 h
3. Robert Manzon	Ferrari 625	-1

Grand Prix, GB, Silverstone, 17.7.1954
90 x 4,711 km = 423,949 km.
1. Jose Froilan Gonzales	Ferrari 625	2:56.14,000 h
2. Mike Hawthorn	Ferrari 625	2:57.24,000 h
3. Onofre Marimon	Maserati 250F	-1

Grand Prix, D, Nürburgring, 1.8.1954
22 x 22,810 km = 501,820 km.
1. Juan Manuel Fangio	Mercedes-Benz W196	3:45.45,800 h
2. Gonzales/Hawthorn	Ferrari 625	3:47.22,300 h
3. Maurice Tritignant	Ferrari 625	3:50.54,400 h

Grand Prix, CH, Bremgarten, 22.8.1954
66 x 7,280 km = 480,480 km.
1. Juan Manuel Fangio	Mercedes-Benz W196	3:00.34,500 h
2. Jose Froilan Gonzales	Ferrari 625	3:01.323,00 h
3. Hans Herrmann	Mercedes-Benz W196	-1

Grand Prix, I, Monza, 5.9.1954
80 x 6,300 km = 504,000 km.
1. Juan Manuel Fangio	Mercedes-Benz W196	2:47.47,900 h
2. Mike Hawthorn	Ferrari 625	-1
3. U. Maglioli/Gonzales	Ferrari 625	-2

Grand Prix, E, Pedralbes, 24.10.1954
80 x 6,316 km = 505,280 km.
1. Mike Hawthorn	Ferrari 553 Squalo	3:13.52,100 h
2. Luigi Musso	Maserati 250F	3:15.05,300 h
3. Juan Manuel Fangio	Mercedes-Benz W196	-1

1954
1. Juan Manuel Fangio	42 P.
2. Jose Froilan Gonzales	25,14 P.
3. Mike Hawthorn	24,64 P.

1955

Grand Prix, RA, Buenos Aires, 16.1.1955
96 x 3,912 km = 375,552 km.
1. Juan Manuel Fangio	Mercedes-Benz W196	3:00.38,600 h
2. Gonz./Trintig./Farina	Ferrari 625	3:02.08,200 h
3. Far./Maglioli/Trintig.	Ferrari 625	-2

Grand Prix, MC, Monte Carlo, 22.5.1955
100 x 3,145 km = 314,500 km.
1. Maurice Trintignant	Ferrari 625	2:58.09,800 h
2. Eugenio Castellotti	Lancia D50	2:58.30,000 h
3. J. Behra/C. Perdisa	Maserati 250F	-1

Indianapolis 500, Indianapolis, 30.5.1955
200 x 4,023 km = 804,600 km.
1. Bob Sweikert	Kurtis KK500C-Offenh.	3:53.59,130 h
2. Bettenhausen/P. Russo	Kurtis KK500C-Offenh.	3:56.43,110 h
3. Jimmy Davies	Kurtis KK500B-Offenh.	3:57.31,890 h

GP 1955 – 1960

Grand Prix, B, Spa-Francorchamps, 5.6.1955
36 x 14,120 km = 508,320 km.
1. Juan Manuel Fangio   Mercedes-Benz W196   2:39.29,000 h
2. Stirling Moss   Mercedes-Benz W196   2:39.37,100 h
3. Giuseppe Farina   Ferrari 555   2:41.09,500 h

Grand Prix, NL, Zandvoort, 19.6.1955
100 x 4,193 km = 419,300 km.
1. Juan Manuel Fangio   Mercedes-Benz W196   2:54.23,800 h
2. Stirling Moss   Mercedes-Benz W196   2:54.24,100 h
3. Luigi Musso   Maserati 250F   2:55.20,900 h

Grand Prix, GB, Aintree, 16.7.1955
90 x 4,823 km = 434,523 km.
1. Stirling Moss   Mercedes-Benz W196   3:07.21,200 h
2. Juan Manuel Fangio   Mercedes-Benz W196   3:07.21,400 h
3. Karl Kling   Mercedes-Benz W196   3:08.33,000 h

Grand Prix, I, Monza, 11.9.1955
50 x 10,000 km = 500,000 km.
1. Juan Manuel Fangio   Mercedes-Benz W196   2:25.04,400 h
2. Piero Taruffi   Mercedes-Benz W196   2:25.05,100 h
3. Eugenio Castellotti   Ferrari 555   2:25.50,600 h

1955

1. Juan Manuel Fangio   40 P.
2. Stirling Moss   23 P.
3. Eugenio Castellotti   12 P.

1956

Grand Prix, RA, Buenos Aires, 22.1.1956
98 x 3,912 km = 383,376 km.
1. L. Musso/J. M. Fangio   Lancia-Ferrari D50   3:00.03,700 h
2. Jean Behra   Maserati 250F   3:00.28,100 h
3. Mike Hawthorn   Maserati 250F   -2

Grand Prix, MC, Monte Carlo, 13.5.1956
100 x 3,145 km = 314,500 km.
1. Sterling Moss   Maserati 250F   3:00.32,900 h
2. P. Collins/J. M. Fangio   Lancia-Ferrari D50   3:00.39,000 h
3. Juan Manuel Fangio   Maserati 250F   -1

Indianapolis 500, Indianapolis, 30.5.1956
200 x 4,023 km = 804,600 km.
1. Pat Flaherty   Watson-Offenhauser   3:53.28,840 h
2. Sam Hanks   Kurtis KK500C-Offenh.   3:53.49,300 h
3. Don Freeland   Phillips-Offenhauser   3:54.59,070 h

Grand Prix, B, Spa-Francorchamps, 3.6.1956
36 x 14,120 km = 508,320 km.
1. Peter Collins   Lancia-Ferrari D50   2:40.00,300 h
2. Paul Frère   Lancia-Ferrari D50   2:41.51,600 h
3. C. Perdisa/S. Moss   Maserati 250F   2:43.16,900 h

Grand Prix, F, Reims, 1.7.1956
61 x 8,302 km = 506,422 km.
1. Peter Collins   Lancia-Ferrari D50   2:34.23,400 h
2. Eugenio Castellotti   Lancia-Ferrari D50   2:34.23,700 h
3. Jean Behra   Maserati 250F   2:35.53,300 h

Grand Prix, GB, Silverstone, 14.7.1956
101 x 4,711 km = 475,766 km.
1. Juan Manuel Fangio   Lancia-Ferrari D50   2:59.47,000 h
2. de Portago/P. Collins   Lancia-Ferrari D50   -1
3. Jean Behra   Maserati 250F   -2

Grand Prix, D, Nürburgring, 5.8.1956
22 x 22,810 km = 501,820 km.
1. Juan Manuel Fangio   Lancia-Ferrari D50   3:38.43,700 h
2. Stirling Moss   Maserati 250F   3:39.30,100 h
3. Jean Behra   Maserati 250F   3:46.22,000 h

Grand Prix, I, Monza, 2.9.1956
50 x 10,000 km = 500,000 km.
1. Stirling Moss   Maserati 250F   2:23.41,300 h
2. P. Collins/J. M. Fangio   Lancia-Ferrari D50   2:23.47,000 h
3. Ron Flockhart   Connaught B-Alta   -1

1956

1. Juan Manuel Fangio   30 P.
2. Stirling Moss   27 P.
3. Peter Collins   25 P.

1957

Grand Prix, RA, Buenos Aires, 13.1.1957
100 x 3,912 km = 391,200 km.
1. Juan Manuel Fangio   Maserati 250F   3:00.55,900 h
2. Jean Behra   Maserati 250F   3:01.14,200 h
3. Carlos Menditeguy   Maserati 250F   -1

Grand Prix, MC, Monte Carlo, 19.5.1957
105 x 4,023 km = 422,415 km.
1. Juan Manuel Fangio   Maserati 250F   3:10.12,800 h
2. Tony Brooks   Vanwall VW7   3:10.38,000 h
3. Masten Gregory   Maserati 250F   -2

Indianapolis 500, Indianapolis, 30.5.1957
200 x 4,023 km = 804,600 km.
1. Sam Hanks   Epperly-Offenhauser   3:41.14,250 h
2. Jim Rathmann   Epperly-Offenhauser   3:41.35,750 h
3. Jimmy Brian   Kuzma-Offenhauser   3:43.28,250 h

Grand Prix, F, Rouen-les-Essarts, 7.7.1957
77 x 6,542 km = 503,734 km.
1. Juan Manuel Fangio   Maserati 250F   3:07.46,400 h
2. Luigi Musso   Lancia-Ferrari 801   3:08.37,200 h
3. Peter Collins   Lancia-Ferrari 801   3:09.52,400 h

Grand Prix, GB, Aintree, 20.7.1957
90 x 4,828 km = 434,523 km.
1. T. Brooks/S. Moss   Vanwall VW4   3:06.37,800 h
2. Luigi Musso   Lancia-Ferrari 801   3:07.03,400 h
3. Mike Hawthorn   Lancia-Ferrari 801   3:07.20,600 h

Grand Prix, D, Nürburgring, 4.8.1957
22 x 22,810 km = 501,820 km.
1. Juan Manuel Fangio   Maserati 250F   3:30.38,300 h
2. Mike Hawthorn   Lancia-Ferrari 801   3:30.41,900 h
3. Peter Collins   Lancia-Ferrari 801   3:31.13,900 h

Grand Prix, E, Pescara, 18.8.1957
18 x 25,579 km = 460,422 km.
1. Stirling Moss   Vanwall VW5   2:59.22,700 h
2. Juan Manuel Fangio   Maserati 250F   3:02.36,600 h
3. Harry Schell   Maserati 250F   3:06.09,500 h

Grand Prix, I, Monza, 8.9.1957
87 x 5,750 km = 500,250 km.
1. Stirling Moss   Vanwall VW5   2:35.03,900 h
2. Juan Manuel Fangio   Maserati 250F   2:35.45,100 h
3. Wolfgang of Trips   Lancia-Ferrari 801   -2

1957

1. Juan Manuel Fangio   40 P.
2. Stirling Moss   25 P.
3. Luigi Musso   16 P.

1958

Grand Prix, RA, Buenos Aires, 19.1.1958
80 x 3,912 km = 312,960 km.
1. Stirling Moss   Cooper T43-Climax   2:19.33,700 h
2. Luigi Musso   Ferrari Dino 246   2:19.36,400 h
3. Mike Hawthorn   Ferrari Dino 246   2:19.46,300 h

Grand Prix, MC, Monte Carlo, 18.5.1958
100 x 3,145 km = 314,500 km.
1. Maurice Trintignant   Cooper T45-Climax   2:52.27,900 h
2. Luigi Musso   Ferrari Dino 246   2:52.48,200 h
3. Peter Collins   Ferrari Dino 246   2:53.06,700 h

Grand Prix, NL, Zandvoort, 25.5.1958
36 x 16,023 km = 500,001 km.
1. Stirling Moss   Vanwall VW10   2:04.49,200 h
2. Harry Schell   BRM P25 (58)   2:05.37,100 h
3. Jean Behra   BRM P25 (58)   2:06.31,500 h

Indianapolis 500, Indianapolis, 30.5.1958
200 x 4,023 km = 804,600 km.
1. Jimmy Brian   Epperly-Offenhauser   3:44.13,800 h
2. George Amick   Epperly-Offenhauser   3:44.41,450 h
3. Johnny Boyd   Kurtis KK500G-Offenh.   3:45.45,750 h

Grand Prix, B, Spa-Francorchamps, 15.6.1958
24 x 14,100 km = 338,400 km.
1. Tony Brooks   Vanwall VW5   1:37.06,300 h
2. Mike Hawthorn   Ferrari Dino 246   1:37.27,000 h
3. Stuart Lewis-Evans   Vanwall VW4   1:40.07,200 h

Grand Prix, F, Reims 6.7.1958
50 x 8,302 km = 415,100 km.
1. Mike Hawthorn   Ferrari Dino 246   2:03.21,300 h
2. Stirling Moss   Vanwall VW10   2:03.45,900 h
3. Wolfgang of Trips   Ferrari Dino 246   2:04.21,000 h

Grand Prix, GB, Silverstone, 19.7.1958
75 x 4,711 km = 353,291 km.
1. Peter Collins   Ferrari Dino 246   2:09.04,200 h
2. Mike Hawthorn   Ferrari Dino 246   2:09.28,400 h
3. Roy Salvadori   Cooper T45-Climax   2:09.54,800 h

Grand Prix, D, Nürburgring, 3.8.1958
15 x 22,810 km = 342,150 km.
1. Tony Brooks   Vanwall VW4   2:21.15,000 h
2. Roy Salvadori   Cooper T45-Climax   2:24.44,700 h
3. Maurice Trintignant   Cooper T45-Climax   2:26.26,200 h

Grand Prix, P, Oporto, 24.8.1958
50 x 7,407 km = 370,350 km.
1. Stirling Moss   Vanwall VW10   2:11.27,800 h
2. Mike Hawthorn   Ferrari Dino 246   2:16.40,550 h
3. Stuart Lewis-Evans   Vanwall VW6   -1

Grand Prix, I, Monza, 7.9.1958
70 x 5,750 km = 402,500 km.
1. Tony Brooks   Vanwall VW5   2:03.47,800 h
2. Mike Hawthorn   Ferrari Dino 246   2:04.12,000 h
3. Phil Hill   Ferrari Dino 246   2:04.16,100 h

Grand Prix, MA, Ain Diab, 19.10.1958
53 x 7,618 km = 403,754 km.
1. Stirling Moss   Vanwall VW5   2:09.15,000 h
2. Mike Hawthorn   Ferrari Dino 246   2:10.39,800 h
3. Phil Hill   Ferrari Dino 246   2:10.40,600 h

1958

1. M. Hawthorn   42 P.   1. Vanwall   48 P.
2. S. Moss   41 P.   2. Ferrari   40 P.
3. T. Brooks   24 P.   3. Cooper-Climax   31 P.

1959

Grand Prix, MC, Monte Carlo, 10.5.1959
100 x 3,145 km = 314,500 km.
1. Jack Brabham   Cooper T51-Climax   2:55.51,300 h
2. Tony Brooks   Ferrari Dino 246   2:56.11,700 h
3. Maurice Trintignant   Cooper T51-Climax   -2

Indianapolis 500, Indianapolis, 30.5.1959
200 x 4,023 km = 804,600 km.
1. Rodger Ward   Watson-Offenhauser   3:40.49,200 h
2. Jim Rathmann   Watson-Offenhauser   3:41.12,470 h
3. Johnny Thomson   Lesovsky-Offenhauser   3:41.39,850 h

Grand Prix, NL, Zandvoort, 31.5.1959
75 x 4,193 km = 314,475 km.
1. Jo Bonnier   BRM P25 (59)   2:05.26,800 h
2. Jack Brabham   Cooper T51-Climax   2:05.41,000 h
3. Masten Gregory   Cooper T51-Climax   2:06.49,800 h

Grand Prix, F, Reims, 5.7.1959
36 x 16,023 km = 500,001 km.
1. Tony Brooks   Ferrari Dino 246   2:01.26,500 h
2. Phil Hill   Ferrari Dino 246   2:01.54,000 h
3. Jack Brabham   Cooper T51-Climax   2:03.04,200 h

Grand Prix, GB, Aintree, 18.7.1959
75 x 4,828 km = 362,102 km.
1. Jack Brabham   Cooper T51-Climax   2:30.11,600 h
2. Stirling Moss   BRM P25 (58)   2:30.33,800 h
3. Bruce McLaren   Cooper T54-Climax   2:30.34,000 h

Grand Prix, D, Avus, 2.8.1959
60 x 8,300 km = 498,000 km.
1. Tony Brooks   Ferrari Dino 246   2:09.31,600 h
2. Dan Gurney   Ferrari Dino 246   2:09.33,200 h
3. Phil Hill   Ferrari Dino 246   2:10.36,700 h

Grand Prix, P, Monsanto Park, 23.8.1959
62 x 5,440 km = 337,280 km.
1. Stirling Moss   Cooper T51-Climax   2:11.45,410 h
2. Masten Gregory   Cooper T51-Climax   -1
3. Dan Gurney   Ferrari Dino 246   -1

Grand Prix, I, Monza, 13.9.1959
72 x 5,750 km = 414,000 km.
1. Stirling Moss   Cooper T51-Climax   2:04.05,400 h
2. Phil Hill   Ferrari Dino 246   2:04.52,100 h
3. Jack Brabham   Cooper T45-Climax   2:05.17,900 h

Grand Prix, USA, Sebring, 12.12.1959
42 x 8,369 km = 351,481 km.
1. Bruce McLaren   Cooper T54-Climax   2:12.35,700 h
2. Maurice Trintignant   Cooper T51-Climax   2:12.35,300 h
3. Tony Brooks   Ferrari Dino 246   2:15.36,600 h

1959

1. J. Brabham   31 P.   1. Cooper-Climax   40
2. T. Brooks   27 P.   2. Ferrari   32
3. S. Moss   25,5 P.   3. BRM   18

1960

Grand Prix, RA, Buenos Aires, 7.2.1960
80 x 3,912 km = 312,960 km.
1. Bruce McLaren   Cooper T45-Climax   2:17.49,500 h
2. Cliff Allison   Ferrari Dino 246   2:18.15,800 h
3. M. Trintignant/S. Moss   Cooper T45-Climax   2:18.26,400 h

Grand Prix, MC, Monte Carlo, 29.5.1960
100 x 3,145 km = 314,500 km.
1. Stirling Moss   Mercedes Benz W196   2:53.45,500 h
2. Bruce McLaren   Cooper T53-Climax   2:54.37,600 h
3. Phil Hill   Ferrari Dino 246   2:54.47,400 h

Indianapolis 500, Indianapolis, 30.5.1960
200 x 4,023 km = 804,600 km.
1. Jim Rathmann   Watson-Offenhauser   3:36.11,360 h
2. Rodger Ward   Watson-Offenhauser   3:36.24,030 h
3. Paul Goldsmith   Epperly-Offenhauser   3:39.18,580 h

Grand Prix, NL, Zandvoort, 6.6.1960
75 x 4,193 km = 314,475 km.
1. Jack Brabham   Cooper T53-Climax   2:01.47,200 h
2. Innes Ireland   Lotus 18-Climax   2:02.11,200 h
3. Graham Hill   BRM P48   2:02.43,800 h

Grand Prix, B, Spa-Francorchamps, 19.6.1960
36 x 14,100 km = 507,600 km.
1. Jack Brabham	Cooper T53-Climax	2:21.37,300 h
2. Bruce McLaren	Cooper T53-Climax	2:22.40,600 h
3. Olivier Gendebien	Cooper T51-Climax	-1

Grand Prix, F, Reims, 3.7.1960
50 x 8,302 km = 415,100 km.
1. Jack Brabham	Cooper T53-Climax	1:57.24,900 h
2. Olivier Gendebien	Cooper T51-Climax	1:57.13,200 h
3. Bruce McLaren	Cooper T53-Climax	1:58.16,800 h

Grand Prix, GB, Silverstone, 16.7.1960
77 x 4,711 km = 362,747 km.
1. Jack Brabham	Cooper T53-Climax	2:04.24,600 h
2. John Surtees	Lotus 18-Climax	2:05.14,200 h
3. Innes Ireland	Lotus 18-Climax	2:05.54,200 h

Grand Prix, P, Oporto, 14.8.1960
55 x 7,407 km = 407,385 km.
1. Jack Brabham	Cooper T53-Climax	2:19.00,030 h
2. Bruce McLaren	Cooper T53-Climax	2:29.58,000 h
3. Jim Clark	Lotus 18-Climax	2:20.53,260 h

Grand Prix, I, Monza, 4.9.1960
50 x 10,000 km = 500,000 km.
1. Phil Hill	Ferrari Dino 246	2:21.09,200 h
2. Richie Ginther	Ferrari Dino 246	2:23.36,800 h
3. Willy Mariresse	Ferrari Dino 246	-1

Grand Prix, USA, Riverside, 20.11.1960
75 x 5,271 km = 395,295 km.
1. Stirling Moss	Lotus 18-Climax	2:28.52,200 h
2. Innes Ireland	Lotus 18-Climax	2:29.30,200 h
3. Bruce McLaren	Cooper T53-Climax	2:30.14,200 h

1960
1. J. Brabham	43 P.	1.Cooper-Climax	48 P.
2. B. McLaren	34 P.	2. Lotus-Climax	34 P.
3. S. Moss	19 P.	3. Ferrari	26 P.

1961

Grand Prix, MC, Monte Carlo, 14.5.1961
100 x 3,145 km = 314,500 km.
1. Stirling Moss	Lotus 18-Climax	2:45.50,100 h
2. Richie Ginther	Ferrari 156	2:45.53,700 h
3. Phil Hill	Ferrari 156	2:46.31,400 h

Grand Prix, NL, Zandvoort, 5.6.1961
75 x 4,193 km = 314,475 km.
1. Wolfgang of Trips	Ferrari 156	2:01.52,100 h
2. Phil Hill	Ferrari 156	2:01.53,000 h
3. Jim Clark	Lotus 21-Climax	2:02.05,200 h

Grand Prix, B, Spa-Francorchamps, 18.6.1961
30 x 14,100 km = 423,000 km.
1. Phil Hill	Ferrari 156	2:03.03,800 h
2. Wolfgang of Trips	Ferrari 156	2:03.04,500 h
3. Richie Ginther	Ferrari 156	2:03.23,300 h

Grand Prix, F, Reims, 2.7.1961
52 x 8,302 km = 431,704 km.
1. Giancarlo Baghetti	Ferrari 156	2:14.17,500 h
2. Dan Gurney	Porsche 718	2:14.17,600 h
3. Jim Clark	Lotus 21-Climax	2:15.18,600 h

Grand Prix, GB, Aintree, 15.7.1961
75 x 4,828 km = 362,100 km.
1. Wolfgang of Trips	Ferrari 156	2:40.53,600 h
2. Phil Hill	Ferrari 156	2:41.39,600 h
3. Richie Ginther	Ferrari 156	2:41.40,400 h

Grand Prix, D, Nürburgring, 6.8.1961
15 x 22,810 km = 342,150 km.
1. Stirling Moss	Lotus 18/21-Climax	2:18.12,400 h
2. Wolfgang of Trips	Ferrari 156	2:18.33,800 h
3. Phil Hill	Ferrari 156	2:18.34,900 h

Grand Prix, I, Monza, 10.9.1961
43 x 10,000 km = 430,000 km.
1. Phil Hill	Ferrari 156	2:03.13,000 h
2. Dan Gurney	Porsche 718	2:03.44,200 h
3. Bruce McLaren	Cooper T55-Climax	2:05.41,400 h

Grand Prix, USA, Watkins Glen, 8.10.1961
100 x 3,701 km = 370,100 km.
1. Innes Ireland	Lotus 21-Climax	2:13.45,800 h
2. Dan Gurney	Porsche 718	2:13.50,100 h
3. Tony Brooks	BRM P48/57 Climax	2:14.34,800 h

1961
1. Phil Hill	34 P.	1. Ferrari	40 P.
2. W. of Trips	33 P.	2. Lotus-Climax	32 P.
3. Gurney/Moss	21 P.	3. Porsche	22 P.

1962

Grand Prix, NL, Zandvoort, 20.5.1962
80 x 4,193 km = 335,440 km.
1. Graham Hill	BRM P57	2:11.02,100 h
2. Trevor Taylor	Lotus 24-Climax	2:11.29,300 h
3. Phil Hill	Ferrari 156	2:12.23,200 h

Grand Prix, MC, Monte Carlo, 3.6.1962
100 x 3,145 km = 314,500 km.
1. Bruce McLaren	Cooper T60-Climax	2:46.29,700 h
2. Phil Hill	Ferrari 156	2:46.31,000 h
3. Lorenzo Bandini	Ferrari 156	2:47.53,800 h

Grand Prix, B, Spa-Francorchamps, 17.6.1962
32 x 14,100 km = 451,200 km.
1. Jim Clark	Lotus 25-Climax	2:07.32,300 h
2. Graham Hill	BRM P57	2:08.16,400 h
3. Phil Hill	Ferrari 156	2:09.38,800 h

Grand Prix, F, Rouen-les-Essarts, 8.7.1962
54 x 6,542 km = 353,268 km.
1. Dan Gurney	Porsche 804	2:07.35,500 h
2. Tony Maggs	Cooper T60-Climax	-1
3. Richie Ginther	BRM P57	-2

Grand Prix, GB, Aintree, 21.7.1962
75 x 4,823 km = 361,725 km.
1. Jim Clark	Lotus 25-Climax	2:26.20,800 h
2. John Surtees	Lola MK4-Climax	2:27.10,000 h
3. Bruce McLaren	Cooper T60-Climax	2:28.05,600 h

Grand Prix, D, Nürburgring, 5.8.1962
15 x 22,810 km = 342,150 km.
1. Jim Clark	Lotus 25-Climax	2:38.45,300 h
2. John Surtees	Lola MK4-Climax	2:38.47,800 h
3. Dan Gurney	Porsche 804	2:38.49,700 h

Grand Prix, I, Monza, 16.9.1962
86 x 5,750 km = 494,500 km.
1. Graham Hill	BRM P57	2:29.08,400 h
2. Richie Ginther	BRM P57	2:29.38,200 h
3. Bruce McLaren	Cooper T60-Climax	2:30.06,200 h

Grand Prix, USA, Watkins Glen, 7.10.1962
100 x 3,701 km = 370,100 km.
1. Jim Clark	Lotus 25-Climax	2:07.13,000 h
2. Graham Hill	BRM P57	2:07.22,200 h
3. Bruce McLaren	Cooper T60-Climax	-1

Grand Prix, ZA, EastLondon, 29.12.1962
82 x 3,920 km = 312,440 km.
1. Graham Hill	BRM P57	2:08.03,300 h
2. Bruce McLaren	Cooper T60-Climax	2:08.53,100 h
3. Tony Maggs	Cooper T60-Climax	2:08.53,600 h

1962
1. G. Hill	42 P.	1. BRM	42 P.
2. J. Clark	30 P.	2. Lotus-Climax	36 P.
3. B. McLaren	27 P.	3. Cooper-Climax	29 P.

1963

Grand Prix, MC, Monte Carlo, 26.5.1963
100 x 3,145 km = 314,500 km.
1. Graham Hill	BRM P57	2:41.49,700 h
2. Richie Ginther	BRM P57	2:41.54,300 h
3. Bruce McLaren	Cooper T66-Climax	2:42.02,500 h

Grand Prix, B, Spa-Francorchamps, 9.6.1963
32 x 14,100 km = 451,200 km.
1. Jim Clark	Lotus 25-Climax	2:27.47,600 h
2. Bruce McLaren	Cooper T66-Climax	2:32.41,600 h
3. Dan Gurney	Brabham BT7-Climax	-1

Grand Prix, NL, Zandvoort, 23.6.1963
80 x 4,193 km = 335,440 km.
1. Jim Clark	Lotus 25-Climax	2:08.13,070 h
2. Dan Gurney	Brabham BT7-Climax	-1
3. John Surtees	Ferrari 156	-1

Grand Prix, F, Reims, 30.6.1963
53 x 8,302 km = 440,006 km.
1. Jim Clark	Lotus 25-Climax	2:10.54,300 h
2. Tony Maggs	Cooper T66-Climax	2:11.59,200 h
3. Graham Hill	BRM P61	2:13.08,200 h

Grand Prix, GB, Silverstone, 20.7.1963
82 x 4,711 km = 386,302 km.
1. Jim Clark	Lotus 25-Climax	2:14.09,600 h
2. John Surtees	Ferrari 156	2:14.35,400 h
3. Graham Hill	BRM P57	2:14.47,200 h

Grand Prix, D, Nürburgring, 4.8.1963
15 x 22,810 km = 342,150 km.
1. John Surtees	Ferrari 156	2:13.06,800 h
2. Jim Clark	Lotus 25-Climax	2:14.24,300 h
3. Richie Ginther	BRM P57	2:15.51,700 h

Grand Prix, I, Monza, 8.9.1963
86 x 5,750 km = 494,500 km.
1. Jim Clark	Lotus 25-Climax	2:24.19,600 h
2. Richie Ginther	BRM P57	2:25.54,600 h
3. Bruce McLaren	Cooper T66-Climax	-1

Grand Prix, USA, Watkins Glen, 6.10.1963
110 x 3,701 km = 407,110 km.
1. Graham Hill	BRM P57	2:19.22,100 h
2. Richie Ginther	BRM P57	2:19.56,400 h
3. Jim Clark	Lotus 25-Climax	-1

Grand Prix, MEX, Mexico City, 27.10.1963
65 x 5,000 km = 325,000 km.
1. Jim Clark	Lotus 25-Climax	2:09.52,100 h
2. Jack Brabham	Brabham BT7-Climax	2:11.33,200 h
3. Richie Ginther	BRM P57	2:11.46,800 h

Grand Prix, ZA, East London, 28.12.1963
85 x 3,920 km = 333,200 km.
1. Jim Clark	Lotus 25-Climax	2:10.36,900 h
2. Dan Gurney	Brabham BT7-Climax	2:11.43,700 h
3. Graham Hill	BRM P57	-1

1963
1. J. Clark	54 P.	1. Lotus-Climax	54 P.
2. G. Hill/Ginther	29 P.	2. BRM	36 P.
4. J. Surtees	22 P.	3. Brabham-Climax	28 P.

1964

Grand Prix, MC, Monte Carlo, 10.5.1964
100 x 3,145 km = 314,500 km.
1. Graham Hill	BRM P261	2:41.19,500 h
2. Richie Ginther	BRM P261	-1
3. Peter Arundell	Lotus 25-Climax	-3

Grand Prix, NL, Zandvoort, 24.5.1964
80 x 4,193 km = 335,440 km.
1. Jim Clark	Lotus 25-Climax	2:07.35,400 h
2. John Surtees	Ferrari 158	2:08.29,000 h
3. Peter Arundell	Lotus 25-Climax	-1

Grand Prix, B, Spa-Francorchamps, 14.6.1964
32 x 14,100 km = 451,200 km.
1. Jim Clark	Lotus 25-Climax	2:06.40,500 h
2. Bruce McLaren	Cooper T73-Climax	2:06.43,900 h
3. Jack Brabham	Brabham BT7-Climax	2:07.28,600 h

Grand Prix, F, Rouen-les-Essarts, 24.6.1964
57 x 6,542 km = 372,894 km.
1. Dan Gurney	Brabham BT7-Climax	2:07.49,100 h
2. Graham Hill	BRM P261	2:07.13,200 h
3. Jack Brabham	Brabham BT7-Climax	2:08.14,000 h

Grand Prix, GB, Brands Hatch, 11.7.1964
80 x 4,265 km = 341,200 km.
1. Jim Clark	Lotus 25-Climax	2:15.07,000 h
2. Graham Hill	BRM P261	2:15.09,800 h
3. John Surtees	Ferrari 158	2:16.27,600 h

Grand Prix, D, Nürburgring, 2.8.1964
15 x 22,810 km = 342,150 km.
1. John Surtees	Ferrari 158	2:12.04,800 h
2. Graham Hill	BRM P261	2:13.20,400 h
3. Lorenzo Bandini	Ferrari 156	2:16.57,600 h

Grand Prix, A, Zeltweg, 23.8.1964
105 x 3,200 km = 336,000 km.
1. Lorenzo Bandini	Ferrari 156	2:06.18,230 h
2. Richie Ginther	BRM P261	2:06.24,410 h
3. Bob Anderson	Brabham BT11-Climax	-3

Grand Prix, I, Monza, 6.9.1964
78 x 5,750 km = 448,500 km.
1. John Surtees	Ferrari 158	2:10.51,800 h
2. Bruce McLaren	Cooper T73-Climax	2:11.57,800 h
3. Lorenzo Bandini	Ferrari 158	-1

Grand Prix, USA, Watkins Glen, 4.10.1964
110 x 3,701 km = 407,110 km.
1. Graham Hill	BRM P261	2:16.38,000 h
2. John Surtees	Ferrari 158	2:17.08,500 h
3. Jo Siffert	Brabham BT11-BRM	-1

Grand Prix, MEX, Mexico City, 24.10.1964
65 x 5,000 km = 325,000 km.
1. Dan Gurney	Brabham BT7-Climax	2:09.50,320 h
2. John Surtees	Ferrari 158	2:10.59,260 h
3. Lorenzo Bandini	Ferrari 1512	2:10.59,950 h

1964
1. J. Surtees	40 P.	1. Ferrari	45 P.
2. G. Hill	39 P.	2. BRM	42 P.
3. J. Clark	32 P.	3. Lotus-Climax	37 P.

GP 1965 – 1969

1965

Grand Prix, ZA, East London, 1.1.1965
85 x 3,920 km = 333,200 km.

1. Jim Clark	Lotus 33-Climax	2:06.46,000 h
2. John Surtees	Ferrari 158	2:07.15,000 h
3. Graham Hill	BRM P261	2:07.17,800 h

Grand Prix, MC, Monte Carlo, 30.5.1965
100 x 3,145 km = 314,500 km.

1. Graham Hill	BRM P261	2:37.39,600 h
2. Lorenzo Bandini	Ferrari 1512	2:38.43,600 h
3. Jackie Stewart	BRM P261	2:39.21,500 h

Grand Prix, B, Spa-Francorchamps, 13.6.1965
32 x 14,100 km = 451,200 km.

1. Jim Clark	Lotus 33-Climax	2:23.34,800 h
2. Jackie Stewart	BRM P261	2:24.19,600 h
3. Bruce McLaren	Cooper T77-Climax	-1

Grand Prix, F, Clermont-Ferrand, 27.6.1965
40 x 8,055 km = 322,200 km.

1. Jim Clark	Lotus 33-Climax	2:14.38,400 h
2. Jackie Stewart	BRM P261	2:15.04,700 h
3. John Surtees	Ferrari 158	2:17.11,900 h

Grand Prix, GB, Silverstone, 10.7.1965
80 x 4,711 km = 376,880 km.

1. Jim Clark	Lotus 33-Climax	2:05.25,400 h
2. Graham Hill	BRM P261	2:05.28,600 h
3. John Surtees	Ferrari 158	2:05.53,000 h

Grand Prix, NL, Zandvoort, 18.7.1965
80 x 4,193 km = 335,440 km.

1. Jim Clark	Lotus 33-Climax	2:03.59,100 h
2. Jackie Stewart	BRM P261	2:04.07,100 h
3. Dan Gurney	Brabham BT11-Climax	2:04.12,100 h

Grand Prix, D, Nürburgring, 1.8.1965
15 x 22,810 km = 342,150 km.

1. Jim Clark	Lotus 33-Climax	2:07.52,400 h
2. Graham Hill	BRM P261	2:08.08,300 h
3. Dan Gurney	Brabham BT11-Climax	2:08.13,800 h

Grand Prix, I, Monza, 12.9.1965
76 x 5,750 km = 437,000 km.

1. Jackie Stewart	BRM P261	2:04.52,800 h
2. Graham Hill	BRM P261	2:04.56,100 h
3. Dan Gurney	Brabham BT11-Climax	2:05.09,300 h

Grand Prix, USA, Watkins Glen, 3.10.1965
110 x 3,701 km = 407,110 km.

1. Graham Hill	BRM P261	2:20.36,100 h
2. Dan Gurney	Brabham BT11-Climax	2:20.48,600 h
3. Jack Brabham	Brabham BT11-Climax	2:21.33,600 h

Grand Prix, MEX, Mexico City, 5.6.1965
65 x 5,000 km = 325,000 km.

1. Richie Ginther	Honda RA272	2:08.32,100 h
2. Dan Gurney	Brabham BT11-Climax	2:08.34,900 h
3. Mike Spence	Lotus 33-Climax	2:09.32,200 h

1965

1. J. Clark	54 P.	1. Lotus-Climax	54 P.
2. G. Hill	40 P.	2. BRM	45 P.
3. J. Stewart	33 P.	3. Brabham-Climax	27 P.

1966

Grand Prix, MC, Monte Carlo, 22.5.1966
100 x 3,145 km = 314,500 km.

1. Jackie Stewart	BRM P261	2:33.10,600 h
2. Lorenzo Bandini	Ferrari 158/246	2:33.50,700 h
3. Graham Hill	BRM P261	-1

Grand Prix, B, Spa-Francorchamps, 12.6.1966
28 x 14,100 km = 394,800 km.

1. John Surtees	Ferrari 312	2:09.11,300 h
2. Jochen Rindt	Cooper T81-Maserati	2:09.53,400 h
3. Lorenzo Bandini	Ferrari 158/246	-1

Grand Prix, F, Reims, 3.7.1966
48 x 8,302 km = 398,496 km.

1. Jack Brabham	Brabham BT19-Repco	1:48.31,300 h
2. Micheal Parkes	Ferrari 312	1:48.40,800 h
3. Denny Hulme	Brabham BT20-Repco	-2

Grand Prix, GB, Brands Hatch, 16.7.1966
80 x 4,265 km = 341,200 km.

1. Jack Brabham	Brabham BT19-Repco	2:13.13,400 h
2. Denny Hulme	Brabham BT20-Repco	2:13.23,000 h
3. Graham Hill	BRM P261	-1

Grand Prix, NL, Zandvoort, 24.7.1966
90 x 4,193 km = 377,370 km.

1. Jack Brabham	Brabham BT19-Repco	2:39.29,000 h
2. Graham Hill	BRM P261	-1
3. Jim Clark	Lotus 33-Climax	-2

Grand Prix, D, Nürburgring, 7.8.1966
15 x 22,810 km = 342,150 km.

1. Jack Brabham	Brabham BT19-Repco	2:27.03,000 h
2. John Surtees	Cooper T81-Maserati	2:27.47,400 h
3. Jochen Rindt	Cooper T81-Maserati	2:29.35,600 h

Grand Prix, I, Monza, 4.9.1966
68 x 5,750 km = 391,000 km.

1. Ludovico Scarfiotti	Ferrari 312	1:47.14,800 h
2. Micheal Parkes	Ferrari 312	1:47.20,600 h
3. Denny Hulme	Brabham BT20-Repco	1:47.20,900 h

Grand Prix, USA, Watkins Glen, 2.10.1966
108 x 3,701 km = 399,708 km.

1. Jim Clark	Lotus 43-BRM	2:09.40,100 h
2. Jochen Rindt	Cooper T81-Maserati	-1
3. John Surtees	Cooper T81-Maserati	-1

Grand Prix, MEX, Mexico City, 23.10.1966
65 x 5,000 km = 325,000 km.

1. John Surtees	Cooper T81-Maserati	2:06.35,340 h
2. Jack Brabham	Brabham BT20-Repco	2:06.43,220 h
3. Denny Hulme	Brabham BT20-Repco	-1

1966

1. J. Brabham	42 P.	1. Brabham-Repco	42 P.
2. J. Surtees	28 P.	2. Ferrari	31 P.
3. J. Rindt	22 P.	3. Cooper-Maserati	30 P.

1967

Grand Prix, ZA, Kyalami, 2.1.1967
80 x 4,094 km = 327,520 km.

1. Pedro Rodriguez	Cooper T81-Maserati	2:05.45,900 h
2. John Love	Cooper T79-Climax	2:06.12,300 h
3. John Surtees	Honda RA273	-1

Grand Prix, MC, Monte Carlo, 7.5.1967
100 x 3,145 km = 314,500 km.

1. Denny Hulme	Brabham BT20-Repco	2:34.34,300 h
2. Graham Hill	Lotus 33-BRM	-1
3. Chris Amon	Ferrari 312	-2

Grand Prix, NL, Zandvoort, 4.6.1967
90 x 4,193 km = 377,370 km.

1. Jim Clark	Lotus 49-Ford	2:14.45,100 h
2. Jack Brabham	Brabham BT19-Repco	2:15.08,700 h
3. Denny Hulme	Brabham BT19-Repco	2:15.10,800 h

Grand Prix, B, Spa-Francorchamps, 18.6.1967
28 x 14,100 km = 394,800 km.

1. Dan Gurney	Eagle AAR104-Weslake	1:40.49,450 h
2. Jackie Stewart	BRM P83	1:41.52,400 h
3. Chris Amon	Ferrari 312	1:42.29,400 h

Grand Prix, F, Le Mans-Bugatti, 2.7.1967
80 x 4,422 km = 353,760 km.

1. Jack Brabham	Brabham BT24-Repco	2:13.21,300 h
2. Denny Hulme	Brabham BT19-Repco	2:14.10,800 h
3. Jackie Stewart	BRM P261	-1

Grand Prix, GB, Silverstone, 15.7.1967
80 x 4,711 km = 376,880 km.

1. Jim Clark	Lotus 49-Ford	1:59.25,600 h
2. Denny Hulme	Brabham BT24-Repco	1:59.38,400 h
3. Chris Amon	Ferrari 312	1:59.42,200 h

Grand Prix, D, Nürburgring, 6.8.1967
15 x 22,835 km = 342,525 km.

1. Denny Hulme	Brabham BT24-Repco	2:05.55,700 h
2. Jack Brabham	Brabham BT24-Repco	2:06.34,200 h
3. Chris Amon	Ferrari 312	2:06.34,700 h

Grand Prix, CDN, Mosport Park, 27.8.1967
90 x 3,957 km = 356,130 km.

1. Jack Brabham	Brabham BT24-Repco	2:40.40,000 h
2. Denny Hulme	Brabham BT24-Repco	2:41.41,900 h
3. Dan Gurney	Eagle AAR103-Weslake	-1

Grand Prix, I, Monza, 10.9.1967
68 x 5,750 km = 391,000 km.

1. John Surtees	Honda RA300	1:43.45,000 h
2. Jack Brabham	Brabham BT24-Repco	1:43.45,200 h
3. Jim Clark	Lotus 49-Ford	1:44.08,100 h

Grand Prix, USA, Watkins Glen, 1.10.1967
108 x 3,701 km = 399,708 km.

1. Jim Clark	Lotus 49-Ford	2:03.13,200 h
2. Graham Hill	Lotus 49-Ford	2:03.19,500 h
3. Denny Hulme	Brabham BT24-Repco	-1

Grand Prix, MEX, Mexico City, 22.10.1967
65 x 5,000 km = 325,000 km.

1. Jim Clark	Lotus 49-Ford	1:59.59,700 h
2. Jack Brabham	Brabham BT24-Repco	2:00.54,060 h
3. Denny Hulme	Brabham BT24-Repco	-1

1967

1. D. Hulme	51 P.	1. Brabham-Repco	63 P.
2. J. Brabham	46 P.	2. Lotus-Ford	44 P.
3. J. Clark	41 P.	3. Cooper-Maserati	28 P.

1968

Grand Prix, ZA, Kyalami, 1.1.1968
80 x 4,104 km = 328,320 km.

1. Jim Clark	Lotus 49-Ford	1:53.56,600 h
2. Graham Hill	Lotus 49-Ford	1:54.21,900 h
3. Jochen Rindt	Brabham BT24-Repco	1:54.27,000 h

Grand Prix, E, Jarama, 12.5.1968
90 x 3,404 km = 306,360 km.

1. Graham Hill	Lotus 49-Ford	2:15.20,100 h
2. Denny Hulme	McLaren M7A-Ford	2:15.36,000 h
3. Brian Redman	Cooper T86B-BRM	-1

Grand Prix, MC, Monte Carlo, 26.5.1968
80 x 3,145 km = 251,600 km.

1. Graham Hill	Lotus 49-Ford	2:00.32,300 h
2. Richard Attwood	BRM P126	2:00.34,500 h
3. Lucien Bianchi	Cooper T86B-BRM	-4

Grand Prix, B, Spa-Francorchamps, 9.6.1968
28 x 14,100 km = 394,800 km.

1. Bruce McLaren	McLaren M7A-Ford	1:40.02,100 h
2. Pedro Rodriguez	BRM P133	1:40.14,200 h
3. Jacky Ickx	Ferrari 312	1:40.41,700 h

Grand Prix, NL, Zandvoort, 23.6.1968
90 x 4,193 km = 377,370 km.

1. Jackie Stewart	Matra MS10-Ford	2:46.11,260 h
2. Jean-Pierre Beltoise	Matra MS11	2:47.45,190 h
3. Pedro Rodriguez	BRM P133	-1

Grand Prix, F, Rouen-les-Essarts 7.7.1968
60 x 6,542 km = 392,520 km.

1. Jacky Ickx	Ferrari 312	2:25.40,900 h
2. John Surtees	Honda RA301	2:27.39,500 h
3. Jackie Stewart	Matra MS10-Ford	-1

Grand Prix, GB, Brands Hatch, 20.7.1968
80 x 4,265 km = 341,200 km.

1. Juan Manuel Fangio	Lotus 49-Ford	2:01.20,300 h
2. Chris Amon	Ferrari 312	2:01.24,700 h
3. Jacky Ickx	Ferrari 312	-1

Grand Prix, D, Nürburgring, 4.8.1968
14 x 22,835 km = 319,690 km.

1. Jackie Stewart	Matra MS10-Ford	2:19.03,200 h
2. Graham Hill	Lotus 49-Ford	2:23.06,400 h
3. Jochen Rindt	Brabham BT26-Repco	2:23.12,600 h

Grand Prix, I, Monza, 8.9.1968
68 x 5,750 km = 391,000 km.

1. Denny Hulme	McLaren M7A-Ford	1:40.14,800 h
2. Johnny Servoz-Gavin	Matra MS10-Ford	1:41.43,200 h
3. Jacky Ickx	Ferrari 312	1:41.43,400 h

Grand Prix, CDN, Mont-Tremblant, 22.9.1968
90 x 4,265 km = 383,850 km.

1. Denny Hulme	McLaren M7A-Ford	2:27.11,200 h
2. Bruce McLaren	McLaren M7A-Ford	-1
3. Pedro Rodriguez	BRM P133	-2

Grand Prix, USA, Watkins Glen, 6.10.1968
108 x 3,701 km = 399,708 km.

1. Jackie Stewart	Matra MS10-Ford	1:59.20,290 h
2. Graham Hill	Lotus 49B-Ford	1:59.44,970 h
3. John Surtees	Honda RA301	-1

Grand Prix, MEX, Mexico City, 3.11.1968
65 x 5,000 km = 325,000 km.

1. Graham Hill	Lotus 49B-Ford	1:56.43,950 h
2. Bruce McLaren	McLaren M7A-Ford	1:58.03,270 h
3. Jackie Oliver	Lotus 49B-Ford	1:58.24,600 h

1968

1. G. Hill	48 P.	1. Lotus-Ford	62 P.
2. J. Stewart	36 P.	2. McLaren-Ford	49 P.
3. D. Hulme	33 P.	3. Matra-Ford	45 P.

1969

Grand Prix, ZA, Kyalami, 1.3.1969
80 x 4,104 km = 328,320 km.

1. Jackie Stewart	Matra MS80-Ford	1:50.39,100 h
2. Graham Hill	Lotus 49B-Ford	1:50.57,900 h
3. Denny Hulme	McLaren M7A-Ford	1:51.10,900 h

Grand Prix, E, Montjuich Park, 4.5.1969
90 x 3,791 km = 341,190 km.

1. Jackie Stewart	Matra MS80-Ford	2:16.53,990 h
2. Bruce McLaren	McLaren M7A-Ford	-2
3. Jean-Pierre Beltoise	Matra MS80-Ford	-3

Grand Prix, MC, Monte Carlo, 18.5.1969
80 x 3,145 km = 251,600 km.

1. Graham Hill	Lotus 49B-Ford	1:56.59,400 h
2. Piers Courage	Brabham BT26-Ford	1:57.16,700 h
3. Jo Siffert	Lotus 49B-Ford	1:57.34,000 h

Grand Prix, NL, Zandvoort, 21.6.1969
90 x 4,193 km = 377,370 km.

1. Jackie Stewart	Matra MS80-Ford	2:06.42,080 h
2. Jo Siffert	Lotus 49B-Ford	2:07.06,600 h
3. Chris Amon	Ferrari 312	2:07.12,590 h

Grand Prix, F, Clermont-Ferrand, 6.7.1969
38 x 8,055 km = 306,090 km.
1. Jackie Stewart   Matra MS80-Ford   1:56.47,400 h
2. Jean-Pierre Beltoise Matra MS80-Ford   1:57.44,500 h
3. Jacky Ickx   Brabham BT26-Ford   1:57.44,700 h

Grand Prix, GB, Silverstone, 19.7.1969
84 x 4,711 km = 395,724 km.
1. Jackie Stewart   Matra MS80-Ford   1:55.55,600 h
2. Jacky Ickx   Brabham BT26-Ford   -1
3. Bruce McLaren   McLaren M7C-Ford   -1

Grand Prix, D, Nürburgring, 3.8.1969
14 x 22,835 km = 319,690 km.
1. Jacky Ickx   Brabham BT26-Ford   1:49.55,400 h
2. Jackie Stewart   Matra MS80-Ford   1:50.53,100 h
3. Bruce McLaren   McLaren M7C-Ford   1:53.17,000 h

Grand Prix, I, Monza, 7.9.1969
68 x 5,750 km = 391,000 km.
1. Jackie Stewart   Matra MS80-Ford   1:39.11,260 h
2. Jochen Rindt   Lotus 49B-Ford   1:39.11,340 h
3. Jean-Pierre Beltoise Matra MS80-Ford   1:39.11,430 h

Grand Prix, CDN, Mosport Park, 20.9.1969
90 x 3,957 km = 356,130 km.
1. Jacky Ickx   Brabham BT26-Ford   1:59.25,700 h
2. Jack Brabham   Brabham BT26-Ford   2:00.11,900 h
3. Jochen Rindt   Lotus 49B-Ford   2:00.17,700 h

Grand Prix, USA, Watkins Glen, 5.10.1969
108 x 3,701 km = 399,708 km.
1. Jochen Rindt   Lotus 49B-Ford   1:57.56,840 h
2. Piers Courage   Brabham BT26-Ford   1:58.43,830 h
3. John Surtees   BRM P139   -2

Grand Prix, MEX, Mexico City, 19.10.1969
65 x 5,000 km = 325,000 km.
1. Denny Hulme   McLaren M7A-Ford   1:54.08,800 h
2. Jacky Ickx   Brabham BT26-Ford   1:54.11,360 h
3. Jack Brabham   Brabham BT26-Ford   1:54.47,280 h

1969

1. J. Stewart   63 P.   1. Matra-Ford   66 P.
2. J. Ickx   37 P.   2. Brabham-Ford   49 P.
3. B. McLaren   26 P.   3. Lotus-Ford   47 P.

1970

Grand Prix, ZA, Kyalami, 7.3.1970
80 x 4,104 km = 328,320 km.
1. Jack Brabham   Brabham BT33-Ford   1:49.34,600 h
2. Denny Hulme   McLaren M14A-Ford   1:49.42,700 h
3. Jackie Stewart   March 701-Ford   1:49.51,700 h

Grand Prix, E, Jarama, 19.4.1970
90 x 3,404 km = 306,360 km.
1. Jackie Stewart   March 701-Ford   2:10.58,200 h
2. Bruce McLaren   McLaren M14A-Ford   -1
3. Mario Andretti   March 701-Ford   -1

Grand Prix, MC, Monte Carlo, 10.5.1970
80 x 3,145 km = 251,600 km.
1. Jochen Rindt   Lotus 49C-Ford   1:54.36,600 h
2. Jack Brabham   Brabham BT33-Ford   1:54.59,700 h
3. Henri Pescarolo   Matra-Simca MS120   1:55.28,000 h

Grand Prix, B, Spa-Francorchamps, 7.6.1970
28 x 14,100 km = 394,800 km.
1. Pedro Rodriguez   BRM P153   1:38.09,900 h
2. Chris Amon   March 701-Ford   1:38.11,000 h
3. Jean-Pierre Beltoise Matra-Simca MS120   1:39.53,600 h

Grand Prix, NL, Zandvoort, 21.6.1970
80 x 4,193 km = 335,440 km.
1. Jochen Rindt   Lotus 72-Ford   1:50.43,410 h
2. Jackie Stewart   March 701-Ford   1:51.13,410 h
3. Jacky Ickx   Ferrari 312B   -1

Grand Prix, F, Clermont-Ferrand, 5.7.1970
38 x 8,055 km = 306,090 km.
1. Jochen Rindt   Lotus 72-Ford   1:55.57,000 h
2. Chris Amon   March 701-Ford   1:56.04,610 h
3. Jack Brabham   Brabham BT33-Ford   1:56.41,830 h

Grand Prix, GB, Brands Hatch, 18.7.1970
80 x 4,265 km = 341,200 km.
1. Jochen Rindt   Lotus 72-Ford   1:57.02,000 h
2. Jack Brabham   Brabham BT33-Ford   1:57.34,900 h
3. Denny Hulme   McLaren M14D-Ford   1:57.56,400 h

Grand Prix, D, Hockenheim, 2.8.1970
50 x 6,789 km = 339,450 km.
1. Jochen Rindt   Lotus 72-Ford   1:42.00,300 h
2. Jacky Ickx   Ferrari 312B   1:42.01,000 h
3. Denny Hulme   McLaren M14A-Ford   1:43.22,100 h

Grand Prix, A, Aring, 16.8.1970
60 x 5,911 km = 354,660 km.
1. Jacky Ickx   Ferrari 312B   1:42.17,320 h
2. Clay Regazzoni   Ferrari 312B   1:42.17,930 h
3. Rolf Stommelen   Brabham BT33-Ford   1:43.45,200 h

Grand Prix, I, Monza, 6.9.1970
68 x 5,750 km = 391,000 km.
1. Clay Regazzoni   Ferrari 312B   1:39.06,880 h
2. Jackie Stewart   March 701-Ford   1:39.12,610 h
3. Jean-Pierre Beltoise Matra-Simca MS120   1:39.12,680 h

Grand Prix, CDN, Mont Tremblant, 20.9.1970
90 x 4,265 km = 383,850 km.
1. Jacky Ickx   Ferrari 312B   2:21.18,400 h
2. Clay Regazzoni   Ferrari 312B   2:21.33,200 h
3. Chris Amon   March 701-Ford   2:22.16,300 h

Grand Prix, USA, Watkins Glen, 4.10.1970
108 x 3,701 km = 399,708 km.
1. Emerson Fittipaldi   Lotus 72-Ford   1:57.32,790 h
2. Pedro Rodriguez   BRM P153   1:58.09,180 h
3. Reine Wisell   Lotus 72-Ford   1:58.17,960 h

Grand Prix, MEX, Mexico City, 25.10.1970
65 x 5,000 km = 325,000 km.
1. Jacky Ickx   Ferrari 312B   1:53.28,360 h
1. Clay Regazzoni   Ferrari 312B   1:54.13,820 h
1. Denny Hulme   McLaren M14A-Ford   1:54.14,330 h

1970

1. J. Rindt   45 P.   1. Lotus-Ford   59 P.
2. J. Ickx   40 P.   2. Ferrari   52 P.
3. C. Regazzoni   33 P.   3. March-Ford   48 P.

1971

Grand Prix, ZA, Kyalami, 6.3.1971
79 x 4,104 km = 324,216 km.
1. Mario Andretti   Ferrari 312B   1:47.35,500 h
2. Jackie Stewart   Tyrrell 001-Ford   1:47.56,400 h
3. Clay Regazzoni   Ferrari 312B   1:48.09,900 h

Grand Prix, E, Montjuich Park, 18.4.1971
75 x 3,791 km = 284,325 km.
1. Jackie Stewart   Tyrrell 003-Ford   1:49.03,400 h
2. Jacky Ickx   Ferrari 312B   1:49.06,800 h
3. Chris Amon   Matra-Simca MS120B   1:50.01,500 h

Grand Prix, MC, Monte Carlo, 23.5.1971
80 x 3,145 km = 251,600 km.
1. Jackie Stewart   Tyrrell 003-Ford   1:52.21,300 h
2. Ronnie Peterson   March 711-Ford   1:52.46,900 h
3. Jacky Ickx   Ferrari 312B2   1:53.14,600 h

Grand Prix, NL, Zandvoort, 20.6.1971
70 x 4,193 km = 293,510 km.
1. Jacky Ickx   Ferrari 312B2   1:56.20,090 h
2. Pedro Rodriguez   BRM P160   1:56.28,080 h
3. Clay Regazzoni   Ferrari 312B2   -1

Grand Prix, F, Paul Ricard, 4.7.1971
55 x 5,810 km = 319,550 km.
1. Jackie Stewart   Tyrrell 003-Ford   1:46.41,680 h
2. François Cevert   Tyrrell 002-Ford   1:47.09,800 h
3. Emerson Fittipaldi   Lotus 72D-Ford   1:47.15,750 h

Grand Prix, GB, Silverstone, 17.7.1971
68 x 4,711 km = 320,348 km.
1. Jackie Stewart   Tyrrell 003-Ford   1:31.31,500 h
2. Ronnie Peterson   March 711-Ford   1:32.07,600 h
3. Emerson Fittipaldi   Lotus 72D-Ford   1:32.22,000 h

Grand Prix, D, Nürburgring, 1.8.1971
12 x 22,835 km = 274,020 km.
1. Jackie Stewart   Tyrrell 003-Ford   1:29.15,700 h
2. François Cevert   Tyrrell 002-Ford   1:29.45,800 h
3. Clay Regazzoni   Ferrari 312B2   1:29.52,800 h

Grand Prix, A, Aring 15.8.1971
54 x 5,911 km = 319,194 km.
1. Jo Siffert   BRM P160   1:30.23,910 h
2. Emerson Fittipaldi   Lotus 72D-Ford   1:30.28,030 h
3. Tim Schenken   Brabham BT33-Ford   1:30.43,680 h

Grand Prix, I, Monza, 5.9.1971
55 x 5,750 km = 316,250 km.
1. Peter Gethin   BRM P160   1:18.12,600 h
2. Ronnie Peterson   March 711-Ford   1:18.12,610 h
3. François Cevert   Tyrrell 002-Ford   1:18.12,690 h

Grand Prix, CDN, Mosport Park, 19.9.1971
64 x 3,957 km = 253,248 km.
1. Jackie Stewart   Tyrrell 003-Ford   1:55.12,900 h
2. Ronnie Peterson   March 711-Ford   1:55.51,200 h
3. Mark Donohue   McLaren M19A-Ford   1:56.56,700 h

Grand Prix, USA, Watkins Glen, 3.10.1971
59 x 5,435 km = 320,665 km.
1. François Cevert   Tyrrell 002-Ford   1:43.51,991 h
2. Jo Siffert   BRM P160   1:44.32,053 h
3. Ronnie Peterson   March 711-Ford   1:44.36,061 h

1971

1. J. Stewart   62 P.   1. Tyrrell-Ford   73 P.
2. R. Peterson   33 P.   2. BRM   36 P.
3. F. Cevert   26 P.   3. Ferrari/March   33 P.

1972

Grand Prix, RA, Buenos Aires, 23.1.1972
95 x 3,345 km = 317,775 km.
1. Jackie Stewart   Tyrrell 003-Ford   1:57.58,820 h
2. Denny Hulme   McLaren M19A-Ford   1:58.24,780 h
3. Jacky Ickx   Ferrari 312B   1:58.58,210 h

Grand Prix, ZA, Kyalami, 4.3.1972
79 x 4,104 km = 324,216 km.
1. Denny Hulme   McLaren M19A-Ford   1:45.49,100 h
2. Emerson Fittipaldi   Lotus 72D-Ford   1:46.03,200 h
3. Peter Revson   McLaren M19A-Ford   1:46.14,900 h

Grand Prix, E, Jarama, 1.5.1972
90 x 3,404 km = 306,360 km.
1. Emerson Fittipaldi   Lotus 72D-Ford   2:03.41,230 h
2. Jacky Ickx   Ferrari 312B   2:04.00,150 h
3. Clay Regazzoni   Ferrari 312B   -1

Grand Prix, MC, Monte Carlo, 14.5.1972
80 x 3,145 km = 251,600 km.
1. Jean-Pierre Beltoise BRM P160B   2:26.54,700 h
2. Jacky Ickx   Ferrari 312B   2:27.32,900 h
3. Emerson Fittipaldi   Lotus 72D-Ford   -1

Grand Prix, B, Nivelles, 4.6.1972
85 x 3,724 km = 316,540 km.
1. Emerson Fittipaldi   Lotus 72D-Ford   1:44.06,700 h
2. François Cevert   Tyrrell 002-Ford   1:44.33,300 h
3. Denny Hulme   Mc Laren Mercedes   1:45.04,800 h

Grand Prix, F, Clermont-Ferrand, 2.7.1972
38 x 8,055 km = 306,090 km.
1. Jackie Stewart   Tyrrell 003-Ford   1:52.21,500 h
2. Emerson Fittipaldi   Lotus 72D-Ford   1:52.49,200 h
3. Chris Amon   Matra-Simca MS120D   1:52.53,400 h

Grand Prix, GB, Brands Hatch, 15.7.1972
76 x 4,265 km = 324,140 km.
1. Emerson Fittipaldi   Lotus 72D-Ford   1:47.50,200 h
2. Jackie Stewart   Tyrrell 003-Ford   1:47.54,300 h
3. Peter Revson   McLaren M19A-Ford   1:49.02,700 h

Grand Prix, D, Nürburgring, 30.7.1972
14 x 22,835 km = 319,690 km.
1. Jacky Ickx   Ferrari 312B2   1:42.12,300 h
2. Clay Regazzoni   Ferrari 312B2   1:43.00,600 h
3. Ronnie Peterson   March 721G-Ford   1:43.19,000 h

Grand Prix, A, Aring, 13.8.1972
54 x 5,911 km = 319,194 km.
1. Emerson Fittipaldi   Lotus 72D-Ford   1:29.16,660 h
2. Denny Hulme   McLaren M19C-Ford   1:29.17,840 h
3. Peter Revson   McLaren M19C-Ford   1:29.53,190 h

Grand Prix, I, Monza, 10.9.1972
55 x 5,775 km = 317,625 km.
1. Emerson Fittipaldi   Lotus 72D-Ford   1:29.58,400 h
2. Mike Hailwood   Surtees TS9B-Ford   1:30.12,900 h
3. Denny Hulme   McLaren M19C-Ford   1:30.22,200 h

Grand Prix, CDN, Mosport Park , 24.9.1972
80 x 3,957 km = 316,560 km.
1. Jackie Stewart   Tyrrell 005-Ford   1:43.16,900 h
2. Peter Revson   McLaren M19C-Ford   1:44.05,100 h
3. Denny Hulme   McLaren M19C-Ford   1:44.11,500 h

Grand Prix, USA, Watkins Glen, 8.10.1972
59 x 5,435 km = 320,665 km.
1. Jackie Stewart   Tyrrell 005-Ford   1:41.45,354 h
2. François Cevert   Tyrrell 006-Ford   1:42.17,622 h
3. Denny Hulme   McLaren M19C-Ford   1:42.22,882 h

1972

1. E. Fittipaldi   61 P.   1. Lotus-Ford   61 P.
2. J. Stewart   45 P.   2. Tyrrell-Ford   51 P.
3. D. Hulme   39 P.   3. McLaren-Ford   47 P.

1973

Grand Prix, RA, Buenos Aires, 28.1.1973
96 x 3,345 km = 321,180 km.
1. Emerson Fittipaldi   Lotus 72D-Ford   1:56.18,220 h
2. François Cevert   Tyrrell 006-Ford   1:56.22,910 h
3. Jackie Stewart   Tyrrell 005-Ford   1:56.51,410 h

Grand Prix, BR, Interlagos, 11.2.1973
40 x 7,960 km = 318,400 km.
1. Emerson Fittipaldi   Lotus 72D-Ford   1:43.55,600 h
2. Jackie Stewart   Tyrrell 005-Ford   1:44.09,100 h
3. Denny Hulme   McLaren M19C-Ford   1:45.42,000 h

Grand Prix, ZA, Kyalami, 3.3.1973
79 x 4,104 km = 324,216 km.
1. Jackie Stewart   Tyrrell 006-Ford   1:43.11,070 h
2. Peter Revson   McLaren M19C-Ford   1:43.35,620 h
3. Emerson Fittipaldi   Lotus 72D-Ford   1:43.36,130 h

GP 1973 – 1976

Grand Prix, E, Montjuich Park, 29.4.1973
75 x 3,791 km = 284,325 km.

1. Emerson Fittipaldi	Lotus 72D-Ford	1:48.18,700 h
2. François Cevert	Tyrrell 006-Ford	1:49.01,400 h
3. George Follmer	Shadow DN1A-Ford	1:49.31,800 h

Grand Prix, B, Zolder, 20.5.1973
70 x 2,622 km = 183,540 km.

1. Jackie Stewart	Tyrrell 006-Ford	1:42.13,430 h
2. François Cevert	Tyrrell 006-Ford	1:42.45,270 h
3. Emerson Fittipaldi	Lotus 72D-Ford	1:44.16,220 h

Grand Prix, MC, Monte Carlo, 3.6.1973
78 x 3,278 km = 255,684 km.

1. Jackie Stewart	Tyrrell 006-Ford	1:57.44,300 h
2. Emerson Fittipaldi	Lotus 72D-Ford	1:57.45,600 h
3. Ronnie Peterson	Lotus 72D-Ford	– -1

Grand Prix, S, Anderstorp, 17.6.1973
80 x 4,018 km = 321,440 km.

1. Denny Hulme	McLaren M23-Ford	1:56.46,049 h
2. Ronnie Peterson	Lotus 72D-Ford	1:56.50,088 h
3. François Cevert	Tyrrell 006-Ford	1:57.00,716 h

Grand Prix, F, Paul Ricard, 1.7.1973
54 x 5,810 km = 313,740 km.

1. Ronnie Peterson	Lotus 72D-Ford	1:41.36,520 h
2. François Cevert	Tyrrell 006-Ford	1:42.17,440 h
3. Carlos Reutemann	Brabham BT42-Ford	1:42.23,000 h

Grand Prix, GB, Silverstone, 14.7.1973
67 x 4,711 km = 315,607 km.

1. Peter Revson	McLaren M23-Ford	1:29.18,500 h
2. Ronnie Peterson	Lotus 72D-Ford	1:29.21,300 h
3. Denny Hulme	McLaren M23-Ford	1:29.21,500 h

Grand Prix, NL, Zandvoort, 29.7.1973
72 x 4,226 km = 304,272 km.

1. Jackie Stewart	Tyrrell 006-Ford	1:39.12,450 h
2. François Cevert	Tyrrell 006-Ford	1:39.28,280 h
3. James Hunt	March 731-Ford	1:40.15,460 h

Grand Prix, D, Nürburgring, 5.8.1973
14 x 22,835 km = 319,690 km.

1. Jackie Stewart	Tyrrell 006-Ford	1:42.03,000 h
2. François Cevert	Tyrrell 006-Ford	1:42.04,600 h
3. Jacky Ickx	McLaren M23-Ford	1:42.44,200 h

Grand Prix, A, Aring, 19.8.1973
54 x 5,922 km = 319,788 km.

1. Ronnie Peterson	Lotus 72D-Ford	1:28.48,780 h
2. Jackie Stewart	Tyrrell 006-Ford	1:28.57,790 h
3. Carlos Pace	Surtees TS 14A-Ford	1:29.35,420 h

Grand Prix, I, Monza, 9.9.1973
55 x 5,775 km = 317,625 km.

1. Ronnie Peterson	Lotus 72D-Ford	1:29.17,000 h
2. Emerson Fittipaldi	Lotus 72D-Ford	1:29.17,800 h
3. Peter Revson	McLaren M23-Ford	1:29.45,800 h

Grand Prix, CDN, Mosport Park, 23.9.1973
80 x 3,957 km = 316,560 km.

1. Peter Revson	McLaren M23-Ford	1:59.04,083 h
2. Emerson Fittipaldi	Lotus 72D-Ford	1:59.36,817 h
3. Jackie Oliver	Shadow DN1A-Ford	1:59.38,588 h

Grand Prix, USA, Watkins Glen, 7.10.1973
59 x 5,435 km = 320,665 km.

1. Ronnie Peterson	Lotus 72D-Ford	1:41.15,779 h
2. James Hunt	March 731-Ford	1:41.16,467 h
3. Carlos Reutemann	Brabham BT42-Ford	1:41.38,729 h

1973

1. J. Stewart	71 P.	1. Lotus-Ford	92 P.
2. E. Fittipaldi	55 P.	2. Tyrrell-Ford	82 P.
3. R. Peterson	52 P.	3. McLaren-Ford	58 P.

1974

Grand Prix, RA, Buenos Aires, 13.1.1974
53 x 5,968 km = 316,304 km.

1. Denny Hulme	McLaren M23-Ford	1:41.02,010 h
2. Niki Lauda	Ferrari 312B3	1:41.11,280 h
3. Clay Regazzoni	Ferrari 312B3	1:41.22,420 h

Grand Prix, BR, Interlagos, 27.1.1974
32 x 7,960 km = 254,720 km.

1. Emerson Fittipaldi	McLaren M23-Ford	1:24.37,060 h
2. Clay Regazzoni	Ferrari 312B3	1:24.50,630 h
3. Jacky Ickx	Lotus 72D-Ford	-1

Grand Prix, ZA, Kyalymi, 30.3.1974
78 x 4,104 km = 320,112 km.

1. Carlos Reutemann	Brabham BT44-Ford	1:42.40,960 h
2. Jean-Pierre Beltoise	BRM P201	1:43.14,900 h
3. Mike Hailwood	McLaren M23-Ford	1:43.23,120 h

Grand Prix, E, Jarama, 28.4.1974
84 x 3,404 km = 285,936 km.

1. Niki Lauda	Ferrari 312B3	2:00.29,560 h
2. Clay Regazzoni	Ferrari 312B3	2:01.05,170 h
3. Emerson Fittipaldi	McLaren M23-Ford	-1

Grand Prix, B, Nivelles, 12.5.1974
85 x 3,724 km = 316,540 km.

1. Emerson Fittipaldi	McLaren M23-Ford	1:44.20,570 h
2. Niki Lauda	Ferrari 312B3	1:44.20,920 h
3. Jody Scheckter	Tyrrell 007-Ford	1:45.06,180 h

Grand Prix, MC, Monte Carlo, 26.5.1974
78 x 3,278 km = 255,684 km.

1. Ronnie Peterson	Lotus 72E-Ford	1:58.03,700 h
2. Jody Scheckter	Tyrrell 007-Ford	1:58.32,500 h
3. Jean-Pierre Jarier	Shadow DN3A-Ford	1:58.52,600 h

Grand Prix, S, Anderstorp, 9.6.1974
80 x 4,018 km = 321,440 km.

1. Jody Scheckter	Tyrrell 007-Ford	1:58.31,391 h
2. Patrick Depailler	Tyrrell 007-Ford	1:58.31,771 h
3. James Hunt	Hesketh 308-Ford	1:58.34,716 h

Grand Prix, NL, Zandvoort, 23.6.1974
75 x 4,226 km = 316,950 km.

1. Niki Lauda	Ferrari 312B3	1:43.00,350 h
2. Clay Regazzoni	Ferrari 312B3	1:43.08,600 h
3. Emerson Fittipaldi	McLaren M23-Ford	1:43.30,620 h

Grand Prix, F, Dijon-Prenois, 7.7.1974
80 x 3,289 km = 263,11120 km.

1. Ronnie Peterson	Lotus 72E-Ford	1:21.55,020 h
2. Niki Lauda	Ferrari 312B3	1:22.15,380 h
3. Clay Regazzoni	Ferrari 312B3	1:22.22,860 h

Grand Prix, GB, Brands Hatch, 20.7.1974
75 x 4,265 km = 319,875 km.

1. Jody Scheckter	Tyrrell 007-Ford	1:43.02,200 h
2. Emerson Fittipaldi	McLaren M23-Ford	1:43.17,500 h
3. Jacky Ickx	Lotus 72E-Ford	1:44.03,700 h

Grand Prix, D, Nürburgring, 4.8.1974
14 x 22,835 km = 319,690 km.

1. Clay Regazzoni	Ferrari 312B3	1:41.35,000 h
2. Jody Scheckter	Tyrrell 007-Ford	1:42.25,700 h
3. Carlos Reutemann	Brabham BT44-Ford	1:42.58,200 h

Grand Prix, A, Aring, 18.8.1974
54 x 5,911 km = 319,194 km.

1. Carlos Reutemann	Brabham BT44-Ford	1:28.44,720 h
2. Denny Hulme	McLaren M23-Ford	1:29.27,640 h
3. James Hunt	Hesketh 308-Ford	1:29.46,260 h

Grand Prix, I, Monza, 8.9.1974
52 x 5,780 km = 300,560 km.

1. Ronnie Peterson	Lotus 72E-Ford	1:22.56,600 h
2. Emerson Fittipaldi	McLaren M23-Ford	1:22.57,400 h
3. Jody Scheckter	Tyrrell 007-Ford	1:23.21,300 h

Grand Prix, CDN, Mosport Park, 22.9.1974
80 x 3,957 km = 316,560 km.

1. Emerson Fittipaldi	McLaren M23-Ford	1:40.26,136 h
2. Clay Regazzoni	Ferrari 312B3	1:40.39,170 h
3. Ronnie Peterson	Lotus 72E-Ford	1:40.40,630 h

Grand Prix, USA, Watkins Glen, 6.10.1974
59 x 5,435 km = 320,665 km.

1. Carlos Reutemann	Brabham BT44-Ford	1:40.21,439 h
2. Carlos Pace	Brabham BT44-Ford	1:40.32,174 h
3. James Hunt	Hesketh 308-Ford	1:41.31,823 h

1974

1. E. Fittipaldi	55 P.	1. McLaren-Ford	73 P.
2. C. Regazzoni	52 P.	2. Ferrari	65 P.
3. J. Scheckter	45 P.	3. Tyrrell-Ford	52 P.

1975

Grand Prix, RA, Buenos Aires, 12.1.1975
53 x 5,968 km = 316,304 km.

1. Emerson Fittipaldi	McLaren M23-Ford	1:39.26,290 h
2. James Hunt	Hesketh 308-Ford	1:39.32,200 h
3. Carlos Reutemann	Brabham BT44B-Ford	1:39.43,350 h

Grand Prix, BR, Interlagos, 26.1.1975
40 x 7,960 km = 318,400 km.

1. Carlos Pace	Brabham BT44B	1:44.41,170 h
2. Emerson Fittipaldi	McLaren M23-Ford	1:44.46,960 h
3. Jochen Mass	McLaren M23-Ford	1:45.17,830 h

Grand Prix, ZA, Kyalami, 1.3.1975
78 x 4,104 km = 320,112 km.

1. Jody Scheckter	Tyrrell 007-Ford	1:43.16,900 h
2. Carlos Reutemann	Brabham BT44B-Ford	1:43.20,640 h
3. Patrick Depailler	Tyrrell 007-Ford	1:43.33,820 h

Grand Prix, E, Montjuich Park, 27.4.1975.
29 x 3,791 km = 109,939 km.

1. Jochen Mass	McLaren M23-Ford	0:42.53,700 h
2. Jacky Ickx	Lotus 72E-Ford	0:42.54,800 h
3. Carlos Reutemann	Brabham BT44B-Ford	-1

Grand Prix, MC, Monte Carlo, 11.5.1975.
75 x 3,278 km = 245,850 km.

1. Niki Lauda	Ferrari 312T	2:01.21,310 h
2. Emerson Fittipaldi	McLaren M23-Ford	2:01.24,090 h
3. Carlos Pace	Brabham BT44B-Ford	2:01.39,120 h

Grand Prix, B, Zolder, 25.5.1975
70 x 4,262 km = 298,340 km.

1. Niki Lauda	Ferrari 312T	1:43.53,980 h
2. Jody Scheckter	Tyrrell 007-Ford	1:44.13,200 h
3. Carlos Reutemann	Brabham BT44B-Ford	1:44.35,800 h

Grand Prix, Sweden, Anderstorp, 8.6.1975
80 x 4,018 km = 321,440 km.

1. Niki Lauda	Ferrari 312T	1:59.18,319 h
2. Carlos Reutemann	Brabham BT44B-Ford	1:59.24,607 h
3. Clay Regazzoni	Ferrari 312T	1:59.47,414 h

Grand Prix, NL, Zandvoort, 22.6.1975
75 x 4,226 km = 316,950 km.

1. James Hunt	Hesketh 308-Ford	1:46.57,400 h
2. Niki Lauda	Ferrari 312T	1:46.58,460 h
3. Clay Regazzoni	Ferrari 312T	1:47.52,460 h

Grand Prix, F, Paul Ricard, 6.7.1975
54 x 5,810 km = 313,740 km.

1. Niki Lauda	Ferrari 312T	1:40.18,840 h
2. James Hunt	Hesketh 308-Ford	1:40.20,430 h
3. Jochen Mass	McLaren M23-Ford	1:40.21,150 h

Grand Prix, GB, Silverstone, 19.7.1975
56 x 4,719 km = 264,264 km.

1. Emerson Fittipaldi	McLaren M23-Ford	1:22.05,000 h
2. Carlos Pace	Brabham BT44B-Ford	crash
3. Jody Scheckter	Tyrrell 007-Ford	crash

Grand Prix, D, Nürburgring, 3.8.1975
14 x 22,835 km = 319,690 km.

1. Carlos Reutemann	Brabham BT44B-Ford	1:41.14,100 h
2. Jacques Laffite	Williams FW04-Ford	1:42.51,800 h
3. Niki Lauda	Ferrari 312T	1:43.37,400 h

Grand Prix, A, Aring, 17.8.1975
29 x 5,911 km = 171,419 km.

1. Vittorio Brambilla	March 751-Ford	0:57.56,690 h
2. James Hunt	Hesketh 308-Ford	0:58.23,720 h
3. Tom Pryce	Shadow DN5A-Ford	0:58.31,540 h

Grand Prix, I, Monza, 7.9.1975
52 x 5,780 km = 300,560 km.

1. Clay Regazzoni	Ferrari 312T	1:22.42,600 h
2. Emerson Fittipaldi	McLaren M23-Ford	1:22.59,200 h
3. Niki Lauda	Ferrari 312T	1:23.05,800 h

Grand Prix, USA, Watkins Glen, 5.10.1975
59 x 5,435 km = 320,665 km.

1. Niki Lauda	Ferrari 312T	1:42.58,175 h
2. Emerson Fittipaldi	McLaren M23-Ford	1:43.03,118 h
3. Jochen Mass	McLaren M23-Ford	1:43.45,812 h

1975

1. N. Lauda	64,5 P.	1. Ferrari	72,5 P.
2. E. Fittipaldi	45 P.	2. Brabham-Ford	54 P.
3. C. Reutemann	37 P.	3. McLaren-Ford	53 P.

1976

Grand Prix, BR, Interlagos, 25.1.1976
40 x 7,960 km = 318,400 km.

1. Niki Lauda	Ferrari 312T	1:45.16,780 h
2. Patrick Depailler	Tyrrell 007-Ford	1:45.38,250 h
3. Tom Pryce	Shadow DN5B-Ford	1:45.40,620 h

Grand Prix, ZA, Kyalami, 6.3.1976
78 x 4,104 km = 320,112 km.

1. Niki Lauda	Ferrari 312T	1:42.18,400 h
2. James Hunt	McLaren M23-Ford	1:42.19,700 h
3. Jochen Mass	McLaren M23-Ford	1:43.04,300 h

Grand Prix, USA, Long Beach, 28.3.1976
80 x 3,251 km = 260,080 km.

1. Clay Regazzoni	Ferrari 312T	1:53.18,471 h
2. Niki Lauda	Ferrari 312T	1:54.00,885 h
3. Patrick Depailler	Tyrrell 007-Ford	1:54.08,443 h

Grand Prix, E, Jarama, 2.5.1976
75 x 3,404 km = 255,300 km.

1. James Hunt	McLaren 23M-Ford	1:42.20,430 h
2. Niki Lauda	Ferrari 312T	1:42.51,400 h
3. Gunnar Nilsson	Lotus 77-Ford	1:43.08,450 h

Grand Prix, B, Zolder, 16.5.1976
70 x 4,262 km = 298,340 km.
1. Niki Lauda	Ferrari 312T2	1:42.53,230 h
2. Clay Regazzoni	Ferrari 312T2	1:42.56,690 h
3. Jacques Laffite	Ligier JS5-Matra	1:43.28,610 h

Grand Prix, MC, Monte Carlo, 30.5.1976
78 x 3,312 km = 258,336 km.
1. Niki Lauda	Ferrari 312T2	1:59.51,470 h
2. Jody Scheckter	Tyrrell P34-Ford	2:00.02,600 h
3. Patrick Depailler	Tyrrell P34-Ford	2:00.56,310 h

Grand Prix, S, Anderstorp, 13.6.1976
72 x 4,018 km = 289,296 km.
1. Jody Scheckter	Tyrrell P34-Ford	1:46.53,729 h
2. Patrick Depailler	Tyrrell P34-Ford	1:47.13,495 h
3. Niki Lauda	Ferrari 312T2	1:47.27,595 h

Grand Prix, F, Paul Ricard, 18.7.1976
54 x 5,810 km = 313,740 km.
1. James Hunt	McLaren M23-Ford	1:40.58,600 h
2. Patrick Depailler	Tyrrell P34-Ford	1:41.11,300 h
3. John Watson	Penske PC4-Ford	1:41.22,150 h

Grand Prix, GB, Brands Hatch, 18.7.1976
76 x 4,207 km = 319,732 km.
1. Niki Lauda	Ferrari 312T2	1:44.19,660 h
2. Jody Scheckter	Tyrrell P34-Ford	1:44.35,840 h
3. John Watson	Penske PC34-Ford	-1

Grand Prix, D, Nürburgring, 1.8.1976
14 x 22,835 km = 319,690 km.
1. James Hunt	McLaren M23-Ford	1:41.42,700 h
2. Jody Scheckter	Tyrrell P34-Ford	1:42.10,400 h
3. Jochen Mass	McLaren M23-Ford	1:42.35,100 h

Grand Prix, A, Aring, 15.8.1976
54 x 5,910 km = 319,140 km.
1. John Watson	Penske PC34-Ford	1:30.07,860 h
2. Jacques Laffite	Ligier JS5-Matra	1:30.18,650 h
3. Gunnar Nilsson	Lotus 77-Ford	1:30.19,840 h

Grand Prix, NL, Zandvoort, 29.8.1976
75 x 4,226 km = 316,950 km.
1. James Hunt	McLaren M23-Ford	1:44.52,090 h
2. Clay Regazzoni	Ferrari 312T2	1:44.53,010 h
3. Mario Andretti	Lotus 77-Ford	1:44.54,180 h

Grand Prix, I, Monza, 12.9.1976
52 x 5,800 km = 301,600 km.
1. Ronnie Peterson	March 761-Ford	1:30.35,600 h
2. Clay Regazzoni	Ferrari 312T2	1:30.37,900 h
3. Jacques Laffite	Ligier JS5-Matra	1:30.38,600 h

Grand Prix, CDN, Mosport Park , 3.10.1976
80 x 3,957 km = 316,560 km.
1. James Hunt	McLaren M23-Ford	1:40.09,626 h
2. Patrick Depailler	Tyrrell P34-Ford	1:40.15,957 h
3. Mario Andretti	Lotus 77-Ford	1:40.19,992 h

Grand Prix, USA, Watkins Glen, 10.10.1976
59 x 5,435 km = 320,665 km.
1. James Hunt	McLaren M23-Ford	1:42.40,741 h
2. Jody Scheckter	Tyrrell P34-Ford	1:42.48,771 h
3. Niki Lauda	Ferrari 312T2	1:43.43,065 h

Grand Prix, J, Fuji, 24.10.1976
73 x 4,359 km = 318,207 km.
1. Mario Andretti	Lotus 77-Ford	1:43.58,860 h
2. Patrick Depailler	Tyrrell P34-Ford	-1
3. James Hunt	McLaren M23-Ford	-1

1976

1. J. Hunt	69 P.	1. Ferrari	83 P.
2. N. Lauda	68 P.	2. McLaren-Ford	74 P.
3. J. Scheckter	49 P.	3. Tyrrell	71 P.

1977

Grand Prix, RA, Buenos Aires, 9.1.1977
53 x 5,968 km = 316,304 km.
1. Jody Scheckter	Wolf WR1-Ford	1:40.11,190 h
2. Carlos Pace	Brabham BT45-Alfa	1:40.54,430 h
3. Carlos Reutemann	Ferrari 312T2	1:40.57,210 h

Grand Prix, BR, Interlagos, 23.1.1977
40 x 7,960 km = 318,400 km.
1. Carlos Reutemann	Ferrari 312T	1:45.07,720 h
2. James Hunt	McLaren M23-Ford	1:45.18,430 h
3. Niki Lauda	Ferrari 312T2	1:46.55,230 h

Grand Prix, ZA, Kyalami, 5.3.1977
78 x 4,104 km = 320,112 km.
1. Niki Lauda	Ferrari 312T2	1:42.21,600 h
2. Jody Scheckter	Wolf WR1-Ford	1:42.26,800 h
3. Patrick Depailler	Tyrrell P34-Ford	1:42.27,300 h

Grand Prix, USA, Long Beach, 3.4.1977
80 x 3,251 km = 260,080 km.
1. Mario Andretti	Lotus 78-Ford	1:51.35,470 h
2. Niki Lauda	Ferrari 312T2	1:51.36,243 h
3. Jody Scheckter	Wolf WR1-Ford	1:51.40,327 h

Grand Prix, E, Jarama, 8.5.1977
75 x 3,404 km = 255,300 km.
1. Mario Andretti	Lotus 78-Ford	1:42.52,220 h
2. Carlos Reutemann	Ferrari 312T2	1:48.08,070 h
3. Jody Scheckter	Wolf WR1-Ford	1:43.16,730 h

Grand Prix, MC, Monte Carlo, 22.5.1977
76 x 3,312 km = 251,712 km.
1. Niki Lauda	Ferrari 312T2	1:57.52,770 h
2. Jody Scheckter	Wolf WR1-Ford	1:57.53,660 h
3. Carlos Reutemann	Ferrari 312T2	1:58.25,570 h

Grand Prix, B, Zolder, 5.6.1977
70 x 4,262 km = 298,340 km.
1. Gunnar Nilsson	Lotus 78-Ford	1:55.05,710 h
2. Niki Lauda	Ferrari 312T2	1:55.19,900 h
3. Ronnie Peterson	Tyrrell P34-Ford	1:55.25,660 h

Grand Prix, S, Anderstorp, 18.6.1977
72 x 4,018 km = 289,296 km.
1. Jacques Laffite	Ligier JS7-Matra	1:46.55,520 h
2. Jochen Mass	McLaren M23-Ford	1:47.03,969 h
3. Carlos Reutemann	Ferrari 312T2	1:47.09,889 h

Grand Prix, F, Dijon-Prenois, 3.7.1977
80 x 3,800 km = 304,000 km.
1. Mario Andretti	Lotus 78-Ford	1:39.40,130 h
2. John Watson	Brabham BT45-Alfa Ro.	1:39.41,680 h
3. James Hunt	McLaren M26-Ford	1:40.14,000 h

Grand Prix, GB, Silverstone, 16.7.1977
68 x 4,719 km = 320,892 km.
1. James Hunt	McLaren M26-Ford	1:31.46,060 h
2. Niki Lauda	Ferrari 312T2	1:32.04,370 h
3. Gunnar Nilsson	Lotus 78-Ford	1:32.05,630 h

Grand Prix, D, Hockenheim, 31.7.1977
47 x 6,789 km = 319,083 km.
1. Niki Lauda	Ferrari 312T2	1:31.48,620 h
2. Jody Scheckter	Wolf WR2-Ford	1:32.02,950 h
3. Hans-Joachim Stuck	Brabham BT45-Alfa Ro.	1:32.09,920 h

Grand Prix, A, Aring, 14.8.1977
54 x 5,942 km = 320,868 km.
1. Alan Jones	Shadow DN8A-Ford	1:37.16,490 h
2. Niki Lauda	Ferrari 312T2	1:37.36,620 h
3. Hans-Joachim Stuck	Brabham BT45-Alfa Ro.	
1:37.50,990 h		

Grand Prix, NL, Zandvoort, 28.8.1977
75 x 4,226 km = 316,950 km.
1. Niki Lauda	Ferrari 312T2	1:41.45,930 h
2. Jacques Laffite	Ligier JS7-Matra	1:41.47,820 h
3. Jody Scheckter	Wolf WR2-Ford	-1

Grand Prix, I, Monza, 11.9.1977
52 x 5,800 km = 301,600 km.
1. Mario Andretti	Lotus 78-Ford	1:27.50,300 h
2. Niki Lauda	Ferrari 312T2	1:28.07,260 h
3. Alan Jones	Shadow DN8A-Ford	1:28.13,930 h

Grand Prix, USA, Watkins Glen, 2.10.1977
59 x 5,435 km = 320,665 km.
1. James Hunt	McLaren M26-Ford	1:58.23,267 h
2. Carlos Pace	Brabham BT45-Alfa	1:58.25,293 h
3. Carlos Reutemann	Ferrari 312T2	1:59.42,146 h

Grand Prix, CDN, Mosport Park, 9.10.1977
80 x 3,957 km = 316,560 km.
1. Jody Scheckter	Wolf WR1-Ford	1:40.00,000 h
2. Patrick Depailler	Tyrrell P34-Ford	1:40.06,770 h
3. Jochen Mass	McLaren M26-Ford	1:40.15,760 h

Grand Prix, J, Fuji, 23.10.1977
73 x 4,359 km = 318,207 km.
1. James Hunt	McLaren M26-Ford	1:31.51,680 h
2. Carlos Reutemann	Ferrari 312T2	1:32.54,130 h
3. Patrick Depailler	Tyrrell P34-Ford	1:32.58,070 h

1977

1. N. Lauda	72 P.	1. Ferrari	95 P.
2. J. Scheckter	55 P.	2. Lotus-Ford	62 P.
3. M. Andretti	47 P.	3. McLaren-Ford	60 P.

1978

Grand Prix, RA, Buenos Aires, 15.1.1978
52 x 5,968 km = 310,336 km.
1. Mario Andretti	Lotus 78-Ford	1:37.04,470 h
2. Niki Lauda	Brabham BT45C-Alfa	1:37.17,680 h
3. Patrick Depailler	Tyrrell 008-Ford	1:37.18,110 h

Grand Prix, BR, Rio de Janeiro, 29.1.1978
63 x 5,031 km = 316,953 km.
1. Carlos Reutemann	Ferrari 312T2	1:49.59,860 h
2. Emerson Fittipaldi	Fittipaldi F5A-Ford	1:50.48,990 h
3. Niki Lauda	Brabham BT45C-Alfa	1:50.56,880 h

Grand Prix, ZA, Kyalami, 4.3.1978
78 x 4,104 km = 320,112 km.
1. Ronnie Peterson	Lotus 78-Ford	1:42.15,767 h
2. Patrick Depailler	Tyrrell 008-Ford	1:42.16,233 h
3. John Watson	Brabham BT46-Alfa	1:42.20,209 h

Grand Prix, USA, Long Beach, 2.4.1978
80,5 x 3,251 km = 261,706 km.
1. Carlos Reutemann	Ferrari 312T3	1:52.01,301 h
2. Mario Andretti	Lotus 78-Ford	1:52.12,362 h
3. Patrick Depailler	Tyrrell 008-Ford	1:52.30,252 h

Grand Prix, MC, Monte Carlo, 7.5.1978
75 x 3,312 km = 248,400 km.
1. Patrick Depailler	Tyrrell 008-Ford	1:55.14,660 h
2. Niki Lauda	Brabham BT46-Alfa	1:55.37,110 h
3. Jody Scheckter	Wolf WR1-Ford	1:55.46,950 h

Grand Prix, B, Zolder, 21.5.1978
70 x 4,262 km = 298,340 km.
1. Mario Andretti	Lotus 79-Ford	1:39.52,020 h
2. Ronnie Peterson	Lotus 78-Ford	1:40.01,920 h
3. Carlos Reutemann	Ferrari 312T3	1:40.16,360 h

Grand Prix, E, Jarama, 4.6.1978
75 x 3,404 km = 255,300 km.
1. Mario Andretti	Lotus 79-Ford	1:41.47,060 h
2. Ronnie Peterson	Lotus 79-Ford	1:42.06,620 h
3. Jacques Laffite	Ligier JS9-Matra	1:42.24,300 h

Grand Prix, Sweden, Anderstorp, 17.6.1978
70 x 4,031 km = 282,170 km.
1. Niki Lauda	Brabham BT46B-Alfa	1:41.00,606 h
2. Riccardo Patrese	Arrows FA1-Ford	1:41.34,625 h
3. Ronnie Peterson	Lotus 79-Ford	1:41.34,711 h

Grand Prix, F, Paul Ricard, 2.7.1978
54 x 5,810 km = 313,740 km.
1. Mario Andretti	Lotus 79-Ford	1:38.51,920 h
2. Ronnie Peterson	Lotus 79-Ford	1:38.54,850 h
3. James Hunt	McLaren M26-Ford	1:39.11,720 h

Grand Prix, GB, Brands Hatch, 16.7.1978
76 x 4,207 km = 319,732 km.
1. Carlos Reutemann	Ferrari 312T3	1:42.12,390 h
2. Niki Lauda	Brabham BT46-Alfa	1:42.13,620 h
3. John Watson	Brabham BT46-Alfa	1:42.49,640 h

Grand Prix, D, Hockenheim, 30.7.1978
45 x 6,789 km = 305,505 km.
1. Mario Andretti	Lotus 79-Ford	1:28.00,900 h
2. Jody Scheckter	Wolf WR5-Ford	1:28.16,250 h
3. Jacques Laffite	Ligier JS9-Matra	1:28.28,910 h

Grand Prix, A, Aring, 13.8.1978
54 x 5,942 km = 320,868 km.
1. Ronnie Peterson	Lotus 79-Ford	1:41.21,570 h
2. Patrick Depailler	Tyrrell 008-Ford	1:42.09,010 h
3. Gilles Villeneuve	Ferrari 312T3	1:43.01,330 h

Grand Prix, NL, Zandvoort, 27.8.1978
75 x 4,226 km = 316,950 km.
1. Mario Andretti	Lotus 79-Ford	1:41.04,230 h
2. Ronnie Peterson	Lotus 79-Ford	1:41.04,550 h
3. Niki Lauda	Brabham BT46-Alfa	1:41.16,440 h

Grand Prix, I, Monza, 10.9.1978
40 x 5,800 km = 232,000 km.
1. Niki Lauda	Brabham BT46-Alfa	1:07.04,540 h
2. John Watson	Brabham BT46-Alfa	1:07.06,020 h
3. Carlos Reutemann	Ferrari 312T2	1:07.25,010 h

Grand Prix, USA, Watkins Glen, 1.10.1978
59 x 5,435 km = 320,665 km.
1. Carlos Reutemann	Ferrari 312T2	1:40.48,800 h
2. Alan Jones	Williams FW06-Ford	1:41.08,539 h
3. Jody Scheckter	Wolf WR6-Ford	1:41.34,501 h

Grand Prix, CDN, Montreal, 8.10.1978
70 x 4,500 km = 315,000 km.
1. Gilles Villeneuve	Ferrari 312T3	1:57.49,196 h
2. Jody Scheckter	Wolf WR6-Ford	1:58.02,568 h
3. Carlos Reutemann	Ferrari 312T2	1:58.08,604 h

1978

1. M. Andretti	64 P.	1. Lotus-Ford	86 P.
2. R. Peterson	51 P.	2. Ferrari	58 P.
3. C. Reutemann	48 P.	3. Brabham-Alfa	53 P.

GP 1979 – 1981

1979

Grand Prix, RA, Buenos Aires, 21.1.1979
53 x 5,986 km = 317,258 km.
1. Jacques Laffite	Ligier JS11-Ford	1:36.03,210 h
2. Carlos Reutemann	Lotus 79-Ford	1:36.18,150 h
3. John Watson	McLaren M28-Ford	1:37.32,020 h

Grand Prix, BR, Interlagos, 4.2.1979
40 x 7,874 km = 314,960 km.
1. Jacques Laffite	Ligier JS11-Ford	1:40.09,640 h
2. Patrick Depailler	Ligier JS11-Ford	1:40.14,920 h
3. Carlos Reutemann	Lotus 79-Ford	1:40.53,780 h

Grand Prix, ZA, Kyalami, 3.3.1979
78 x 4,104 km = 320,112 km.
1. Gilles Villeneuve	Ferrari 312 T4	1:41.49,960 h
2. Jody Scheckter	Ferrari 312 T4	1:41.53,380 h
3. Jean-Pierre Jarier	Tyrrell 009-Ford	1:42.12,070 h

Grand Prix, USA-West, Long Beach, 8.4.1979
80,5 x 3,251 km = 261,706 km.
1. Gilles Villeneuve	Ferrari 312 T4	1:50.25,400 h
2. Jody Scheckter	Ferrari 312 T4	1:50.54,780 h
3. Alan Jones	Williams FW06-Ford	1:51.25,090 h

Grand Prix, E, Jarama, 29.4.1979
75 x 3,404 km = 255,300 km.
1. Patrick Depailler	Ligier JS11-Ford	1:39.11,840 h
2. Carlos Reutemann	Lotus 79-Ford	1:39.32,780 h
3. Mario Andretti	Lotus 80-Ford	1:39.39,150 h

Grand Prix, B, Zolder, 13.5.1979
70 x 4,262 km = 298,340 km.
1. Jody Scheckter	Ferrari 312 T4	1:39.59,530 h
2. Jacques Laffite	Ligier JS11-Ford	1:40.14,890 h
3. Didier Pironi	Tyrrell 009-Ford	1:40.34,700 h

Grand Prix, MC, Monte Carlo, 27.5.1979
76 x 3,312 km = 251,712 km.
1. Jody Scheckter	Ferrari 312 T4	1:55.22,480 h
2. Clay Regazzoni	Williams FW07-Ford	1:55.22,920 h
3. Carlos Reutemann	Lotus 79-Ford	1:55.31,050 h

Grand Prix, F, Dijon-Prenois, 1.7.1979
80 x 3,800 km = 304,000 km.
1. Jean-Pierre Jabouille	Renault RE10	1:35.20,420 h
2. Gilles Villeneuve	Ferrari 312 T4	1:35.35,010 h
3. René Arnoux	Renault RE10	1:35.35,250 h

Grand Prix, GB, Silverstone, 14.7.1979
68 x 4,719 km = 320,892 km.
1. Clay Regazzoni	Williams FW07-Ford	1:26.11,170 h
2. René Arnoux	Renault RE10	1:26.35,450 h
3. Jean-Pierre Jarier	Tyrrell 009-Ford	-1

Grand Prix, D, Hockenheim, 29.7.1979
45 x 6,789 km = 305,505 km.
1. Alan Jones	Williams FW07-Ford	1:24.48,830 h
2. Clay Regazzoni	Williams FW07-Ford	1:24.51,740 h
3. Jacques Laffite	Ligier JS11-Ford	1:25.07,220 h

Grand Prix, A, Aring, 12.8.1979
54 x 5,942 km = 320,868 km.
1. Alan Jones	Williams FW07-Ford	1:27.38,010 h
2. Gilles Villeneuve	Ferrari 312 T4	1:28.14,060 h
3. Jacques Laffite	Ligier JS11-Ford	1:28.24,780 h

Grand Prix, NL, Zandvoort, 26.8.1979
75 x 4,226 km = 316,950 km.
1. Alan Jones	Williams FW07-Ford	1:41.19,775 h
2. Jody Scheckter	Ferrari 312 T4	1:41.41,558 h
3. Jacques Laffite	Ligier JS11-Ford	1:42.23,028 h

Grand Prix, I, Monza, 9.9.1979
50 x 5,800 km = 290,000 km.
1. Jody Scheckter	Ferrari 312 T4	1:22.00,220 h
2. Gilles Villeneuve	Ferrari 312 T4	1:22.00,680 h
3. Clay Regazzoni	Williams FW07-Ford	1:22.05,000 h

Grand Prix, CDN, Montreal, 30.9.1979
72 x 4,410 km = 317,520 km.
1. Alan Jones	Williams FW07-Ford	1:52.06,892 h
2. Gilles Villeneuve	Ferrari 312 T4	1:52.07,972 h
3. Clay Regazzoni	Williams FW07-Ford	1:53.20,548 h

Grand Prix, USA, Watkins Glen, 7.10.1979
59 x 5,435 km = 320,665 km.
1. Gilles Villeneuve	Ferrari 312 T4	1:52.17,743 h
2. René Arnoux	Renault RE10	1:53.06,521 h
3. Didier Pironi	Tyrrell 009-Ford	1:53.10,933 h

1979

1. J. Scheckter	51 P.	1. Ferrari	113 P.
2. G. Villeneuve	47 P.	2. Williams-Ford	75 P.
3. A. Jones	40 P.	3. Ligier-Ford	61 P.

1980

Grand Prix, RA, Buenos Aires, 13.1.1980
53 x 5,968 km = 316,304 km.
1. Alan Jones	Williams FW07-Ford	1:43.24,380 h
2. Nelson Piquet	Brabham BT49-Ford	1:43.48,970 h
3. Keke Rosberg	Fittipaldi F7-Ford	1:44.43,020 h

Grand Prix, BR, Interlagos, 27.1.1980
40 x 7,874 km = 314,960 km.
1. René Arnoux	Renault RE20	1:40.01,330 h
2. Elio de Angelis	Lotus 81-Ford	1:40.23,190 h
3. Alan Jones	Williams FW07B-Ford	1:41.07,440 h

Grand Prix, ZA, Kyalami, 1.3.1980
78 x 4,104 km = 320,112 km.
1. René Arnoux	Renault RE20	1:36.52,540 h
2. Jacques Laffite	Ligier JS11/15	1:37.26,610 h
3. Didier Pironi	Ligier JS11/15	1:37.45,030 h

Grand Prix, USA, Long Beach, 30.3.1980
80,5 x 3,251 km = 261,706 km.
1. Nelson Piquet	Brabham BT49-Ford	1:50.18,550 h
2. Riccardo Patrese	Arrows A3-Ford	1:51.07,762 h
3. Emerson Fittipaldi	Fittipaldi F7-Ford	1:51.37,113 h

Grand Prix, B, Zolder, 4.5.1980
72 x 4,262 km = 306,864 km.
1. Didier Pironi	Ligier JS11/15	1:38.46,510 h
2. Alan Jones	Williams FW07B-Ford	1:39.33,880 h
3. Carlos Reutemann	Williams FW07B-Ford	1:40.10,630 h

Grand Prix, MC, Monte Carlo, 18.5.1980
76 x 3,312 km = 251,712 km.
1. Carlos Reutemann	Williams FW07B-Ford	1:55.34,365 h
2. Jacques Laffite	Ligier JS11/15	1:56.47,994 h
3. Nelson Piquet	Brabham BT49-Ford	1:56.52,091 h

Grand Prix, F, Paul Ricard, 29.6.1980
54 x 5,810 km = 313,740 km.
1. Alan Jones	Williams FW07B-Ford	1:32.43,420 h
2. Didier Pironi	Ligier JS11/15	1:33.47,940 h
3. Jacques Laffite	Ligier JS11/15	1:33.13,680 h

Grand Prix, GB, Brands Hatch, 13.7.1980
76 x 4,207 km = 319,732 km.
1. Alan Jones	Williams FW07B-Ford	1:34.49,228 h
2. Nelson Piquet	Brabham BT49-Ford	1:35.00,235 h
3. Carlos Reutemann	Williams FW07B-Ford	1:35.02,513 h

Grand Prix, D, Hockenheim, 10.8.1980
45 x 6,789 km = 305,505 km.
1. Jacques Laffite	Ligier JS11/15	1:22.59,730 h
2. Carlos Reutemann	Williams FW07B-Ford	1:23.02,920 h
3. Alan Jones	Williams FW07B-Ford	1:23.43,260 h

Grand Prix, A, Aring, 17.8.1980
54 x 5,942 km = 320,868 km.
1. Jean-Pierre Jabouille	Renault RE20	1:26.15,730 h
2. Alan Jones	Williams FW07B-Ford	1:26.16,550 h
3. Carlos Reutemann	Williams FW07B-Ford	1:26.35,090 h

Grand Prix, NL, Zandvoort, 31.8.1980
72 x 4,252 km = 306,144 km.
1. Nelson Piquet	Brabham BT49-Ford	1:38.13,830 h
2. René Arnoux	Renault RE20	1:38.26,760 h
3. Jacques Laffite	Ligier JS11/15	1:38.27,260 h

Grand Prix, I, Imola, 14.9.1980
60 x 5,000 km = 300,000 km.
1. Nelson Piquet	Brabham BT49-Ford	1:38.07,520 h
2. Alan Jones	Williams FW07B-Ford	1:38.36,450 h
3. Carlos Reutemann	Williams FW07B-Ford	1:39.21,190 h

Grand Prix, CDN, Montreal, 28.9.1980
70 x 4,410 km = 308,700 km.
1. Alan Jones	Williams FW07B-Ford	1:46.45,530 h
2. Carlos Reutemann	Williams FW07B-Ford	1:47.01,070 h
3. Didier Pironi	Ligier JS11/15	1:47.04,600 h

Grand Prix, USA-East, Watkins Glen, 5.10.1980
59 x 5,435 km = 320,665 km.
1. Alan Jones	Williams FW07B-Ford	1:34.36,050 h
2. Carlos Reutemann	Williams FW07B-Ford	1:34.40,260 h
3. Didier Pironi	Ligier JS 11/15	1:34.48,620 h

1980

1. A. Jones	67 P.	1. Williams-Ford	120 P.
2. N. Piquet	54 P.	2. Ligier-Ford	66 P.
3. C. Reutemann	42 P.	3. Brabham-Ford	55 P.

1981

Grand Prix, USA-West, Long Beach, 15.3.1981
80,5 x 3,251 km = 261,706 km.
1. Alan Jones	Williams FW07C-Ford	1:50.41,330 h
2. Carlos Reutemann	Williams FW07C-Ford	1:50.50,520 h
3. Nelson Piquet	Brabham BT49C-Ford	1:51.16,250 h

Grand Prix, BR, Rio de Janeiro, 29.3.1981
61 x 5,031 km = 306,891 km.
1. Carlos Reutemann	Williams FW07C-Ford	2:00.23,660 h
2. Alan Jones	Williams FW07C-Ford	2:00.28,100 h
3. Riccardo Patrese	Arrows A3-Ford	2:01.26,740 h

Grand Prix, RA, Buenos Aires, 12.4.1981
53 x 5,968 km = 316,304 km.
1. Nelson Piquet	Brabham BT49C-Ford	1:34.32,740 h
2. Carlos Reutemann	Williams FW07C-Ford	1:34.59,350 h
3. Alain Prost	Renault RE20B	1:35.22,720 h

Grand Prix, RSM, Imola, 3.5.1981
60 x 5,040 km = 302,400 km.
1. Nelson Piquet	Brabham BT49C-Ford	1:51.23,970 h
2. Riccardo Patrese	Arrows A3-Ford	1:51.28,550 h
3. Carlos Reutemann	Williams FW07C-Ford	1:51.30,310 h

Grand Prix, B, Zolder, 17.5.1981
54 x 4,262 km = 230,148 km.
1. Carlos Reutemann	Williams FW07C-Ford	1:16.31,610 h
2. Jacques Laffite	Ligier JS17-Matra	1:17.07,670 h
3. Nigel Mansell	Lotus 81-Ford	1:17.15,300 h

Grand Prix, MC, Monte Carlo, 31.5.1981
76 x 3,312 km = 251,712 km.
1. Gilles Villeneuve	Ferrari 126CK	1:54.23,380 h
2. Alan Jones	Williams FW07C-Ford	1:55.03,290 h
3. Jacques Laffite	Ligier JS17-Matra	1:55.52,620 h

Grand Prix, E, Jarama, 21.6.1981
80 x 3,312 km = 264,960 km.
1. Gilles Villeneuve	Ferrari 126CK	1:46.35,010 h
2. Jacques Laffite	Ligier JS17-Matra	1:46.35,230 h
3. John Watson	McLaren MP4/1-Ford	1:46.35,590 h

Grand Prix, F, Dijon-Prenois, 5.7.1981
80 x 3,800 km = 304,000 km.
1. Alain Prost	Renault RE30	1:35.48,130 h
2. John Watson	McLaren MP4/1-Ford	1:35.50,420 h
3. Nelson Piquet	Brabham BT49C-Ford	1:36.12,350 h

Grand Prix, GB, Silverstone, 18.7.1981
68 x 4,719 km = 320,892 km.
1. John Watson	McLaren MP4/1-Ford	1:26.54,800 h
2. Carlos Reutemann	Williams FW07C-Ford	1:27.35,450 h
3. Jacques Laffite	Ligier JS17-Matra	-1

Grand Prix, D, Hockenheim 2.8.1981
45 x 6,789 km = 305,505 km.
1. Nelson Piquet	Brabham BT49C-Ford	1:25.55,600 h
2. Alain Prost	Renault RE30	1:26.07,120 h
3. Jacques Laffite	Ligier JS17-Matra	1:27.00,200 h

Grand Prix, A, Aring, 16.8.1981
53 x 5,942 km = 314,926 km.
1. Jacques Laffite	Ligier JS17-Matra	1:27.36,470 h
2. René Arnoux	Renault RE30	1:27.41,640 h
3. Nelson Piquet	Brabham BT49C-Ford	1:27.43,810 h

Grand Prix, NL, Zandvoort, 30.8.1981
72 x 4,252 km = 306,144 km.
1. Alain Prost	Renault RE30	1:40.22,430 h
2. Nelson Piquet	Brabham BT49C-Ford	1:40.30,670 h
3. Alan Jones	Williams FW07C-Ford	1:40.57,930 h

Grand Prix, I, Monza, 13.9.1981
52 x 5,800 km = 301,600 km.
1. Alain Prost	Renault RE30	1:26.33,897 h
2. Alan Jones	Williams FW07C-Ford	1:26.56,072 h
3. Carlos Reutemann	Williams FW07C-Ford	1:27.24,484 h

Grand Prix, CDN, Montreal, 27.9.1981
63 x 4,410 km = 277,830 km.
1. Jacques Laffite	Ligier JS17-Matra	2:01.25,205 h
2. John Watson	McLaren MP4/1-Ford	2:01.31,438 h
3. Gilles Villeneuve	Ferrari 126CK	2:03.15,480 h

Caesars Palace Grand Prix, Las Vegas, 17.10.1981
75 x 3,650 km = 273,375 km.
1. Alan Jones	Williams FW07C-Ford	1:44.09,077 h
2. Alain Prost	Renault RE30	1:44.29,125 h
3. Bruno Giacomelli	Alfa Romeo 179C	1:44.29,505 h

1981

1. N. Piquet	50 P.	1. Williams-Ford	95 P.
2. C. Reutemann	49 P.	2. Brabham-Ford	61 P.
3. A. Jones	46 P.	3. Renault	54 P.

GP 1982 – 1984

1982

Grand Prix, ZA, Kyalami, 23.1.1982
77 x 4,104 km = 316,008 km.

1. Alain Prost	Renault RE30B	1:32.08,401 h
2. Carlos Reutemann	Williams FW07C-Ford	1:32.23,347 h
3. René Arnoux	Renault RE30B	1:32.36,301 h

Grand Prix, BR, Rio de Janeiro, 21.3.1982
63 x 5,031 km = 316,953 km.

1. Alain Prost	Renault RE30B	1:44.33,134 h
2. John Watson	McLaren MP4/1B-Ford	1:44.36,124 h
3. Nigel Mansell	Lotus 91-Ford	1:45.09,993 h

Grand Prix, USA, Long Beach, 4.4.1982
75,5 x 3,428 km = 258,807 km.

1. Niki Lauda	McLaren MP4/1B-Ford	1:58.25,318 h
2. Keke Rosberg	Williams FW 07C-Ford	1:58.39,978 h
3. Riccardo Patrese	Brabham BT49C-Ford	1:59.44,461 h

Grand Prix, RSM, Imola, 25.4.1982
60 x 5,040 km = 302,400 km.

1. Didier Pironi	Ferrari 126C2	1:36.38,887 h
2. Gilles Villeneuve	Ferrari 126C2	1:36.39,253 h
3. Michele Alboreto	Tyrrell 011-Ford	1:37.46,571 h

Grand Prix, B, Zolder, 9.5.1982
70 x 4,262 km = 298,340 km.

1. John Watson	McLaren MP4/1B-Ford	1:35.41,995 h
2. Keke Rosberg	Williams FW 08-Ford	1:35.49,263 h
3. Eddie Cheever	Ligier JS17-Matra	-1

Grand Prix, MC, Monte Carlo, 23.5.1982
76 x 3,312 km = 251,712 km.

1. Riccardo Patrese	Brabham BT49D-Ford	1:54.11,259 h
2. Didier Pironi	Ferrari 126C2	-1
3. Andrea de Cesaris	Alfa Romeo 182	-1

Grand Prix, USA, Detroit, 6.6.1982
62 x 4,012 km = 248,744 km.

1. John Watson	McLaren MP4/1B-Ford	1:58.41,043 h
2. Eddie Cheever	Ligier JS17-Matra	1:58.56,769 h
3. Didier Pironi	Ferrari 126C2	1:59.09,120 h

Grand Prix, CDN, Montreal, 13.6.1982
70 x 4,410 km = 308,700 km.

1. Nelson Piquet	Brabham BT50-BMW	1:46.39,577 h
2. Riccardo Patrese	Brabham BT49-Ford	1:46.53,376 h
3. John Watson	McLaren MP4/1B-Ford	1:47.41,413 h

Grand Prix, NL, Zandvoort, 3.7.1982
72 x 4,252 km = 306,144 km.

1. Didier Pironi	Ferrari 126C2	1:38.03,254 h
2. Nelson Piquet	Brabham BT50-BMW	1:38.24,903 h
3. Keke Rosberg	Williams FW 08-Ford	1:38.25,619 h

Grand Prix, GB, Brands Hatch, 18.7.1982
76 x 4,207 km = 319,732 km.

1. Niki Lauda	McLaren MP4/1B-Ford	1:35.33,812 h
2. Didier Pironi	Ferrari 126C2	1:35.59,953 h
3. Patrick Tambay	Ferrari 126C2	1:36.12,248 h

Grand Prix, F, Paul Ricard, 25.7.1982
54 x 5,810 km = 313,740 km.

1. René Arnoux	Renault RE30B	1:33.32,217 h
2. Alain Prost	Renault RE30B	1:33.50,525 h
3. Didier Pironi	Ferrari 126C2	1:34.15,345 h

Grand Prix, D, Hockenheim, 8.8.1982
45 x 6,797 km = 305,865 km.

1. Patrick Tambay	Ferrari 126C2	1:27.25,178 h
2. René Arnoux	Renault RE30B	1:27.41,557 h
3. Keke Rosberg	Williams FW 08-Ford	-1

Grand Prix, A, Aring, 15.8.1982
53 x 5,942 km = 314,926 km.

1. Elio de Angelis	Lotus 91-Ford	1:25.02,212 h
2. Keke Rosberg	Williams FW 08-Ford	1:25.02,262 h
3. Jacques Laffite	Ligier JS19-Matra	-1

Grand Prix, CH, Dijon-Prenois, 29.8.1982
80 x 3,800 km = 304,000 km.

1. Keke Rosberg	Williams FW 08-Ford	1:32.41,087 h
2. Alain Prost	Renault RE30B	1:32.45,529 h
3. Niki Lauda	McLaren MP4/1B-Ford	1:33.41,430 h

Grand Prix, I, Monza, 12.9.1982
52 x 5,800 km = 301,600 km.

1. René Arnoux	Renault RE30B	1:22.25,734 h
2. Patrick Tambay	Ferrari 126C2	1:22.39,798 h
3. Mario Andretti	Ferrari 126C2	1:23.14,186 h

Caesars Palace Grand Prix, Las Vegas, 25.9.1982
75 x 3,650 km = 273,375 km.

1. Michele Alboreto	Tyrrell 011-Ford	1:41.56,888 h
2. John Watson	McLaren MP4/1B-Ford	1:42.24,180 h
3. Eddie Cheever	Ligier JS19-Matra	1:42.53,338 h

1982

1. K. Rosberg	44 P.	1. Ferrari	74 P.
2. D. Pironi	39 P.	2. McLaren-Ford	69 P.
3. J. Watson	39 P.	3. Renault	62 P.

1983

Grand Prix, BR, Rio de Janeiro, 13.3.1983
63 x 5,031 km = 316,953 km.

1. Nelson Piquet	Brabham BT52-BMW	1:48.27,731 h
2. (Keke Rosberg)	Williams FW08C-Ford	
3. Niki Lauda	McLaren MP4/C-Ford	1:49.19,614 h

Grand Prix, USA-West, Long Beach, 27.3.1983
75 x 3,275 km = 245,625 km.

1. Niki Lauda	McLaren MP4/1C-Ford	1:53.34,889 h
2. John Watson	McLaren MP4/1C-Ford	1:54.02,882 h
3. René Arnoux	Ferrari 126C	1:54.48,527 h

Grand Prix, F, Paul Ricard, 17.4.1983
54 x 5,810 km = 313,740 km.

1. Alain Prost	Renault RE40	1:34.13,913 h
2. Nelson Piquet	Brabham BT52-BMW	1:34.43,633 h
3. Eddie Cheever	Renault RE40	1:34.54,145 h

Grand Prix, RSM, Imola, 1.5.1983
60 x 5,040 km = 302,400 km.

1. Patrick Tambay	Ferrari 126C	1:37.52,460 h
2. Alain Prost	Renault RE40	1:38.41,241 h
3. René Arnoux	Ferrari 126C	-1

Grand Prix, MC, Monte Carlo, 15.5.1983
76 x 3,312 km = 251,712 km.

1. Keke Rosberg	Williams FW08C-Ford	1:56.38,121 h
2. Nelson Piquet	Brabham BT52-BMW	1:56.56,596 h
3. Alain Prost	Renault RE40	1:57.09,487 h

Grand Prix, B, Spa-Francorchamps, 22.5.1983
40 x 6,949 km = 278,620 km.

1. Alain Prost	Renault RE40	1:27.11,502 h
2. Patrick Tambay	Ferrari 126C	1:27.34,684 h
3. Eddie Cheever	Renault RE40	1:27.51,371 h

Grand Prix, USA, Detroit, 5.6.1983
60 x 4,023 km = 241,380 km.

1. Michele Alboreto	Tyrrell 011-Ford	1:50.53,669 h
2. Keke Rosberg	Williams FW08C-Ford	1:51.01,371 h
3. John Watson	McLaren MP4/1C-Ford	1:51.02,952 h

Grand Prix, CDN, Montreal, 12.6.1983
70 x 4,410 km = 308,700 km.

1. René Arnoux	Ferrari 126C	1:48.31,838 h
2. Eddie Cheever	Renault RE40	1:49.13,867 h
3. Patrick Tambay	Ferrari 126C	1:49.24,448 h

Grand Prix, GB, Silverstone, 16.7.1983
67 x 4,719 km = 316,173 km.

1. Alain Prost	Renault RE40	1:24.39,780 h
2. Nelson Piquet	Brabham BT52-BMW	1:24.58,941 h
3. Patrick Tambay	Ferrari 126C	1:25.06,026 h

Grand Prix, D, Hockenheim, 7.8.1983
45 x 6,797 km = 308,865 km.

1. René Arnoux	Ferrari 126C	1:27.10,319 h
2. Andre de Cesaris	Alfa Romeo 183T	1:28.20,971 h
3. Riccardo Patrese	Brabham BT52B-BMW	1:28.54,412 h

Grand Prix, A, Aring, 14.8.1983
53 x 5,942 km = 314,926 km.

1. Alain Prost	Renault RE40	1:24.32,745 h
2. René Arnoux	Ferrari 126C	1:24.39,580 h
3. Nelson Piquet	Brabham BT52-BMW	1:25.00,404 h

Grand Prix, NL, Zandvoort, 28.8.1983
72 x 4,252 km = 306,144 km.

1. René Arnoux	Ferrari 126C	1:38.41,950 h
2. Patrick Tambay	Ferrari 126C	1:39.02,789 h
3. John Watson	McLaren MP4/1C-Ford	1:39.25,691 h

Grand Prix, I, Monza, 11.9.1983
52 x 5,800 km = 301,600 km.

1. Nelson Piquet	Brabham BT52-BMW	1:23.10,880 h
2. René Arnoux	Ferrari 126C	1:23.21,092 h
3. Eddie Cheever	Renault RE40	1:23.29,492 h

Grand Prix, EU, Brands Hatch, 25.9.1983
76 x 4,207 km = 319,732 km.

1. Nelson Piquet	Brabham BT52-BMW	1:36.45,865 h
2. Alain Prost	Renault RE 40	1:36.52,436 h
3. Nigel Mansell	Lotus 94T-Renault	1:37.16,180 h

Grand Prix, ZA, Kyalami, 5.6.1983
77 x 4,104 km = 316,008 km.

1. Riccardo Patrese	Brabham BT52-BMW	1:33.25,708 h
2. Andrea de Cesaris	Alfa Romeo 183T	1:33.37,027 h
3. Nelson Piquet	Brabham BT52-BMW	1:33.47,677 h

1983

1. N. Piquet	59 P.	1. Ferrari	89 P.
2. A. Prost	57 P.	2. Renault	79 P.
3. R. Arnoux	49 P.	3. Brabham-BMW	72 P.

1984

Grand Prix, BR, Rio de Janeiro, 25.3.1984
61 x 5,031 km = 306,891 km.

1. Alain Prost	McLaren MP4/2-Porsche	1:42.34,492 h
2. Keke Rosberg	Williams FW 09-Honda	1:43.15,006 h
3. Elio de Angelis	Lotus 95T-Renault	1:43.33,620 h

Grand Prix, ZA, Kyalami, 7.4.1984
75 x 4,104 km = 307,800 km.

1. Niki Lauda	McLaren MP4/2-Porsche	1:29.23,430 h
2. Alain Prost	McLaren MP4/2-Porsche	1:30.29,380 h
3. Derek Warwick	Renault RE50	-1

Grand Prix, B, Spa-Francorchamps, 29.4.1984
70 x 4,262 km = 298,340 km.

1. Michele Alboreto	Ferrari 126C4	1:36.32,048 h
2. Derek Warwick	Renault RE50	1:37.14,434 h
3. René Arnoux	Ferrari 126C4	1:37.41,851 h

Grand Prix, RSM, Imola, 6.5.1984
60 x 5,040 km = 302,400 km.

1. Alain Prost	McLaren MP4/2-Porsche	1:36.53,679 h
2. René Arnoux	Ferrari 126C4	1:37.07,095 h
3. Elio de Angelis	Lotus 95T-Renault	-1

Grand Prix, F, Dijon-Prenois, 20.5.1984
79 x 3,887 km = 307,073 km.

1. Niki Lauda	McLaren MP4/2-Porsche	1:31.11,951 h
2. Patrick Tambay	Renault RE50	1:31.19,105 h
3. Nigel Mansell	Lotus 95T-Renault	1:31.35,920 h

Grand Prix, MC, Monte Carlo, 3.6.1984
31 x 3,312 km = 102,672 km.

1. Alain Prost	McLaren MP4/2-Porsche	1:01.07,740 h
2. Ayrton Senna	Toleman TG184-Hart	1:01.15,186 h
3. René Arnoux	Ferrari 126C4	1:01.36,817 h

Grand Prix, CDN, Montreal, 17.6.1984
70 x 4,410 km = 308,700 km.

1. Nelson Piquet	Brabham BT53-BMW	1:46.23,748 h
2. Niki Lauda	McLaren MP4/2-Porsche	1:46.26,360 h
3. Alain Prost	McLaren MP4/2-Porsche	1:47.51,780 h

Detroit Grand Prix, Detroit, 24.6.1984
63 x 4,023 km = 253,449 km.

1. Nelson Piquet	Brabham BT53-BMW	1:55.41,842 h
2. Elio de Angelis	Lotus 95T-Renault	1:56.14,480 h
3. Teo Fabi	Brabham BT53-BMW	1:57.08,370 h

Dallas Grand Prix, Dallas, 8.7.1984
67 x 3,901 km = 261,367 km.

1. Keke Rosberg	Williams FW 09-Honda	2:01.22,617 h
2. René Arnoux	Ferrari 126C4	2:01.45,081 h
3. Elio de Angelis	Lotus 95T-Renault	-1

Grand Prix, GB, Brands Hatch, 22.7.1984
71 x 4,207 km = 298,697 km.

1. Niki Lauda	McLaren MP4/2-Porsche	1:29.28,532 h
2. Derek Warwick	Renault RE50	1:30.10,655 h
3. Ayrton Senna	Toleman TG184-Hart	1:30.31,860 h

Grand Prix, D, Hockenheim, 5.8.1984
44 x 6,797 km = 299,068 km.

1. Alain Prost	McLaren MP4/2-Porsche	1:24.43,210 h
2. Niki Lauda	McLaren MP4/2-Porsche	1:24.46,359 h
3. Derek Warwick	Renault RE50	1:25.19,633 h

Grand Prix, A, Aring, 19.8.1984
51 x 5,942 km = 303,042 km.

1. Niki Lauda	McLaren MP4/2-Porsche	1:21.12,851 h
2. Nelson Piquet	Brabham BT53-BMW	1:21.36,376 h
3. Michele Alboreto	Ferrari 126C4	1:22.01,849 h

Grand Prix, NL, Zandvoort, 26.8.1984
71 x 4,252 km = 301,892 km.

1. Alain Prost	McLaren MP4/2-Porsche	1:37.21,468 h
2. Niki Lauda	McLaren MP4/2-Porsche	1:37.31,751 h
3. Nigel Mansell	Lotus 95T-Renault	1:38.38,012 h

Grand Prix, I, Monza, 9.9.1984
51 x 5,800 km = 295,800 km.

1. Niki Lauda	McLaren MP4/2-Porsche	1:20.29,065 h
2. Michele Alboreto	Ferrari 126C4	1:20.53,314 h
3. Riccardo Patrese	Alfa Romeo184T	-1

Grand Prix, EU, Nürburgring, 7.10.1984
67 x 4,542 km = 304,314 km.

1. Alain Prost	McLaren MP4/2-Porsche	1:35.13,284 h
2. Michele Alboreto	Ferrari 126C4	1:35.37,195 h
3. Nelson Piquet	Brabham BT53-BMW	1:35.38,206 h

Grand Prix, P, Estoril, 21.10.1984
70 x 4,350 km = 304,500 km.

1. Alain Prost	McLaren MP4/2-Porsche	1:41.11,753 h
2. Niki Lauda	McLaren MP4/2-Porsche	1:41.25,178 h
3. Ayrton Senna	Toleman TG184-Hart	1:41.31,795 h

1984

1. N. Lauda	72 P.	1. McLaren-Por.	143,5 P.
2. A. Prost	71,5 P.	2. Ferrari	57,5 P.
3. E. de Angelis	34 P.	3. Lotus-Renault	47 P.

GP 1985 – 1987

1985

Grand Prix, BR, Rio de Janeiro, 7.4.1985
61 x 5,031 km = 306,891 km.
1. Alain Prost	McLaren MP4/2B-Por.	1:41.26,115 h
2. Michele Alboreto	Ferrari 156/85	1:41.29,374 h
3. Elio de Angelis	Lotus 97T-Renault	-1

Grand Prix, P, Estoril, 21.4.1985
67 x 4,350 km = 291,450 km.
1. Ayrton Senna	Lotus 97T-Renault	2:00.28,006 h
2. Michele Alboreto	Ferrari 156/85	2:01.30,984 h
3. Patrick Tambay	Renault RE60	-1

Grand Prix, RSM, Imola, 5.5.1985
60 x 5,040 km = 302,400 km.
1. Elio de Angelis	Lotus 97T-Renault	1:34.35,955 h
2. Thierry Boutsen	Arrows A8-BMW	-1
3. Patrick Tambay	Renault RE60	-1

Grand Prix, MC, Monte Carlo, 19.5.1985
78 x 3,312 km = 258,336 km.
1. Alain Prost	McLaren MP4/2B-Por.	1:51.58,034 h
2. Michele Alboreto	Ferrari 156/85	1:52.05,575 h
3. Elio de Angelis	Lotus 97T-Renault	1:53.25,205 h

Grand Prix, CDN, Montreal, 16.6.1985
70 x 4,410 km = 308,700 km.
1. Michele Alboreto	Ferrari 156/85	1:46.01,813 h
2. Stefan Johansson	Ferrari 156/85	1:46.03,770 h
3. Alain Prost	McLaren MP4/2B-Por.	1:46.06,154 h

Detroit Grand Prix, Detroit, 23.6.1985
63 x 4,023 km = 253,449 km.
1. Keke Rosberg	Williams FW10-Honda	1:55.39,851 h
2. Stefan Johansson	Ferrari 156/85	1:56.37,400 h
3. Michele Alboreto	Ferrari 156/85	1:56.43,021 h

Grand Prix, F, Paul Ricard, 7.7.1985
53 x 5,810 km = 307,930 km.
1. Nelson Piquet	Brabham BT54-BMW	1:31.46,266 h
2. Keke Rosberg	Williams FW10-Honda	1:31.52,926 h
3. Alain Prost	McLaren MP4/2B-Por.	1:31.55,551 h

Grand Prix, GB, Silverstone, 21.7.1985
65 x 4,719 km = 306,735 km.
1. Alain Prost	McLaren MP4/2B-Por.	1:18.10,436 h
2. Michele Alboreto	Ferrari 156/85	-1
3. Jacques Laffite	Ligier JS25-Renault	-1

Grand Prix, D, Nürburgring, 4.8.1985
67 x 4,542 km = 304,314 km.
1. Michele Alboreto	Ferrari 156/85	1:35.31,337 h
2. Alain Prost	McLaren MP4/2B-Por.	1:35.42,998 h
3. Jacques Laffite	Ligier JS25-Renault	1:36.22,491 h

Grand Prix, A, Aring, 18.8.1985
52 x 5,942 km = 308,984 km.
1. Alain Prost	McLaren MP4/2B-Por.	1:20.12,583 h
2. Ayrton Senna	Lotus 97T-Renault	1:20.42,585 h
3. Michele Alboreto	Ferrari 156/85	1:20.46,939 h

Grand Prix, NL, Zandvoort, 25.8.1985
70 x 4,252 km = 297,640 km.
1. Niki Lauda	McLaren MP4/2B-Por.	1:32.29,263 h
2. Alain Prost	McLaren MP4/2B-Por.	1:32.29,495 h
3. Ayrton Senna	Lotus 97T-Renault	1:33.17,754 h

Grand Prix, I, Monza, 8.9.1985
51 x 5,800 km = 295,800 km.
1. Alain Prost	McLaren MP4/2B-Por.	1:17.59,451 h
2. Nelson Piquet	Brabham BT54-BMW	1:18.51,086 h
3. Ayrton Senna	Lotus 97T-Renault	1:18.59,841 h

Grand Prix, B, Spa-Francorchamps, 15.9.1985
43 x 6,940 km = 298,420 km.
1. Ayrton Senna	Lotus 97T-Renault	1:34.19,893 h
2. Nigel Mansell	Williams FW10-Honda	1:34.48,315 h
3. Alain Prost	McLaren MP4/2B-Por.	1:35.15,002 h

Grand Prix, EU, Brands Hatch, 6.10.1985
75 x 4,207 km = 315,525 km.
1. Nigel Mansell	Williams FW10-Honda	1:32.58,109 h
2. Ayrton Senna	Lotus 97T-Renault	1:33.19,905 h
3. Keke Rosberg	Williams FW10-Honda	1:33.56,642 h

Grand Prix, ZA, Kyalami, 19.10.1985
75 x 4,104 km = 307,800 km.
1. Nigel Mansell	Williams FW10-Honda	1:28.22,866 h
2. Keke Rosberg	Williams FW10-Honda	1:28.30,438 h
3. Alain Prost	McLaren MP4/2B-Por.	1:30.14,660 h

Grand Prix, AUS, Adelaide, 3.11.1985
82 x 3,778 km = 309,796 km.
1. Keke Rosberg	Williams FW10-Honda	2:00.40,473 h
2. Jacques Laffite	Ligier JS25-Renault	2:01.26,603 h
3. Philippe Streiff	Ligier JS25-Renault	2:02.09,009 h

1985
1. A. Prost	73 P.	1. McLaren-Por.	90 P.
2. M. Alboreto	53 P.	2. Ferrari	82 P.
3. K. Rosberg	40 P.	3. Lotus/Williams	71 P.

1986

Grand Prix, BR, Rio de Janeiro, 23.3.1986
61 x 5,031 km = 306,891 km.
1. Nelson Piquet	Williams FW11-Honda	1:39.32,583 h
2. Ayrton Senna	Lotus 98T-Renault	1:40.07,410 h
3. Jacques Laffite	Ligier JS27-Renault	1:40.32,342 h

Grand Prix, E, Jerez, 13.4.1986
72 x 4,218 km = 303,696 km.
1. Ayrton Senna	Lotus 98T-Renault	1:48.47,735 h
2. Nigel Mansell	Williams FW11-Honda	1:48.47,749 h
3. Alain Prost	McLaren MP4/2C-Por.	1:49.09,287 h

Grand Prix, RSM, Imola, 27.4.1986
60 x 5,040 km = 302,400 km.
1. Alain Prost	McLaren MP4/2C-Por.	1:32.28,408 h
2. Nelson Piquet	Williams FW11-Honda	1:32.36,053 h
3. Gerhard Berger	Benetton B186-BMW	-1

Grand Prix, MC, Monte Carlo, 11.5.1986
78 x 3,328 km = 259,584 km.
1. Alain Prost	McLaren MP4/2C-Por.	1:55.41,060 h
2. Keke Rosberg	McLaren MP4/2C-Por.	1:56.06,082 h
3. Ayrton Senna	Lotus 98T-Renault	1:56.34,706 h

Grand Prix, B, Spa-Francorchamps, 25.5.1986
43 x 6,940 km = 298,420 km.
1. Nigel Mansell	Williams FW11-Honda	1:27.57,925 h
2. Ayrton Senna	Lotus 98T-Renault	1:28.17,752 h
3. Stefan Johansson	Ferrari F186	1:28.24,517 h

Grand Prix, CDN, Montreal, 15.6.1986
69 x 4,410 km = 304,290 km.
1. Nigel Mansell	Williams FW11-Honda	1:42.26,415 h
2. Alain Prost	McLaren MP4/2C-Por.	1:42.47,074 h
3. Nelson Piquet	Williams FW11-Honda	1:43.02,677 h

Grand Prix, USA, Detroit, 22.6.1986
63 x 4,023 km = 253,449 km.
1. Ayrton Senna	Lotus 98T-Renault	1:51.12,847 h
2. Jacques Laffite	Ligier JS27-Renault	1:51.43,864 h
3. Alain Prost	McLaren MP4/2C-Por.	1:51.44,671 h

Grand Prix, F, Paul Ricard, 6.7.1986
80 x 3,813 km = 305,040 km.
1. Nigel Mansell	Williams FW11-Honda	1:37.19,272 h
2. Alain Prost	McLaren MP4/2C-Por.	1:37.36,400 h
3. Nelson Piquet	Williams FW11-Honda	1:37.56,817 h

Grand Prix, GB, Brands Hatch, 13.7.1986
75 x 4,207 km = 315,525 km.
1. Nigel Mansell	Williams FW11-Honda	1:30.38,471 h
2. Nelson Piquet	Williams FW11-Honda	1:30.44,045 h
3. Alain Prost	McLaren MP4/2C-Por.	-1

Grand Prix, D, Hockenheim, 27.7.1986
44 x 6,797 km = 299,068 km.
1. Nelson Piquet	Williams FW11-Honda	1:22.08,263 h
2. Ayrton Senna	Lotus 98T-Renault	1:22.23,700 h
3. Nigel Mansell	Williams FW11-Honda	1:22.52,843 h

Grand Prix, H, Hungaroring, 10.8.1986
76 x 4,014 km = 305,064 km.
1. Nelson Piquet	Williams FW11-Honda	2:00.34,508 h
2. Ayrton Senna	Lotus 98T-Renault	2:00.52,181 h
3. Nigel Mansell	Williams FW11-Honda	-1

Grand Prix, A, Aring, 17.8.1986
52 x 5,942 km = 308,984 km.
1. Alain Prost	McLaren MP4/2C-Por.	1:21.22,531 h
2. Michele Alboreto	Ferrari F186	-1
3. Stefan Johansson	Ferrari F186	-2

Grand Prix, I, Monza, 7.9.1986
51 x 5,800 km = 295,800 km.
1. Nelson Piquet	Williams FW11-Honda	1:17.42,889 h
2. Nigel Mansell	Williams FW11-Honda	1:17.52,717 h
3. Stefan Johansson	Ferrari F186	1:18.05,804 h

Grand Prix, P, Estoril, 21.9.1986
70 x 4,350 km = 304,500 km.
1. Nigel Mansell	Williams FW11-Honda	1:37.48,900 h
2. Alain Prost	McLaren MP4/2B-Por.	1:37.29,672 h
3. Nelson Piquet	Williams FW11-Honda	1:38.29,174 h

Grand Prix, MEX, Mexico City, 12.10.1986
68 x 4,421 km = 300,628 km.
1. Gerhard Berger	Benetton B186-BMW	1:33.18,700 h
2. Alain Prost	McLaren MP4/2B-Por.	1:33.44,138 h
3. Ayrton Senna	Lotus 98T-Renault	1:34.11,213 h

Grand Prix, AUS, Adelaide, 26.10.1986
82 x 3,779 km = 309,878 km.
1. Alain Prost	McLaren MP4/2B-Por.	1:54.20,388 h
2. Nelson Piquet	Williams FW11-Honda	1:54.24,593 h
3. Stefan Johansson	Ferrari F186	-1

1986
1. A. Prost	72 P.	1. Williams-Honda	135 P.
2. N. Mansell	70 P.	2. McLaren-Porsche	87 P.
3. N. Piquet	69 P.	3. Lotus-Renault	57 P.

1987

Grand Prix, BR, Rio de Janeiro, 12.4.1987
61 x 5,031 km = 306,891 km.
1. Alain Prost	McLaren MP4/3-Por.	1:39.45,141 h
2. Nelson Piquet	Williams FW11B-Honda	1:40.25,688 h
3. Stefan Johansson	McLaren MP4/3-Por.	1:40.41,899 h

Grand Prix, RSM, Imola, 3.5.1987
59 x 5,040 km = 297,360 km.
1. Nigel Mansell	Williams FW11B-Honda	1:31.24,076 h
2. Ayrton Senna	Lotus 99T-Honda	1:31.51,621 h
3. Michele Alboreto	Ferrari F187	1:32.03,220 h

Grand Prix, B, Spa-Francorchamps, 17.5.1987
43 x 6,940 km = 298,420 km.
1. Alain Prost	McLaren MP4/3-Por.	1:27.03,217 h
2. Stefan Johansson	McLaren MP4/3-Por.	1:27.27,981 h
3. Andrea de Cesaris	Brabham BT56-BMW	-1

Grand Prix, MC, Monte Carlo, 31.5.1987
78 x 3,328 km = 259,584 km.
1. Ayrton Senna	Lotus 99T-Honda	1:57.54,085 h
2. Nelson Piquet	Williams FW11B-Honda	1:58.27,297 h
3. Michele Alboreto	Ferrari F187	1:59.06,924 h

Grand Prix, USA, Detroit, 21.6.1987
63 x 4,023 km = 253,449 km.
1. Ayrton Senna	Lotus 99T-Honda	1:50.16,358 h
2. Nelson Piquet	Williams FW11B-Honda	1:50.50,177 h
3. Alain Prost	McLaren MP4/3-Por.	1:51.01,685 h

Grand Prix, F, Paul Ricard, 5.7.1987
80 x 3,813 km = 305,040 km.
1. Nigel Mansell	Williams FW11B-Honda	1:37.03,839 h
2. Nelson Piquet	Williams FW11B-Honda	1:37.11,550 h
3. Alain Prost	McLaren MP4/3-Por.	1:37.59,094 h

Grand Prix, GB, Silverstone, 12.7.1987
65 x 4,778 km = 310,570 km.
1. Nigel Mansell	Williams FW11B-Honda	1:19.11,780 h
2. Nelson Piquet	Williams FW11B-Honda	1:19.13,698 h
3. Ayrton Senna	Lotus 99T-Honda	-1

Grand Prix, D, Hockenheim, 26.7.1987
44 x 6,797 km = 299,068 km.
1. Nelson Piquet	Williams FW11B-Honda	1:21.25,091 h
2. Stefan Johansson	McLaren MP4/3-Por.	1:23.04,682 h
3. Ayrton Senna	Lotus 99T-Honda	-1

Grand Prix, H, Hungaroring, 9.8.1987
76 x 4,014 km = 305,064 km.
1. Nelson Piquet	Williams FW11B-Honda	1:59.25,793 h
2. Ayrton Senna	Lotus 99T-Honda	2:00.04,520 h
3. Alain Prost	McLaren MP4/3-Por.	2:00.54,249 h

Grand Prix, A, Austriaring, 16.8.1987
52 x 5,942 km = 308,984 km.
1. Nigel Mansell	Williams FW11B-Honda	1:18.44,898 h
2. Nelson Piquet	Williams FW11B-Honda	1:19.40,602 h
3. Teo Fabi	Benetton B187-Ford	-1

Grand Prix, I, Monza, 6.9.1987
50 x 5,800 km = 290,000 km.
1. Nelson Piquet	Williams FW11B-Honda	1:14.47,707 h
2. Ayrton Senna	Lotus 99T-Honda	1:14.49,513 h
3. Nigel Mansell	Williams FW11B-Honda	1:15.36,743 h

Grand Prix, P, Estoril, 20.9.1987
70 x 4,350 km = 304,500 km.
1. Alain Prost	McLaren MP4/3-Por.	1:37.03,906 h
2. Gerhard Berger	Ferrari F187	1:37.24,399 h
3. Nelson Piquet	Williams FW11B-Honda	1:38.07,210 h

Grand Prix, E, Jerez, 27.9.1987
72 x 4,218 km = 303,696 km.
1. Nigel Mansell	Williams FW11B-Honda	1:49.12,692 h
2. Alain Prost	McLaren MP4/3-Por.	1:49.34,917 h
3. Stefan Johansson	McLaren MP4/3-Por.	1:49.43,510 h

Grand Prix, MEX, Mexico City, 18.10.1987
63 x 4,421 km = 278,523 km.
1. Nigel Mansell	Williams FW11B-Honda	1:26.24,207 h
2. Nelson Piquet	Williams FW11B-Honda	1:26.50,383 h
3. Riccardo Patrese	Brabham BT56-BMW	1:27.51,086 h

Grand Prix, J, Suzuka, 1.11.1987
51 x 5,859 km = 298,809 km.
1. Gerhard Berger	Ferrari F187	1:32.58,072 h
2. Ayrton Senna	Lotus 99T-Honda	1:33.15,456 h
3. Stefan Johansson	McLaren MP4/3-Por.	1:33.15,766 h

Grand Prix, AUS, Adelaide, 15.11.1987
82 x 3,779 km = 309,878 km.
1. Gerhard Berger	Ferrari F187	1:52.56,144 h
2. Michele Alboreto	Ferrari F187	1:54.04,028 h
3. Thierry Boutsen	Benetton B187-Ford	-1

1987
1. N. Piquet	73 P.	1. Williams-Honda	137 P.
2. N. Mansell	61 P.	2. McLaren-Porsche	76 P.
3. A. Senna	57 P.	3. Lotus-Honda	64 P.

GP 1988 – 1990

1988

Grand Prix, BR, Rio de Janeiro, 3.4.1988
60 x 5,031 km = 301,860 km.
1. Alain Prost   McLaren MP4/4-Honda 1:36.06,857 h
2. Gerhard Berger Ferrari F187/88C   1:36.16,730 h
3. Nelson Piquet   Lotus 100T-Honda   1:37.15,438 h

Grand Prix, RSM, Imola, 1.5.1988
60 x 5,040 km = 302,400 km.
1. Ayrton Senna   McLaren MP4/4-Honda 1:32.41,264 h
2. Alain Prost   McLaren MP4/4-Honda 1:32.43,598 h
3. Nelson Piquet Lotus 100T-Honda   -1

Grand Prix, MC, Monte Carlo, 15.5.1988
78 x 3,328 km = 259,584 km.
1. Alain Prost   McLaren MP4/4-Honda 1:57.17,077 h
2. Gerhard Berger Ferrari F187/88C   1:57.37,530 h
3. Michele Alboreto Ferrari F187/88C 1:57.58,306 h

Grand Prix, MEX, Mexico City, 29.5.1988
67 x 4,421 km = 296,207 km.
1. Alain Prost   McLaren MP4/4-Honda 1:30.15,737 h
2. Ayrton Senna   McLaren MP4/4-Honda 1:30.22,841 h
3. Gerhard Berger Ferrari F187/88C   1:31.13,051 h

Grand Prix, CDN, Montreal, 12.6.1988
69 x 4,390 km = 302,910 km.
1. Ayrton Senna   McLaren MP4/4-Honda 1:39.46,618 h
2. Alain Prost   McLaren MP4/4-Honda 1:39.52,552 h
3. Thierry Boutsen Benetton B188-Ford 1:40.38,027 h

Grand Prix, USA, Detroit, 19.6.1988
63 x 4,023 km = 253,449 km.
1. Ayrton Senna   McLaren MP4/4-Honda 1:54.56,035 h
2. Alain Prost   McLaren MP4/4-Honda 1:55.34,748 h
3. Thierry Boutsen Benetton B188-Ford -1

Grand Prix, F, Paul Ricard, 3.7.1988
80 x 3,813 km = 305,040 km.
1. Alain Prost   McLaren MP4/4-Honda 1:37.37,328 h
2. Ayrton Senna   McLaren MP4/4-Honda 1:38.09,080 h
3. Michele Alboreto Ferrari F187/88C   1:38.43,833 h

Grand Prix, GB, Silverstone, 10.7.1988
65 x 4,778 km = 310,579 km.
1. Ayrton Senna   McLaren MP4/4-Honda 1:33.16,367 h
2. Nigel Mansell   Williams FW12-Judd 1:33.39,711 h
3. Alessandro Nannini Benetton B188-Ford 1:34.07,581 h

Grand Prix, D, Hockenheim, 24.7.1988
44 x 6,797 km = 299,068 km.
1. Ayrton Senna   McLaren MP4/4-Honda 1:32.54,188 h
2. Alain Prost   McLaren MP4/4-Honda 1:33.07,797 h
3. Gerhard Berger Ferrari F187/88C   1:33.46,283 h

Grand Prix, H, Hungaroring, 7.8.1988
76 x 4,014 km = 305,064 km.
1. Ayrton Senna   McLaren MP4/4-Honda 1:57.47,081 h
2. Alain Prost   McLaren MP4/4-Honda 1:57.47,610 h
3. Thierry Boutsen Benetton B188-Ford 1:58.18,491 h

Grand Prix, B, Spa-Francorchamps, 28.6.1988
43 x 6,940 km = 298,420 km.
1. Ayrton Senna McLaren MP4/4-Honda 1:28.00,549 h
2. Alain Prost   McLaren MP4/4-Honda 1:28.31,019 h
3. Ivan Capelli March 881-Judd   1:29.16,317 h

Grand Prix, I, Monza, 11.9.1988
51 x 5,800 km = 295,800 km.
1. Gerhard Berger   Ferrari F187/88C 1:17.39,744 h
2. Michele Alboreto Ferrari F187/88C 1:17.40,246 h
3. Eddie Cheever   Arrows A10B-BMW   1:18.15,276 h

Grand Prix, P, Estoril, 22.9.1988
70 x 4,350 km = 304,500 km.
1. Alain Prost   McLaren MP4/4-Honda 1:37.40,958 h
2. Ivan Capelli   March 881-Judd   1:37.50,511 h
3. Thierry Boutsen Benetton B188-Ford 1:38.25,577 h

Grand Prix, E, Jerez, 2.10.1988
72 x 4,218 km = 303,696 km.
1. Alain Prost   McLaren MP4/4-Honda 1:48.43,851 h
2. Nigel Mansell   Williams FW12-Judd 1:49.10,083 h
3. Alessandro Nannini Benetton B188-Ford 1:49.19,297 h

Grand Prix, J, Suzuka, 30.10.1988
51 x 5,859 km = 298,809 km.
1. Ayrton Senna   McLaren MP4/4-Honda 1:33.26,173 h
2. Alain Prost   McLaren MP4/4-Honda 1:33.39,536 h
3. Thierry Boutsen Benetton B188-Ford 1:34.02,282 h

Grand Prix, AUS, Adelaide, 13.11.1988
82 x 3,780 km = 309,960 km.
1. Alain Prost   McLaren MP4/4-Honda 1:53.14,676 h
2. Ayrton Senna McLaren MP4/4-Honda 1:53.51,463 h
3. Nelson Piquet Lotus 100T-Honda   1:54.02,222 h

1988

1. A. Senna	90 P.	1. McLaren-Honda	99 P.
2. A. Prost	87 P.	2. Ferrari	65 P.
3. G. Berger	41 P.	3. Benetton-Ford	39 P.

1989

Grand Prix, BR, Rio de Janeiro, 26.3.1989
61 x 5,031 km = 306,891 km.
1. Nigel Mansell   Ferrari 640   1:38.58,744 h
2. Alain Prost   McLaren MP4/5-Honda 1:39.06,553 h
3. Mauricio Gugelmin March 881-Judd   1:39.08,114 h

Grand Prix, RSM, Imola, 23.4.1989
58 x 5,040 km = 292,320 km.
1. Ayrton Senna   McLaren MP4/5-Honda 1:26.51,245 h
2. Alain Prost   McLaren MP4/5-Honda 1:27.31,517 h
3. Alessandro Nannini Benetton B188-Ford -1

Grand Prix, MC, Monte Carlo, 7.5.1989
77 x 3,328 km = 256,256 km.
1. Ayrton Senna   McLaren MP4/5-Honda 1:53.33,251 h
2. Alain Prost   McLaren MP4/5-Honda 1:54.25,780 h
3. Stefano Modena Brabham BT58-Judd   -1

Grand Prix, MEX, Mexico City, 28.5.1989
69 x 4,421 km = 305,049 km.
1. Ayrton Senna   McLaren MP4/5-Honda 1:35.21,431 h
2. Riccardo Patrese Williams FW12C-Ren. 1:35.36,991 h
3. Michele Alboreto Tyrrell 018-Ford 1:35.52,685 h

Grand Prix, USA, Phoenix, 4.6.1989
75 x 3,798 km = 284,625 km.
1. Alain Prost   McLaren MP4/5-Honda 2:01.33,133 h
2. Riccardo Patrese Williams FW12C-Ren. 2:02.12,829 h
3. Eddie Cheever   Arrows A11-Ford   2:02.16,343 h

Grand Prix, CDN, Montreal, 18.6.1989
69 x 4,390 km = 302,910 km.
1. Thierry Boutsen   Williams FW12C-Ren. 2:01.24,073 h
2. Riccardo Patrese Williams FW12C-Ren. 2:01.54,080 h
3. Andrea de Cesaris Dallara F189-Ford 2:03.00,722 h

Grand Prix, F, Paul Ricard, 9.7.1989
80 x 3,813 km = 305,040 km.
1. Alain Prost   McLaren MP4/5-Honda 1:38.29,411 h
2. Nigel Mansell   Ferrari 640   1:39.13,428 h
3. Riccardo Patrese Williams FW12C-Ren. 1:39.36,332 h

Grand Prix, GB, Silverstone, 16.7.1989
64 x 4,780 km = 305,920 km.
1. Alain Prost   McLaren MP4/5-Honda 1:19.22,131 h
2. Nigel Mansell   Ferrari 640   1:19.41,500 h
3. Alessandro Nannini Benetton B188-Ford 1:20.10,150 h

Grand Prix, D, Hockenheim, 30.7.1989
45 x 6,797 km = 305,865 km.
1. Ayrton Senna McLaren MP4/5-Honda 1:21.43,302 h
2. Alain Prost   McLaren MP4/5-Honda 1:22.01,453 h
3. Nigel Mansell Ferrari 640   1:23.06,556 h

Grand Prix, H, Hungaroring, 13.8.1989
77 x 3,968 km = 305,536 km.
1. Nigel Mansell   Ferrari 640   1:49.38,650 h
2. Ayrton Senna   McLaren MP4/5-Honda 1:50.04,617 h
3. Thierry Boutsen Williams FW12C-Ren. 1:50.17,004 h

Grand Prix, B, Spa-Francorchamps, 27.8.1989
44 x 6,940 km = 305,360 km.
1. Ayrton Senna McLaren MP4/5-Honda 1:40.54,196 h
2. Alain Prost   McLaren MP4/5-Honda 1:40.55,500 h
3. Nigel Mansell Ferrari 640   1:40.56,020 h

Grand Prix, I, Monza, 10.9.1989
53 x 5,800 km = 307,400 km.
1. Alain Prost   McLaren MP4/5-Honda 1:19.27,550 h
2. Gerhard Berger Ferrari 640   1:19.34,876 h
3. Thierry Boutsen Williams FW12C-Ren. 1:19.42,525 h

Grand Prix, P, Estoril, 24.9.1989
71 x 4,350 km = 308,850 km.
1. Gerhard Berger   Ferrari 640   1:36.48,546 h
2. Alain Prost   McLaren MP4/5-Honda 1:37.21,183 h
3. Stefan Johansson Onyx ORE1-Ford   1:37.48,871 h

Grand Prix, E, Jerez, 1.10.1989
73 x 4,218 km = 307,914 km.
1. Ayrton Senna   McLaren MP4/5-Honda 1:47.48,264 h
2. Gerhard Berger Ferrari 640   1:48.15,315 h
3. Alain Prost   McLaren MP4/5-Honda 1:48.42,052 h

Grand Prix, J, Suzuka, 22.10.1989
53 x 5,859 km = 310,527 km.
1. Alessandro Nannini Benetton B188-Ford 1:35.06,277 h
2. Riccardo Patrese Williams FW13-Ren. 1:35.18,181 h
3. Thierry Boutsen   Williams FW13-Ren. 1:35.19,723 h

Grand Prix, AUS, Adelaide, 5.11.1989
70 x 3,780 km = 264,600 km.
1. Thierry Boutsen   Williams FW13-Ren. 2:00.17,421 h
2. Alessandro Nannini Benetton B188-Ford 2:00.46,079 h
3. Riccardo Patrese Williams FW13-Ren. 2:00.55,104 h

1989

1. A. Prost	76 P.	1. McLaren-Honda	141 P.
2. A. Senna	60 P.	2. Williams-Renault	65 P.
3. R. Patrese	40 P.	3. Ferrari	39 P.

1990

Grand Prix, USA, Phoenix, 11.3.1990
72 x 3,798 km = 273,456 km.
1. Ayrton Senna   McLaren MP4/5B-Honda 1:52.32,829 h
2. Jean Alesi   Tyrrell 018-Ford   1:52.41,514 h
3. Thierry Boutsen Williams FW13B-Ren. 1:53.26,909 h

Grand Prix, BR, Interlagos, 25.3.1990
71 x 4,325 km = 307,075 km.
1. Alain Prost   Ferrari 641   1:37.21,258 h
2. Gerhard Berger McLaren MP4/5B-Honda 1:37.34,822 h
3. Ayrton Senna   McLaren MP4/5B-Honda 1:37.58,980 h

Grand Prix, RSM, Imola, 13.5.1990
61 x 5,040 km = 307,440 km.
1. Riccardo Patrese Williams FW13B-Ren. 1:30.55,478 h
2. Gerhard Berger   McLaren MP4/5B-Honda 1:31.00,595 h
3. Alessandro Nannini Benetton B190-Ford 1:31.01,718 h

Grand Prix, MC, Monte Carlo, 27.5.1990
78 x 3,328 km = 259,584 km.
1. Ayrton Senna   McLaren MP4/5B-Honda 1:52.46,982 h
2. Jean Alesi   Tyrrell 018-Ford   1:52.48,069 h
3. Gerhard Berger McLaren MP4/5B-Honda 1:52.49,055 h

Grand Prix, CDN, Montreal, 10.6.1990
70 x 4,390 km = 307,300 km.
1. Ayrton Senna   McLaren MP4/5B-Honda 1:42.56,400 h
2. Nelson Piquet Benetton B190-Ford 1:43.06,897 h
3. Nigel Mansell Ferrari 641   1:43.09,785 h

Grand Prix, MEX, Mexico City, 24.6.1990
69 x 4,421 km = 305,049 km.
1. Alain Prost   Ferrari 641/2   1:32.35,783 h
2. Nigel Mansell Ferrari 641/2   1:33.01,134 h
3. Gerhard Berger McLaren MP4/5B-Honda 1:33.01,313 h

Grand Prix, F, Paul Ricard, 8.7.1990
80 x 3,813 km = 305,040 km.
1. Alain Prost   Ferrari 641/2   1:33.29,606 h
2. Ivan Capelli Leyton House-Judd 901 1:33.38,232 h
3. Ayrton Senna McLaren MP4/5B-Honda 1:33.41,212 h

Grand Prix, GB, Silverstone, 15.7.1990
64 x 4,780 km = 305,920 km.
1. Alain Prost   Ferrari 641/2   1:18.30,999 h
2. Thierry Boutsen Williams FW13B-Ren. 1:19.10,091 h
3. Ayrton Senna   McLaren MP4/5B-Honda 1:19.14,087 h

Grand Prix, D, Hockenheim, 29.7.1990
45 x 6,802 km = 306,090 km.
1. Ayrton Senna   McLaren MP4/5B-Honda 1:20.47,164 h
2. Alessandro Nannini Benetton B190-Ford 1:20.53,684 h
3. Gerhard Berger   McLaren MP4/5B-Honda 1:20.55,717 h

Grand Prix, H, Hungaroring, 12.8.1990
77 x 3,968 km = 305,536 km.
1. Thierry Boutsen Williams FW13B-Ren. 1:49.30,597 h
2. Ayrton Senna   McLaren MP4/5B-Honda 1:49.30,885 h
3. Nelson Piquet   Benetton B190-Ford 1:49.58,490 h

Grand Prix, B, Spa-Francorchamps, 25.8.1990
44 x 6,940 km = 305,360 km.
1. Ayrton Senna   McLaren MP4/5B-Honda 1:26.31,997 h
2. Alain Prost   Ferrari 641/2   1:26.35,547 h
3. Gerhard Berger McLaren MP4/5B-Honda 1:27.00,459 h

Grand Prix, I, Monza, 9.9.1990
53 x 5,800 km = 307,400 km.
1. Ayrton Senna   McLaren MP4/5B-Honda 1:17.57,878 h
2. Alain Prost   Ferrari 641/2   1:18.03,932 h
3. Gerhard Berger McLaren MP4/5B-Honda 1:18.05,282 h

Grand Prix, P, Estoril, 23.9.1990
61 x 4,350 km = 265,350 km.
1. Nigel Mansell Ferrari 641/2   1:22.11,014 h
2. Ayrton Senna McLaren MP4/5B-Honda 1:22.13,822 h
3. Alain Prost   Ferrari 641/2   1:22.15,203 h

Grand Prix, E, Jerez, 30.9.1990
73 x 4,218 km = 307,914 km.
1. Alain Prost   Ferrari 641/2   1:48.01,461 h
2. Nigel Mansell   Ferrari 641/2   1:48.23,525 h
3. Alessandro Nannini Benetton B190-Ford 1:48.36,335 h

Grand Prix, J, Suzuka, 21.10.1990
53 x 5,859 km = 310,527 km.
1. Nelson Piquet Benetton B190-Ford   1:34.36,824 h
2. Roberto Moreno Benetton B190-Ford   1:34.44,047 h
3. Aguri Suzuki   Lola 90-Lamborghini 1:34.59,293 h

Grand Prix, AUS, Adelaide, 4.11.1990
81 x 3,780 km = 306,180 km.
1. Nelson Piquet Benetton B190-Ford 1:49.44,570 h
2. Nigel Mansell Ferrari 641/2   1:49.47,690 h
3. Alain Prost   Ferrari 641/2   1:50.21,829 h

1990

1. A. Senna	78 P.	1. McLaren-Honda	121 P.
2. A. Prost	71 P.	2. Ferrari	110 P.
3. G. Berger/N. Piquet	43 P.	3. Benetton-Ford	71 P.

GP 1991 – 1993

1991

Grand Prix, USA, Phoenix, 10.3.1991
81 x 3,721 km = 301,385 km.
1. Ayrton Senna   McLaren MP4/6-Honda 2:00.47,828 h
2. Alain Prost   Ferrari 642   2:01.04,150 h
3. Nelson Piquet   Benetton B190B-Ford 2:01.05,204 h

Grand Prix, BR, Interlagos, 24.3.1991
71 x 4,325 km = 301,401 km.
1. Ayrton Senna   McLaren MP4/6-Honda 1:38.28,128 h
2. Riccardo Patrese Williams FW14-Renault 1:38.31,119 h
3. Gerhard Berger   McLaren MP4/6-Honda 1:38.35,544 h

Grand Prix, RSM, Imola, 28.4.1991
61 x 5,040 km = 307,440 km.
1. Ayrton Senna   McLaren MP4/6-Honda 1:35.14,750 h
2. Gerhard Berger McLaren MP4/6-Honda 1:35.16,425 h
3. J. J. Letho   Dallara F191-Judd   -1

Grand Prix, MC, Monte Carlo, 12.5.1991
78 x 3,328 km = 259,584 km.
1. Ayrton Senna   McLaren MP4/6-Honda 1:53.02,334 h
2. Nigel Mansell   Williams FW14-Renault 1:53.20,684 h
3. Jean Alesi   Ferrari 642   1:53.49,789 h

Grand Prix, CDN, Montreal, 2.6.1991
69 x 4,430 km = 305,670 km.
1. Nelson Piquet   Benetton B191-Ford   1:38.51,490 h
2. Stefano Modena   Tyrrell 020-Honda   1:39.23,322 h
3. Riccardo Patrese Williams FW14-Renault 1:39.33,707 h

Grand Prix, MEX, Mexico City, 16.6.1991
67 x 4,421 km = 296,207 km.
1. Riccardo Patrese Williams FW14-Renault 1:29.52,205 h
2. Nigel Mansell   Williams FW14-Renault 1:29.53,541 h
3. Ayrton Senna   McLaren MP4/6-Honda 1:30.49,561 h

Grand Prix, F, Magny-Cours, 7.7.1991
72 x 4,271 km = 307,512 km.
1. Nigel Mansell   Williams FW14-Renault 1:38.00,056 h
2. Alain Prost   Ferrari 643   1:38.05,059 h
3. Ayrton Senna   McLaren MP4/6-Honda 1:38.34,990 h

Grand Prix, GB, Silverstone, 14.7.1991
59 x 5,226 km = 308,334 km.
1. Nigel Mansell   Williams FW14-Renault 1:27.35,479 h
2. Gerhard Berger McLaren MP4/6-Honda 1:28.17,772 h
3. Alain Prost   Ferrari 643   1:28.35,629 h

Grand Prix, D, Hockenheim, 28.7.1991
45 x 6,802 km = 306,090 km.
1. Nigel Mansell   Williams FW14-Renault 1:19.29,661 h
2. Riccardo Patrese Williams FW14-Renault 1:19.43,440 h
3. Jean Alesi   Ferrari 643   1:19.47,279 h

Grand Prix, H, Hungaroring, 11.8.1991
77 x 3,968 km = 605,536 km.
1. Ayrton Senna   McLaren MP4/6-Honda 1:49.12,796 h
2. Nigel Mansell   Williams FW14-Renault 1:49.17,395 h
3. Riccardo Patrese Williams FW14-Renault 1:49.28,390 h

Grand Prix, B, Spa-Francorchamps, 25.8.1991
44 x 6,940 km = 305,360 km.
1. Ayrton Senna   McLaren MP4/6-Honda 1:27.17,669 h
2. Gerhard Berger McLaren MP4/6-Honda 1:27.19,570 h
3. Nelson Piquet   Benetton B191-Ford   1:27.49,845 h

Grand Prix, I, Monza, 8.9.1991
53 x 5,800 km = 307,400 km.
1. Nigel Mansell   Williams FW14-Renault 1:17.54,319 h
2. Ayrton Senna   McLaren MP4/6-Honda 1:18.10,581 h
3. Alain Prost   Ferrari 643   1:18.11,148 h

Grand Prix, P, Estoril, 22.9.1991
71 x 4,350 km = 308,850 km.
1. Riccardo Patrese Williams FW14-Renault 1:35.42,304 h
2. Ayrton Senna   McLaren MP4/6-Honda 1:36.03,245 h
3. Jean Alesi   Ferrari 643   1:36.35,858 h

Grand Prix, E, Catalunya, 29.9.1991
65 x 4,747 km = 308,555 km.
1. Nigel Mansell   Williams FW14-Renault 1:38.41,541 h
2. Alain Prost   Ferrari 643   1:38.52,872 h
3. Riccardo Patrese Williams FW14-Renault 1:38.57,450 h

Grand Prix, J, Suzuka, 20.10.1991
53 x 5,864 km = 310,792 km.
1. Gerhard Berger   McLaren MP4/6-Honda 1:32.10,695 h
2. Ayrton Senna   McLaren MP4/6-Honda 1:32.11,039 h
3. Riccardo Patrese Williams FW14-Renault 1:33.07,426 h

Grand Prix, AUS, Adelaide, 3.11.1991
14 x 3,780 km = 52,920 km.
1. Ayrton Senna   McLaren MP4/6-Honda 0:24.34,899 h
2. Nigel Mansell   Williams FW14-Renault 0:24.36,158 h
3. Gerhard Berger McLaren MP4/6-Honda 0:24.40,019 h

1991

1. A. Senna	96 P.	1. McLaren-Honda	139 P.
2. N. Mansell	72 P.	2. Williams-Renault	125 P.
3. R. Patrese	53 P.	3. Ferrari	55,5 P.

1992

Grand Prix, ZA, Kyalami, 1.3.1992
72 x 4,261 km = 306,792 km.
1. Nigel Mansell   Williams FW14B-Ren. 1:38.00,056 h
2. Riccardo Patrese Williams FW14B-Ren. 2:39.29,000 h
3. Ayrton Senna   McLaren MP4/6B-Honda 1:39.34,990 h

Grand Prix, MEX, Mexico City, 22.3.1992
69 x 4,421 km = 305,049 km.
1. Nigel Mansell   Williams FW14B-Ren. 1:31.53,587 h
2. Riccardo Patrese Williams FW14B-Ren. 1:32.06,558 h
3. Michael Schumacher Benetton B191B-Ford 1:32.15,016 h

Grand Prix, BR, Interlagos, 5.4.1992
71 x 4,325 km = 307,075 km.
1. Nigel Mansell   Williams FW14B-Ren. 1:36.51,856 h
2. Riccardo Patrese Williams FW14B-Ren. 1:37.21,186 h
3. Michael Schumacher Benetton B191B-Ford -1

Grand Prix, E, Catalunya, 3.5.1992
65 x 4,747 km = 308,555 km.
1. Nigel Mansell   Williams FW14B-Ren. 1:56.10,674 h
2. Michael Schumacher Benetton B191B-Ford 1:56.34,588 h
3. Jean Alesi   Ferrari F92A   1:56.37,136 h

Grand Prix, RSM, Imola, 17.5.1992
60 x 5,040 km = 302,400 km.
1. Nigel Mansell   Williams FW14B-Ren. 1:28.40,927 h
2. Riccardo Patrese Williams FW14B-Ren. 1:28.50,378 h
3. Ayrton Senna   McLaren MP4/7A-Honda 1:29.29,911 h

Grand Prix, MC, Monte Carlo, 31.5.1992
78 x 3,328 km = 259,584 km.
1. Ayrton Senna   McLaren MP4/7A-Honda 1:50.59,372 h
2. Nigel Mansell   Williams FW14B-Ren. 1:50.59,587 h
3. Riccardo Patrese Williams FW14B-Ren. 1:51.31,215 h

Grand Prix, CDN, Montreal 14.6.1992
69 x 4,430 km = 305,670 km.
1. Gerhard Berger   McLaren MP4/7A-Honda 1:37.08,299 h
2. Michael Schumacher Benetton B192-Ford 1:37.20,700 h
3. Jean Alesi   Ferrari F92A   1:38.15,626 h

Grand Prix, F, Magny-Cours, 5.7.1992
69 x 4,250 km = 293,250 km.
1. Nigel Mansell   Williams FW14B-Ren. 1:38.08,459 h
2. Riccardo Patrese Williams FW14B-Ren. 1:38.54,906 h
3. Martin Brundle   Benetton B192-Ford   1:39.21,038 h

Grand Prix, GB, Silverstone, 12.7.1992
59 x 5,226 km = 308,334 km.
1. Nigel Mansell   Williams FW14B-Ren. 1:25.42,991 h
2. Riccardo Patrese Williams FW14B-Ren. 1:26.22,085 h
3. Martin Brundle   Benetton B192-Ford   1:26.31,386 h

Grand Prix, D, Hockenheim, 26.7.1992
45 x 6,815 km = 306,675 km.
1. Nigel Mansell   Williams FW14B-Ren. 1:18.22,032 h
2. Ayrton Senna   McLaren MP4/7A-Honda 1:18.26,532 h
3. Michael Schumacher Benetton B192-Ford 1:18.56,494 h

Grand Prix, H, Hungaroring, 16.8.1992
77 x 3,968 km = 305,536 km.
1. Ayrton Senna   McLaren MP4/7A-Honda 1:46.19,216 h
2. Nigel Mansell   Williams FW14B-Ren. 1:46.59,355 h
3. Gerhard Berger   McLaren MP4/7A-Honda 1:47.09,998 h

Grand Prix, B, Spa-Francorchamps, 30.8.1992
44 x 6,974 km = 306,856 km.
1. Michael Schumacher Benetton B192-Ford 1:36.10,721 h
2. Nigel Mansell   Williams FW14B-Ren. 1:36.47,316 h
3. Riccardo Patrese Williams FW14B-Ren. 1:36.54,618 h

Grand Prix, I, Monza, 13.9.1992
53 x 5,800 km = 307,400 km.
1. Ayrton Senna   McLaren MP4/7A-Honda 1:18.15,349 h
2. Martin Brundle   Benetton B192-Ford   1:18.32,399 h
3. Michael Schumacher Benetton B192-Ford 1:18.39,722 h

Grand Prix, P, Estoril, 27.9.1992
71 x 4,350 km = 308,850 km.
1. Nigel Mansell   Williams FW14B-Ren. 1:34.46,659 h
2. Gerhard Berger   McLaren MP4/7A-Honda 1:35.24,192 h
3. Ayrton Senna   McLaren MP4/7A-Honda -1

Grand Prix, J, Suzuka, 25.10.1992
53 x 5,864 km = 310,792 km.
1. Riccardo Patrese Williams FW14B-Ren. 1:33.09,553 h
2. Gerhard Berger   McLaren MP4/7A-Honda 1:33.23,282 h
3. Martin Brundle   Benetton B192-Ford   1:34.25,056 h

Grand Prix, AUS, Adelaide, 8.11.1992
81 x 3,780 km = 306,180 km.
1. Gerhard Berger   McLaren MP4/7A-Honda 1:46.54,786 h
2. Michael Schumacher Benetton B192-Ford 1:46.55,527 h
3. Martin Brundle   Benetton B192-Ford   1:47.48,942 h

1992

1. N. Mansell	108 P.	1. Williams-Renault	164 P.
2. R. Patrese	56 P.	2. McLaren-Honda	99 P.
3. M. Schumacher	53 P.	3. Benetton-Ford	91 P.

1993

Grand Prix, ZA, Kyalami, 14.3.1993
72 x 4,261 km = 306,792 km.
1. Alain Prost   Williams FW15C-Ren. 1:38.45,082 h
2. Ayrton Senna   McLaren MP4/8-Ford 1:40.04,906 h
3. Mark Blundell Ligier JS39-Renault -1

Grand Prix, BR, Interlagos, 28.3.1993
71 x 4,325 km = 307,075 km.
1. Ayrton Senna   McLaren MP4/8-Ford 1:51.15,485 h
2. Damon Hill   Williams FW15C-Ren. 1:51.32,110 h
3. Michael Schumacher Benetton B193-Ford 1:52.00,921 h

Grand Prix, EU, Donington Park, 11.4.1993
76 x 4,023 km = 305,748 km.
1. Ayrton Senna   McLaren MP4/8-Ford 1:50.46,570 h
2. Damon Hill   Williams FW15C-Ren. 1:52.09,769 h
3. Alain Prost   Williams FW15C-Ren. -1

Grand Prix, RSM, Imola, 25.4.1993
61 x 5,040 km = 307,440 km.
1. Alain Prost   Williams FW15C-Ren. 1:33.20,413 h
2. Michael Schumacher Benetton B193B-Ford 1:33.52,823 h
3. Martin Brundle   Ligier JS39-Renault -1

Grand Prix, E, Catalunya, 9.5.1993
65 x 4,747 km = 308,555 km.
1. Alain Prost   Williams FW15C-Ren. 1:32.27,685 h
2. Ayrton Senna   McLaren MP4/8-Ford 1:32.44,558 h
3. Michael Schumacher Benetton B193B-Ford 1:32.54,810 h

Grand Prix, MC, Monte Carlo, 23.5.1993
78 x 3,328 km = 259,584 km.
1. Ayrton Senna   McLaren MP4/8-Ford 1:52.10,974 h
2. Damon Hill   Williams FW15C-Ren. 1:53.03,065 h
3. Jean Alesi   Ferrari F93A   1:53.14,309 h

Grand Prix, CDN, Montreal, 13.6.1993
69 x 4,430 km = 305,670 km.
1. Alain Prost   Williams FW15C-Ren. 1:36.41,822 h
2. Michael Schumacher Benetton B193B-Ford 1:36.56,349 h
3. Damon Hill   Williams FW15C-Ren. 1:37.34,507 h

Grand Prix, F, Magny-Cours, 4.7.1993
72 x 4,250 km = 306,000 km.
1. Alain Prost   Williams FW15C-Ren. 1:38.35,241 h
2. Damon Hill   Williams FW15C-Ren. 1:38.55,583 h
3. Michael Schumacher Benetton B193B-Ford 1:38.56,450 h

Grand Prix, GB, Silverstone, 11.7.1993
59 x 3,247 km = 191,573 km.
1. Alain Prost   Williams FW15C-Ren. 1:25.38,189 h
2. Michael Schumacher Benetton B193B-Ford 1:25.45,849 h
3. Riccardo Patrese Benetton B193B-Ford 1:26.55,671 h

Grand Prix, D, Hockenheim, 25.7.1993
45 x 6,185 km = 306,675 km.
1. Alain Prost   Williams FW15C-Ren. 1:18.40,885 h
2. Michael Schumacher Benetton B193B-Ford 1:18.57,549 h
3. Mark Blundell   Ligier JS39-Renault 1:19.40,234 h

Grand Prix, H, Hungaroring, 15.8.1993
77 x 3,968 km = 305,536 km.
1. Damon Hill   Williams FW15C-Ren. 1:47.39,098 h
2. Riccardo Patrese Benetton B193B-Ford 1:48.51,013 h
3. Gerhard Berger   Ferrari F93A   1:48.57,140 h

Grand Prix, B, Spa-Francorchamps, 29.8.1993
44 x 6,974 km = 306,856 km.
1. Damon Hill   Williams FW15C-Ren. 1:24.32,124 h
2. Michael Schumacher Benetton B193B-Ford 1:24.35,792 h
3. Alain Prost   Williams FW15C-Ren. 1:24.47,112 h

Grand Prix, I, Monza, 12.9.1993
53 x 5,800 km = 307,400 km.
1. Damon Hill   Williams FW15C-Ren. 1:24.32,124 h
2. Jean Alesi   Ferrari F93A   2:39.29,000 h
3. Michael Andretti McLaren MP4/8-Ford -1

Grand Prix, P, Estoril, 26.9.1993
71 x 4,350 km = 308,850 km.
1. Michael Schumacher Benetton B193B-Ford 1:32.46,309 h
2. Alain Prost   Williams FW15C-Ren. 1:32.47,291 h
3. Damon Hill   Williams FW15C-Ren. 1:32.54,914 h

Grand Prix, J, Suzuka, 24.10.1993
53 x 5,864 km = 310,792 km.
1. Ayrton Senna   McLaren MP4/8-Ford 1:40.27,912 h
2. Alain Prost   Williams FW15C-Ren. 1:40.39,347 h
3. Mika Häkkinen McLaren MP4/8-Ford 1:40.54,041 h

Grand Prix, AUS, Adelaide, 7.11.1993
79 x 3,780 km = 298,620 km.
1. Ayrton Senna   McLaren MP4/8-Ford 1:43.27,476 h
2. Alain Prost   Williams FW15C-Ren. 1:43.36,735 h
3. Damon Hill   Williams FW15C-Ren. 1:44.01,378 h

1993

1. Prost	99 P.	1. Williams-Renault	168 P.
2. Senna	73 P.	2. McLaren-Ford	84 P.
3. Hill	69 P.	3. Benetton-Ford	72 P.

1994

Grand Prix, BR, Interlagos, 27.3.1994
71 x 4,325 km = 307,075 km.
1. Michael Schumacher   Benetton B194-Ford   1:35.38,759 h
2. Damon Hill   Williams FW16-Renault -1
3. Jean Alesi   Ferrari 412T1   -1

Pacific Grand Prix, Aida, 17.4.1994
83 x 3,703 km = 307,349 km.
1. Michael Schumacher   Benetton B194-Ford   1:46.01,693 h
2. Gerhard Berger   Ferrari 412T1   1:47.16,993 h
3. Rubens Barrichello   Jordan 194-Hart   -1

Grand Prix, RSM, Imola, 1.5.1994
58 x 5,040 km = 292,320 km.
1. Michael Schumacher   Benetton B194-Ford   1:28.28,642 h
2. Nicola Larini   Ferrari 412T1   1:29.23,584 h
3. Mika Häkkinen   McLaren MP4/9-Peug. 1:29.39,321 h

Grand Prix, MC, Monte Carlo, 15.5.1994
78 x 3,328 km = 259,584 km.
1. Michael Schumacher   Benetton B194-Ford   1:49.55,372 h
2. Martin Brundle   McLaren MP4/9-Peug. 1:50.32,650 h
3. Gerhard Berger   Ferrari 412T1   1:51.12,196 h

Grand Prix, E, Catalunya, 29.5.1994
65 x 4,747 km = 308,555 km.
1. Damon Hill   Williams FW16-Renault 1:36.14,374 h
2. Michael Schumacher   Benetton B194-Ford   1:36.38,540 h
3. Mark Blundell   Tyrrell 022-Yamaha   1:37.41,343 h

Grand Prix, CDN, Montreal, 12.6.1994
69 x 4,450 km = 307,050 km.
1. Michael Schumacher   Benetton B194-Ford   1:44.31,887 h
2. Damon Hill   Williams FW16-Renault 1:45.11,547 h
3. Jean Alesi   Ferrari 412T1   1:45.45,275 h

Grand Prix, F, Magny-Cours, 3.7.1994
72 x 4,250 km = 306,000 km.
1. Michael Schumacher   Benetton B194-Ford   1:38.35,704 h
2. Damon Hill   Williams FW16-Renault 1:38.48,346 h
3. Gerhard Berger   Ferrari 412T1B   1:39.28,469 h

Grand Prix, GB, Silverstone, 10.7.1994
60 x 5,057 km = 303,420 km.
1. Damon Hill   Williams FW16-Renault 1:30.03,640 h
2. Jean Alesi   Ferrari 412T1B   1:31.11,768 h
3. Mika Häkkinen   McLaren MP4/9-Peug. 1:31.44,299 h

Grand Prix, D, Hockenheim, 31.7.1994
45 x 6,823 km = 307,035 km.
1. Gerhard Berger   Ferrari 412T1B   1:22.37,272 h
2. Olivier Panis   Ligier JS39B-Renault 1:23.32,051 h
3. Eric Bernard   Ligier JS39B-Renault 1:23.42,314 h

Grand Prix, H, Hungaroring, 14.8.1994
77 x 3,968 km = 305,536 km.
1. Michael Schumacher   Benetton B194-Ford   1:48.00,185 h
2. Damon Hill   Williams FW16-Ford   1:48.21,012 h
3. Jos Verstappen   Benetton B194-Ford   1:49.10,514 h

Grand Prix, B, Spa-Francorchamps, 28.8.1994
44 x 7,001 km = 308,044 km.
1. Damon Hill   Williams FW16-Renault 1:28.47,170 h
2. Mika Häkkinen   McLaren MP4/9-Peug. 1:29.38,551 h
3. Jos Verstappen   Benetton B194-Ford   1:29.57,623 h

Grand Prix, I, Monza, 11.9.1994
53 x 5,800 km = 307,400 km.
1. Damon Hill   Williams FW16-Renault 1:18.02,754 h
2. Gerhard Berger   Ferrari 412T1B   1:18.07,684 h
3. Mika Häkkinen   McLaren MP4/9-Peug. 1:18.28,394 h

Grand Prix, P, Estoril, 25.9.1994
71 x 4,360 km = 309,560 km.
1. Damon Hill   Williams FW16-Renault 1:41.10,165 h
2. David Coulthard   Williams FW16-Renault 1:41.10,768 h
3. Mika Häkkinen   McLaren MP4/9-Peug. 1:41.30,358 h

Grand Prix, EU, Jerez, 16.10.1994
69 x 4,428 km = 305,532 km.
1. Michael Schumacher   Benetton B194-Ford   1:40.26,689 h
2. Damon Hill   Williams FW16-Renault 1:40.51,378 h
3. Mika Häkkinen   McLaren MP4/9-Peug. 1:41.36,337 h

Grand Prix, J, Suzuka, 6.11.1994
50 x 5,864 km = 293,200 km.
1. Damon Hill   Williams FW16-Renault 1:55.53,532 h
1. Michael Schumacher   Benetton B194-Ford   1:55.56,897 h
3. Jean Alesi   Ferrari 412T1B   1:56.45,577 h

Grand Prix, AUS, Adelaide, 13.11.1994
81 x 3,780 km = 306,180 km.
1. Nigel Mansell   Williams FW16-Renault 1:47.51,480 h
2. Gerhard Berger   Ferrari 412T1B   1:47.53,991 h
3. Martin Brundle   McLaren MP4/9-Peug. 1:48.43,967 h

1994

1. M. Schumacher	92 P.	1. Williams-Renault	118 P.	
2. D. Hill	91 P.	2. Benetton-Ford	103 P.	
3. G. Berger	41 P.	3. Ferrari	71 P.	

1995

Grand Prix, BR, Interlagos, 26.3.1995
71 x 4,325 km = 307,075 km.
1. Michael Schumacher   Benetton B195-Renault 1:38.34,154 h
2. David Coulthard   Williams FW17-Renault 1:38.42,214 h
3. Gerhard Berger   Ferrari 412T2   -1

Grand Prix, RA, Buenos Aires, 9.4.1995
72 x 4,259 km = 306,684 km.
1. Damon Hill   Williams FW17-Renault 1:53.14,532 h
2. Jean Alesi   Ferrari 412T2   1:53.20,939 h
3. Michael Schumacher   Benetton B195-Renault 1:53.47,908 h

Grand Prix, RSM, Imola, 30.4.1995
63 x 4,892 km = 308,196 km.
1. Damon Hill   Williams FW17-Renault 1:41.42,552 h
2. Jean Alesi   Ferrari 412T2   1:42.01,062 h
3. Gerhard Berger   Ferrari 412T2   1:42.25,668 h

Grand Prix, E, Catalunya, 14.5.1995
65 x 4,727 km = 307,225 km.
1. Michael Schumacher   Benetton B195-Renault 1:34.20,507 h
2. Johnny Herbert   Benetton B195-Renault 1:35.12,495 h
3. Gerhard Berger   Ferrari 412T2   1:35.25,744 h

Grand Prix, MC, Monte Carlo, 28.5.1995
78 x 3,328 km = 259,584 km.
1. Michael Schumacher   Benetton B195-Renault 1:53.11,258 h
2. Damon Hill   Williams FW17-Renault 1:53.46,075 h
3. Gerhard Berger   Ferrari 412T2   1:54.22,075 h

Grand Prix, CDN, Montreal, 11.6.1995
68 x 4,430 km = 301,240 km.
1. Jean Alesi   Ferrari 412T2   1:46.31,333 h
2. Rubens Barrichello   Jordan 195-Peugeot   1:47.03,020 h
3. Eddie Irvine   Jordan 195-Peugeot   1:47.04,603 h

Grand Prix, F, Magny-Cours, 2.7.1995
72 x 4,250 km = 306,000 km.
1. Michael Schumacher   Benetton B195-Renault 1:38.28,429 h
2. Damon Hill   Williams FW17-Renault 1:38.59,738 h
3. David Coulthard   Williams FW17-Renault 1:39.31,255 h

Grand Prix, GB, Silverstone, 16.7.1995
61 x 5,057 km = 308,477 km.
1. Johnny Herbert   Benetton B195-Renault 1:34.35,093 h
2. Jean Alesi   Ferrari 412T2   1:34.51,572 h
3. David Coulthard   Williams FW17-Renault 1:34.58,981 h

Grand Prix, D, Hockenheim, 30.7.1995
45 x 6,823 km = 307,035 km.
1. Michael Schumacher   Benetton B195-Renault 1:22.56,043 h
2. David Coulthard   Williams FW17-Renault 1:23.02,031 h
3. Gerhard Berger   Ferrari 412T2   1:24.04,140 h

Grand Prix, H, Hungaroring, 13.8.1995
77 x 3,968 km = 305,536 km.
1. Damon Hill   Williams FW17-Renault 1:46.25,721 h
2. David Coulthard   Williams FW17-Renault 1:46.59,119 h
3. Gerhard Berger   Ferrari 412T2   -1

Grand Prix, B, Spa-Francorchamps, 27.8.1995
44 x 6,974 km = 306,856 km.
1. Michael Schumacher   Benetton B195-Renault 1:36.47,875 h
2. Damon Hill   Williams FW17-Renault 1:37.07,368 h
3. Martin Brundle   Ligier JS 41   1:37.12,873 h

Grand Prix, I, Monza, 10.9.1995
53 x 5,770 km = 305,810 km.
1. Johnny Herbert   Benetton B195-Renault 1:18.27,961 h
2. Mika Häkkinen   McLaren MP4/10B-Merc.1:18.45,695 h
3. Heinz-Harald Frentzen   Sauber C14-Ford   1:18.52,237 h

Grand Prix, P, Estoril, 24.9.1995
71 x 4,360 km = 309,560 km.
1. David Coulthard   Williams FW17-Renault 1:41.52,145 h
2. Michael Schumacher   Benetton B195-Renault 1:41.59,393 h
3. Damon Hill   Williams FW17-Renault 1:42.14,266 h

Grand Prix, EU, Nürburgring, 1.10.1995
67 x 4,556 km = 305,252 km.
1. Michael Schumacher   Benetton B195-Renault 1:39.59,044 h
2. Jean Alesi   Ferrari 412T2   1:40.01,728 h
3. David Coulthard   Williams FW17-Renault 1:40.34,426 h

Pacific Grand Prix, Aida, 22.10.1995
83 x 3,703 km = 307,349 km.
1. Michael Schumacher   Benetton B195-Renault 1:48.49,972 h
2. David Coulthard   Williams FW17-Renault 1:49.04,892 h
3. Damon Hill   Williams FW17-Renault 1:49.38,305 h

Grand Prix, J, Suzuka, 29.10.1995
53 x 5,864 km = 310,792 km.
1. Michael Schumacher   Benetton B195-Renault 1:36.52,930 h
2. Mika Häkkinen   McLarenMP4/10B-Merc. 1:37.12,267 h
3. Johnny Herbert   Benetton B195-Renault 1:37.16,734 h

Grand Prix, AUS, Adelaide, 12.11.1995
81 x 3,780 km = 306,180 km.
1. Damon Hill   Williams FW17-Renault 1:49.38,305 h
2. Olivier Panis   Ligier JS41-Honda   -2
3. Gianni Morbidelli   Footwork FA16-Hart   -2

1995

1. M. Schumacher	102 P.	1. Benetton-Renault	137 P.
2. D. Hill	69 P.	2. Williams-Renault	112 P.
3. D. Coulthard	49 P.	3. Ferrari	73 P.

1996

Grand Prix, AUS, Melbourne, 10.3.1996
58 x 5,302 km = 307,516 km.
1. Damon Hill   Williams FW18-Renault 1:32.50,491 h
2. Jacques Villeneuve   Williams FW18-Renault 1:33.28,511 h
3. Eddie Irvine   Ferrari F310   1:33.53,062 h

Grand Prix, BR, Interlagos, 31.3.1996
71 x 4,325 km = 307,075 km.
1. Damon Hill   Williams FW18-Renault 1:49.52,976 h
2. Jean Alesi   Benetton B196-Renault 1:50.10,958 h
3. Michael Schumacher   Ferrari F310   -1

Grand Prix, RA, Buenos Aires, 7.4.1996
72 x 4,259 km = 306,648 km.
1. Damon Hill   Williams FW18-Renault 1:54.55,322 h
2. Jacques Villeneuve   Williams FW18-Renault 1:55.07,489 h
3. Jean Alesi   Benetton B196-Renault 1:55.10,076 h

Grand Prix, EU, Nürburgring, 28.4.1996
67 x 4,556 km = 305,252 km.
1. Jacques Villeneuve   Williams FW18-Renault 1:33.26,473 h
2. Michael Schumacher   Ferrari F310   1:33.27,235 h
3. David Coulthard   McLaren MP4/11-Merc.1:33.59,307 h

Grand Prix, RSM, Imola, 5.5.1996
63 x 4,892 km = 308,196 km.
1. Damon Hill   Williams FW18-Renault 1:35.26,156 h
2. Michael Schumacher   Ferrari F310   1:35.42,616 h
3. Gerhard Berger   Benetton B196-Renault 1:36.13,047 h

Grand Prix, MC, Monte Carlo, 19.5.1996
75 x 3,328 km = 249,600 km.
1. Olivier Panis   Ligier JS43-Mugen   2:00.45,629 h
2. David Coulthard   McLaren MP4/11-Merc. 2:00.50,457 h
3. Johnny Herbert   Sauber C15-Ford   2:01.23,132 h

Grand Prix, E, Catalunya, 2.6.1996
65 x 4,727 km = 307,225 km.
1. Michael Schumacher   Ferrari F310   1:59.49,307 h
2. Jean Alesi   Benetton B196-Renault 2:00.34,609 h
3. Jacques Villeneuve   Williams FW18-Renault 2:00.37,695 h

Grand Prix, CDN, Montreal, 16.6.1996
69 x 4,421 km = 305,049 km.
1. Damon Hill   Williams FW18-Renault 1:36.03,465 h
2. Jacques Villeneuve   Williams FW18-Renault 1:36.07,648 h
3. Jean Alesi   Benetton B196-Renault 1:36.58,121 h

Grand Prix, F, Magny-Cours, 30.6.1996
72 x 4,250 km = 306,000 km.
1. Damon Hill   Williams FW18-Renault 1:36.28,795 h
2. Jacques Villeneuve   Williams FW18-Renault 1:36.36,922 h
3. Jean Alesi   Benetton B196-Renault 1:37.15,237 h

Grand Prix, GB, Silverstone, 14.7.1996
61 x 5,072 km = 309,392 km.
1. Jacques Villeneuve   Williams FW18-Renault 1:33.00,874 h
2. Gerhard Berger   Benetton B196-Renault 1:33.19,600 h
3. Mika Häkkinen   McLaren MP4/11B-Merc.1:33.51,704 h

Grand Prix, D, Hockenheim, 28.7.1996
45 x 6,823 km = 307,035 km.
1. Damon Hill   Williams FW18-Renault 1:21.43,417 h
2. Jean Alesi   Benetton B196-Renault 1:21.54,869 h
3. Jacques Villeneuve   Williams FW18-Renault 1:22.17,343 h

Grand Prix, H, Hungaroring, 11.8.1996
77 x 3,968 km = 305,536 km.
1. Jacques Villeneuve   Williams FW18-Renault 1:46.21,143 h
2. Damon Hill   Williams FW18-Renault 1:46.21,905 h
3. Jean Alesi   Benetton B196-Renault 1:47.45,346 h

Grand Prix, B, Spa-Francorchamps, 25.8.1996
44 x 6,968 km = 306,592 km.
1. Michael Schumacher   Ferrari F310   1:28.15,125 h
2. Jacques Villeneuve   Williams FW18-Renault 1:28.20,727 h
3. Mika Häkkinen   McLarenMP4/11B-Merc. 1:28.30,835 h

Grand Prix, I, Monza, 8.9.1996
53 x 5,770 km = 305,810 km.
1. Michael Schumacher   Ferrari F310   1:17.43,632 h
2. Jean Alesi   Benetton B196-Renault 1:18.01,897 h
3. Mika Häkkinen   McLarenMP4/11B-Merc. 1:18.50,267 h

Grand Prix, P, Estoril, 22.9.1996
70 x 4,360 km = 305,200 km.
1. Jacques Villeneuve   Williams FW18-Renault 1:40.29,915 h
2. Damon Hill   Williams FW18-Renault 1:40.42,881 h
3. Michael Schumacher   Ferrari F310   1:41.16,680 h

Grand Prix, J, Suzuka, 13.10.1996
52 x 5,864 km = 304,718 km.
1. Damon Hill   Williams FW18-Renault 1:32.33,791 h
2. Mika Häkkinen   McLarenMP4/11B-Merc. 1:32.35,674 h
3. Michael Schumacher   Ferrari F310   1:32.37,003 h

1996

1. D. Hill	97 P.	1. Williams-Renault	175 P.
2. J. Villeneuve	78 P.	2. Ferrari	70 P.
3. M. Schumacher	59 P.	3. Benetton-Renault	68 P.

GP 1997 – 1999

1997

Grand Prix, AUS, Melbourne, 9.3.1997
58 x 5,302 km = 307,516 km.
1. David Coulthard   McLaren MP4/12A-Mer. 1:30.28,718 h
2. Michael Schumacher   Ferrari F310B   1:30.48,764 h
3. Mika Häkkinen   McLaren MP4/12A-Mer. 1:30.50,895 h

Grand Prix, BR, Interlagos, 30.3.1997
72 x 4,292 km = 309,024 km.
1. Jacques Villeneuve   Williams FW19-Renault 1:36.06,990 h
2. Gerhard Berger   Benetton B197-Renault 1:36.11,180 h
3. Olivier Panis   Prost JS45-Mugen   1:36.22,860 h

Grand Prix, RA, Buenos Aires, 13.4.1997
72 x 4,259 km = 306,648 km.
1. Jacques Villeneuve   Williams FW19-Renault 1:52.01,715 h
2. Eddie Irvine   Ferrari F310B   1:52.02,694 h
3. Ralf Schumacher   Jordan 197-Peugeot   1:52.13,804 h

Grand Prix, RSM, Imola, 27.4.1997
62 x 4,930 km = 305,660 km.
1. Heinz-Harald Frentzen Williams FW19-Renault 1:31.00,673 h
2. Michael Schumacher   Ferrari F310B   1:31.01,910 h
3. Eddie Irvine   Ferrari F310B   1:32.19,016 h

Grand Prix, MC, Monte Carlo, 11.5.1997
62 x 3,367 km = 208,754 km.
1. Michael Schumacher   Ferrari F310B   2:00.05,654 h
2. Rubens Barrichello   Stewart SF1-Ford   2:00.58,960 h
3. Eddie Irvine   Ferrari F310B   2:01.27,762 h

Grand Prix, E, Barcelona, 25.5.1997
64 x 4,728 km = 302,592 km.
1. Jacques Villeneuve   Williams FW19-Renault 1:30.35,896 h
2. Olivier Panis   Prost JS45-Mugen   1:30.41,700 h
3. Jean Alesi   Benetton B197-Renault 1:30.48,430 h

Grand Prix, CDN, Montreal, 15.6.1997
54 x 4,421 km = 238,734 km.
1. Michael Schumacher   Ferrari F310B   1:17.40,646 h
2. Jean Alesi   Benetton B197-Renault 1:17.43,211 h
3. Giancarlo Fisichella Jordan 197-Peugeot   1:17.43,865 h

Grand Prix, F, Magny-Cours, 29.6.1997
72 x 4,250 km = 306,000 km.
1. Michael Schumacher   Ferrari F310B   1:38.50,492 h
2. Heinz-Harald Frentzen Williams FW19-Renault 1:39.14,029 h
3. Eddie Irvine   Ferrari F310B   1:40.05,293 h

Grand Prix, GB, Silverstone, 13.7.1997
59 x 5,140 km = 303,260 km.
1. Jacques Villeneuve   Williams FW19-Renault 1:28.01,665 h
2. Jean Alesi   Benetton B197-Renault 1:28.11,870 h
3. Alexander Wurz   Benetton B197-Renault 1:28.12,961 h

Grand Prix, D, Hockenheim, 27.7.1997
45 x 6,823 km = 307,035 km.
1. Gerhard Berger   Benetton B197-Renault 1:20.59,064 h
2. Michael Schumacher   Ferrari F310B   1:21.16,573 h
3. Mika Häkkinen   McLaren MP4/12A-Mer. 1:21.23,816 h

Grand Prix, H, Hungaroring, 10.8.1997
77 x 3,968 km = 305,536 km.
1. Jacques Villeneuve   Williams FW19-Renault 1:45.47,149 h
2. Damon Hill   Arrows A18-Yamaha   1:45.56,228 h
3. Johnny Herbert   Sauber C16-Petronas   1:46.07,594 h

Grand Prix, B, Spa-Francorchamps, 24.8.1997
44 x 6,968 km = 306,592 km.
1. Michael Schumacher   Ferrari F310B   1:33.46,717 h
2. Giancarlo Fisichella Jordan197-Peugeot   1:34.13,470 h
3. Heinz-Harald Frentzen Williams FW19-Renault 1:34.18,864 h

Grand Prix, I, Monza, 7.9.1997
53 x 5,770 km = 305,810 km.
1. David Coulthard   McLaren MP4/12A-Mer. 1:17.04,609 h
2. Jean Alesi   Benetton B197-Renault 1:17.06,546 h
3. Heinz-Harald Frentzen Williams FW19-Renault 1:17.08,952 h

Grand Prix, A, A1-Ring, 21.9.1997
71 x 4,319 km = 306,649 km.
1. Jacques Villeneuve   Williams FW19-Renault 1:27.35,999 h
2. David Coulthard   McLaren MP4/12A-Mer. 1:27.38,908 h
3. Heinz-Harald Frentzen Williams FW19-Renault 1:27.39,961 h

Grand Prix, L, Nürburgring, 28.9.1997
67 x 4,556 km = 305,252 km.
1. Jacques Villeneuve   Williams FW19-Renault 1:31.27,843 h
2. Jean Alesi   Benetton B197-Renault 1:31.39,613 h
3. Heinz-Harald Frentzen Williams FW19-Renault 1:31.41,323 h

Grand Prix, J, Suzuka, 12.10.1997
53 x 5,864 km = 310,792 km.
1. Michael Schumacher   Ferrari F310B   1:29.48,446 h
2. Heinz-Harald Frentzen Williams FW19-Renault 1:29.49,824 h
3. Eddie Irvine   Ferrari F310B   1:30.14,830 h

Grand Prix, EU, Jerez, 26.10.1997
69 x 4,428 km = 305,532 km.
1. Mika Häkkinen   McLaren MP4/12A-Mer. 1:38.57,771 h
2. David Coulthard   McLaren MP4/12A-Mer. 1:38.59,425 h
3. Jacques Villeneuve   Williams FW19-Renault 1:38.59,574 h

1997

1. J. Villeneuve   81 P.   1. Williams-Renault   123 P.
2. H.-H. Frentzen 42 P.   2. Ferrari   102 P.
3. D. Coulthard   36 P.   3. Benetton-Renault   67 P.

1998

Grand Prix, AUS, Melbourne, 8.3.1998
58 x 5,302 km = 307,516 km.
1. Mika Häkkinen   McLaren MP4/13-Mer. 1:31.45,996 h
2. David Coulthard   McLaren MP4/13-Mer. 1:31.46,698 h
3. Heinz-Harald Frentzen Williams FW20-Meca. 1:31.54,664 h

Grand Prix, BR, Interlagos, 29.3.1998
72 x 4,292 km = 309,024 km.
1. Mika Häkkinen   McLaren MP4/13-Mer. 1:37.11,747 h
2. David Coulthard   McLaren MP4/13-Mer. 1:37.12,849 h
3. Michael Schumacher   Ferrari F300   1:38.12,297 h

Grand Prix, RA, Buenos Aires, 12.4.1998
72 x 4,295 km = 309,240 km.
1. Michael Schumacher   Ferrari F300   1:48.36,175 h
2. Mika Häkkinen   McLaren MP4/13-Mer. 1:48.59,073 h
3. Eddie Irvine   Ferrari F300   1:49.33,920 h

Grand Prix, RSM, Imola, 26.4.1998
62 x 4,930 km = 305,660 km.
1. David Coulthard   McLaren MP4/13-Mer. 1:34.24,593 h
2. Michael Schumacher   Ferrari F300   1:34.29,147 h
3. Eddie Irvine   Ferrari F300   1:35.16,368 h

Grand Prix, E, Catalunya, 10.5.1998
65 x 4,728 km = 307,320 km.
1. Mika Häkkinen   McLaren MP4/13-Mer. 1:33.37,621 h
2. David Coulthard   McLaren MP4/13-Mer. 1:33.47,060 h
3. Michael Schumacher   Ferrari F300   1:34.24,716 h

Grand Prix, MC, Monte Carlo, 24.5.1998
78 x 3,367 km = 262,626 km.
1. Mika Häkkinen   McLaren MP4/13-Mer. 1:51.23,595 h
2. Giancarlo Fisichella Benetton B198-Playl. 1:51.35,070 h
3. Eddie Irvine   Ferrari F300   1:52.04,973 h

Grand Prix, CDN, Montreal, 7.6.1998
69 x 4,421 km = 305,049 km.
1. Michael Schumacher   Ferrari F300   1:40.57,355 h
2. Giancarlo Fisichella Benetton B198-Playl. 1:41.14,017 h
3. Eddie Irvine   Ferrari F300   1:41.57,414 h

Grand Prix, F, Magny-Cours, 28.6.1998
71 x 4,250 km = 301,750 km.
1. Michael Schumacher   Ferrari F300   1:34.45,026 h
2. Eddie Irvine   Ferrari F300   1:35.04,601 h
3. Mika Häkkinen   McLaren MP4/13-Mer. 1:35.04,773 h

Grand Prix, GB, Silverstone, 12.7.1998
60 x 5,140 km = 308,400 km.
1. Michael Schumacher   Ferrari F300   1:47.02,450 h
2. Mika Häkkinen   McLaren MP4/13-Mer. 1:47.24,915 h
3. Eddie Irvine   Ferrari F300   1:47.31,649 h

Grand Prix, A, A1-Ring, 26.7.1998
71 x 4,319 km = 306,649 km.
1. Mika Häkkinen   McLaren MP4/13-Mer. 1:30.44,086 h
2. David Coulthard   McLaren MP4/13-Mer. 1:30.49,375 h
3. Michael Schumacher   Ferrari F300   1:31.23,176 h

Grand Prix, D, Hockenheim, 2.8.1998
45 x 6,823 km = 307,035 km.
1. Mika Häkkinen   McLaren MP4/13-Mer. 1:20.47,984 h
2. David Coulthard   McLaren MP4/13-Mer. 1:20.48,410 h
3. Jacques Villeneuve   Williams FW20-Meca. 1:20.50,561 h

Grand Prix, H, Hungaroring, 16.8.1998
77 x 3,972 km = 305,844 km.
1. Michael Schumacher   Ferrari F300   1:45.25,550 h
2. David Coulthard   McLaren MP4/13-Mer. 1:45.34,983 h
3. Jacques Villeneuve   Williams FW20-Meca. 1:46.09,994 h

Grand Prix, B, Spa-Francorchamps, 30.8.1998
44 x 6,968 km = 306,592 km.
1. Damon Hill   Jordan 198-Mugen   1:43.47,407 h
2. Ralf Schumacher   Jordan 198-Mugen   1:43.48,339 h
3. Jean Alesi   Sauber C17-Petronas 1:43.54,647 h

Grand Prix, I, Monza, 13.9.1998
53 x 5,770 km = 305,810 km.
1. Michael Schumacher   Ferrari F300   1:17.09,672 h
2. Eddie Irvine   Ferrari F300   1:17.47,649 h
3. Ralf Schumacher   Jordan 198-Mugen   1:17.50,824 h

Grand Prix, L, Nürburgring, 27.9.1998
67 x 4,556 km = 305,252 km.
1. Mika Häkkinen   McLaren MP4/13-Mer. 1:32.14,789 h
2. Michael Schumacher   Ferrari F300   1:32.17,000 h
3. David Coulthard   McLaren MP4/13-Mer. 1:32.48,952 h

Grand Prix, J, Suzuka, 1.11.1998
53 x 5,864 km = 310,792 km.
1. Mika Häkkinen   McLaren MP4/13-Mer. 1:27.22,535 h
2. Eddie Irvine   Ferrari F300   1:27.29,026 h
3. David Coulthard   McLaren MP4/13-Mer. 1:27.50,197 h

1998

1. M. Häkkinen   100 P.   1. McLaren-Merc.   156 P.
2. M. Schumacher   86 P.   2. Ferrari   133 P.
3. D. Coulthard   56 P.   3. Williams-Mecachr.   38 P.

1999

Grand Prix, AUS, Melbourne, 7.3.1999
57 x 5,303 km = 302,213 km.
1. Eddie Irvine   Ferrari F399   1:35.01,659 h
2. Heinz-Harald Frentzen Jordan-Mugen-Honda   1:35.02,686 h
3. Ralf Schumacher   Williams FW21-Super. 1:35.08,671 h

Grand Prix, BR, Interlagos, 11.4.1999
72 x 4,292 km = 309,024 km.
1. Mika Häkkinen   McLaren MP4/14-Mer. 1:36.03,785 h
2. Michael Schumacher   Ferrari F399   1:36.08,710 h
3. Heinz-Harald Frentzen Jordan-Mugen-Honda – 1

Grand Prix, RSM, Imola, 2.5.1999
62 x 4,930 km = 305,660 km.
1. Michael Schumacher   Ferrari F399   1:33.44,792 h
2. David Coulthard   McLaren MP4/14-Mer. 1:33.46,057 h
3. Rubens Barrichello   Stewart-Ford SF3   1:33.49,721 h

Grand Prix, MC, Monte Carlo, 16.5.1999
78 x 3,367 km = 262,626 km.
1. Michael Schumacher   Ferrari F399   1:49.31,812 h
2. Eddie Irvine   Ferrari F399   1:50.02,288 h
3. Mika Häkkinen   McLaren MP4/14-Mer. 1:50.09,295 h

Grand Prix, E, Catalunya, 30.5.1999
65 x 4,728 km = 307,320 km.
1. Mika Häkkinen   McLaren MP4/14-Mer. 1:34.13,665 h
2. David Coulthard   McLaren MP4/14-Mer. 1:34.19,903 h
3. Michael Schumacher   Ferrari F399   1:34.24,510 h

Grand Prix, CDN, Montreal, 13.6.1999
69 x 4,421 km = 305,049 km.
1. Mika Häkkinen   McLaren MP4/14-Mer. 1:41.35,727 h
2. Giancarlo Fisichella Benetton B199-Playl. 1:41.36,509 h
3. Eddie Irvine   Ferrari F399   1:41.37,524 h

Grand Prix, F, Magny-Cours, 27.6.1999
72 x 4,250 km = 306,000 km.
1. Heinz-Harald Frentzen Jordan-Mugen-Honda   1:58.24,343 h
2. Mika Häkkinen   McLaren MP4/14-Mer. 1:58.35,435 h
3. Rubens Barrichello   Stewart SF3-Ford   1:59.07,775 h

Grand Prix, GB, Silverstone, 11.7.1999
60 x 5,140 km = 308,400 km.
1. David Coulthard   McLaren MP4/14-Mer. 1:32.30,144 h
2. Eddie Irvine   Ferrari F399   1:32.31,973 h
3. Ralf Schumacher   Williams FW21-Super. 1:32.57,555 h

Grand Prix, A, A1-Ring, 25.7.1999
71 x 4,319 km = 306,649 km.
1. Eddie Irvine   Ferrari F399   1:28.12,438 h
2. David Coulthard   McLaren MP4/14-Mer. 1:28.12,751 h
3. Mika Häkkinen   McLaren MP4/14-Mer. 1:28.34,720 h

Grand Prix, D, Hockenheim, 1.8.1999
45 x 6,823 km = 307,035 km.
1. Eddie Irvine   Ferrari F399   1:21.58,594 h
2. Mika Salo   Ferrari F399   1:21.59,601 h
3. Heinz-Harald Frentzen Jordan-Mugen-Honda   1:22.03,789 h

Grand Prix, H, Hungaroring, 15.8.1999
77 x 3,972 km = 305,844 km.
1. Mika Häkkinen   McLaren MP4/14-Mer. 1:46.23,536 h
2. David Coulthard   McLaren MP4/14-Mer. 1:46.33,242 h
3. Eddie Irvine   Ferrari F399   1:46.50,764 h

Grand Prix, B, Spa-Francorchamps, 29.8.1999
44 x 6,968 km = 306,592 km.
1. David Coulthard   McLaren MP4/14-Mer. 1:25.43,057 h
2. Mika Häkkinen   McLaren MP4/14-Mer. 1:25.53,526 h
3. Heinz-Harald Frentzen Jordan-Mugen-Honda   1:26.16,490 h

Grand Prix, I, Monza, 12.9.1999
53 x 5,770 km = 305,810 km.
1. Heinz-Harald Frentzen Jordan-Mugen-Honda   1:17.02,923 h
2. Ralf Schumacher   Williams FW21-Super. 1:17.06,195 h
3. Mika Salo   Ferrari F399   1:17.14,855 h

Grand Prix, L, Nürburgring, 26.9.1999
66 x 4,556 km = 300,696 km.
1. Johnny Herbert   Stewart SF3-Ford   1:41.54,314 h
2. Jarno Trulli   Prost AP02-Peugeot   1:42.16,933 h
3. Rubens Barrichello   Stewart SF3-Ford   1:42.17,180 h

Grand Prix, MAL, Sepang, 17.10.1999
56 x 5,542 km = 310,352 km.
1. Eddie Irvine   Ferrari F399   1:36.38,494 h
2. Michael Schumacher   Ferrari F399   1:36.39,534 h
3. Mika Häkkinen   McLaren MP4/14-Mer. 1:36.48,237 h

Grand Prix, J, Suzuka, 31.10.1999
53 x 5,864 km = 310,792 km.
1. Mika Häkkinen   McLaren MP4/14-Mer. 1:31.18,785 h
2. Michael Schumacher   Ferrari F399   1:31.23,800 h
3. Eddie Irvine   Ferrari F399   1:32.54,473 h

1999

1. M. Häkkinen   76 P.   1. Ferrari   128 P.
2. E. Irvine   74 P.   2. McLaren-Mercedes   124 P.
3. H.-H. Frentzen 54 P.   3. Jordan-M.-Honda   61 P.